TRACTORES

TRACTORES

MÁS DE 220 MODELOS DE TODO EL MUNDO

MICHAEL WILLIAMS

PaRragon

Bath · New York · Singapore · Hong Kong · Coogne · Dehi · Mebourne

Para Jayne

Copyright © 2007 de la edición en español:
Parragon Books Ltd
Queen Street House
4 Queen Street
Bath BA1 1HE, Reino Unido

Traducción del inglés: Antonio Vizcarra Aliaga y Carlos Chacón Zabalza
para LocTeam, S. L., Barcelona
Redacción y maquetación de la edición en español: LocTeam, S. L.,
Barcelona

ISBN 978-1-4075-1875-6

Impreso en China
Printed in China

CRÉDITOS FOTOGRÁFICOS

Todas las imágenes son cortesía de Michael Williams excepto las siguientes:
Peter Adams: 30, 71 arriba, 74, 122, 124, 131, 255 centro, 275, 286;
Amber Books Ltd: 3, 8, 9, 10 arriba, 36, 38 arriba, 39, 56 arriba, 57, 67, 83 izquierda, 92 (principal), 93, 96, 99 arriba,
106 arriba, 115, 127, 133, 134 arriba, 136 arriba, 163 (principal), 180, 188 (principal), 199, 211 (principal);
Cheffins: 219;
Corbis: guardas;
Elkhorn Valley Museum: 52;
Andrew Morland: 26, 31, 32, 33, 44 arriba, 48, 49, 50, 53, 64, 68, 69, 70, 79, 80, 81, 83 (principal),
84, 87, 97, 99 (principal), 106 (principal), 112, 113;
David Williams: 7, 13, 22, 25, 28 abajo, 29, 34, 35, 45, 46, 47, 51 arriba, 60, 61, 65, 73, 94, 95,
104, 108 arriba, 110, 111, 118, 123, 125, 128, 134 (principal), 136 (principal), 137, 139 izquierda,
141, 143, 145, 147, 148, 150, 151, 161, 162, 163 arriba, 164, 165, 166, 169, 171 (principal), 174, 175,
176, 183, 184, 185, 186, 187 (principal), 190, 192-193, 193, 195 arriba, 196, 204, 205, 208 arriba,
211 arriba, 212, 213, 217 derecha, 223, 227 arriba, 228, 234, 235, 239, 251, 256, 263.

CONTENIDO

Introducción

La mecanización agrícola

En los países con una industria agrícola mecanizada, el pequeño número de personas dedicado a las labores agrícolas produce suficiente comida para el resto de la población.

Arriba: *Los tractores de gran tamaño, como este Steiger Panther, proporcionan a las granjas que poseen grandes extensiones de terreno una potencia enorme para accionar herramientas de alto rendimiento.*

Izquierda: *Este John Deere 435 es un ejemplo del paso del tractor de encendido mediante bujías a los motores diésel que se produjo en el sector durante los años cincuenta y sesenta.*

El desarrollo de los tractores agrícolas ha tenido enorme influencia en el rendimiento de las granjas. El cambio ha sido espectacular. Antes de que aparecieran los primeros tractores, cuando la producción de alimentos dependía de la tracción animal, además de la contribución relativamente insignificante de las máquinas de vapor, la agricultura empleaba a más del 50% de la población activa en América del Norte y gran parte de Europa. Desde entonces la productividad ha aumentado tanto que un 2 o 3% o de la población es capaz de producir suficiente comida para su propio sustento y el del 97% restante, que no se dedica a las tareas agrícolas.

Productividad

Obviamente el rendimiento que se obtiene utilizando un tractor no es el único motivo por el que se ha producido este aumento en la productividad. Tenemos variedades de cosechas y razas de ganado más productivas, productos veterinarios y pesticidas más efectivos y utilizamos más fertilizantes, pero la mecanización y el uso de los tractores han contribuido enormemente a mejorar la productividad agrícola.

Otro indicio de la repercusión que ha tenido el uso de los tractores en la producción de alimentos es el cambio registrado en la población de animales de carga en las estadísticas oficiales. Las cifras indican que el número de caballos en las granjas estadounidenses llegó a su apogeo en 1919, con más de 20 millones.

Desde entonces el número de animales de carga ha disminuido constantemente, mientras que el número de tractores ha ido en aumento. La tendencia ha sido similar en el Reino Unido, donde las cuatro razas principales de caballos de tiro han desaparecido prácticamente de las granjas como animales de carga, aunque los amantes de los caballos las siguen criando. La raza de caballos más antigua de Gran Bretaña es la Suffolk Punch, que hace 80 años se encargaba de la mayor parte de las tareas de arado y recolección en muchas de las granjas de los países del Este que se dedicaban al cultivo. En la actualidad, la Suffolk Punch está considerada oficialmente como una especie escasa y el número de estos animales es inferior al del panda gigante.

En América del Norte, las máquinas de vapor, aparte de accionar los tambores de trilla, nunca contribuyeron de manera significativa a la mecanización agrícola. Eran demasiado grandes y caras como para sustituir la tracción animal en las granjas de pequeño y mediano tamaño, y los fabricantes americanos y europeos de motores portátiles, de tracción y de arado por cable muy pronto sintieron los efectos de la competencia de los tractores. Fue una victoria fácil para las compañías que fabricaban tractores y en este libro podremos ver cómo respondieron algunos de los grandes fabricantes de máquinas de vapor.

Desarrollo de los diseños

Cuando los primeros tractores hicieron su aparición hace más de 110 años, estaban diseñados para accionar trilladoras. En este libro se describen las mejoras que se han introducido en su diseño desde entonces con el fin de producir los versátiles tractores actuales de gran rendimiento que han acabado sustituyendo la tracción animal y las máquinas de vapor en todas las granjas.

Sin embargo, las mejoras de diseño también han avanzado con pasos más modestos, como las cajas de cambio cada vez más fáciles de utilizar, las mejoras en la accesibilidad para llevar a cabo el mantenimiento del motor, la mayor maniobrabilidad y una instrumentación más completa. Sin embargo, también ha habido muchas ideas que

simplemente no han conseguido atraer a un número suficiente de clientes. Entre éstas se incluyen varios tractores con tracción a las tres, seis u ocho ruedas, y el tractor anfibio County Sea Horse que cruzó el canal de la Mancha.

Desde los años cincuenta hasta la actualidad, varios tractores han estado equipados con transmisiones hidrostáticas, otro avance que hasta el momento no ha alcanzado el nivel de popularidad esperado. La transmisión hidrostática tiene algunas importantes ventajas, como un ajuste de la velocidad infinitamente variable sin utilizar el pedal del embrague ni modificar las revoluciones del motor. Además, un tractor hidrostático es idóneo para conductores con poca experiencia, ya que carece de engranajes que se puedan bloquear. Sin embargo, la principal desventaja de la transmisión hidrostática es que las pérdidas de potencia son significativamente mayores que en la mayoría de transmisiones mecánicas. En muchas ocasiones las ventajas deberían compensar con creces este inconveniente; sin embargo,

Abajo: *Los tractores Rumeley OilPull tenían fama de ser robustos y pesados. En los años veinte se intentó desarrollar una nueva gama de modelos ligeros, pero no tuvieron tanto éxito.*

Arriba: *La compañía Goold, Shapley & Muir, con sede en Canadá, fue una de las muchas dedicadas a la fabricación de tractores que no pudieron superar la intensa competencia a la que se vieron sometidas a principios de los años veinte.*

a pesar de esto, las decepcionantes ventas que obtuvieron obligaron a International Harvester a abandonar su ambiciosa gama de tractores hidrostáticos.

Otro avance tecnológico reciente que parece haberse consolidado es el tractor de transporte, diseñado para alcanzar una mayor velocidad que permita trabajar con remolques o desplazarse de una granja a otra. Esta idea se inició con el camión/tractor Mercedes-Benz Unimog en Alemania. Aunque probablemente se pueda considerar más un camión que un tractor, en Gran Bretaña se desarrolló una versión más agrícola con el nombre de Trantor. El Fastrac de JCB es un tractor con una doble finalidad: además de estar diseñado para trabajos que requieran una velocidad moderada, como arar la tierra, puede circular por carretera a 50 km/h.

En un principio, los tractores estaban accionados por motores de gasolina encendidos por chispa, si bien a partir de la década de los cincuenta los motores diésel se hicieron cada vez más predominantes. En la actualidad, los motores diésel se han establecido por completo en los tractores agrícolas, y los experimentos realizados con motores alternativos, como máquinas de vapor de alta tecnología, células de combustible y turbinas de gas, no han mermado su popularidad.

Seguridad

Aunque ha habido una serie continua de avances mecánicos que han incidido en el rendimiento de los tractores en el campo y en la carretera, los esfuerzos de la industria del tractor para mejorar la comodidad y la seguridad de los conductores han sido, hasta hace poco, mucho menos impresionantes. Durante los primeros 30 años de desarrollo, los conductores de la mayoría de tractores trabajaban muy cerca de ruedas dentadas, transmisiones por cadena y otras partes móviles sin protección, una situación que horrorizaría a un inspector de seguridad laboral actual.

Aún tuvo que pasar mucho más tiempo hasta que los tractores estuvieron equipados con cabinas de seguridad que protegieran al conductor de lesiones graves o mortales en el caso de que el vehículo volcara. Incluso los tractores modernos pueden volcar si trabajan en un terreno escarpado o demasiado cerca de una acequia o un canal de desagüe. En algunos de los primeros tractores que se fabricaron, el problema se agravaba debido a que tenían un centro de gravedad elevado. Un problema específico del tractor Fordson modelo F era que tenía tendencia a levantarse hacia atrás debido a un fallo en el diseño de la colocación de la barra de tracción. En su libro *Henry Ford & Grass Roots America*, Reynold M.

Wick cita noticias aparecidas en la prensa de la época que indican que en 1922 habían muerto 136 conductores en las granjas americanas debido a accidentes en los que habían estado implicados tractores del modelo F.

Cuando, finalmente, los fabricantes de tractores comenzaron a equipar estos vehículos con cabinas de seguridad, no fue debido a que las estadísticas de accidentes demostraran claramente que era necesario tomar alguna medida de seguridad para salvar vidas, sino porque una ley gubernamental les obligó a hacerlo. Parte de la culpa de esta situación recae en los clientes que compraron los tractores: si hubieran exigido cabinas de seguridad adecuadas, los fabricantes de tractores hubieran respondido rápidamente a esta demanda.

Arriba: *En esta ilustración podemos ver la transmisión que transfiere la potencia del motor de este enorme tractor Steiger STX440 de Case IH.*

Comodidad

La comodidad del conductor tampoco era una prioridad. Tuvieron que pasar casi 60 años para que se ofreciera algo más que un asiento de metal básico montado sobre una base de acero elástica. Incluso en algunos de los primeros tractores, el conductor no disponía de ningún asiento. Las cabinas tampoco fueron un componente habitual hasta la década de los cincuenta, y tuvieron que pasar 30 años más antes de que hicieran su aparición los sistemas de suspensión de cabinas y ejes adecuados para facilitar la absorción de los rebotes y las vibraciones cuando el tractor se desplazaba por terrenos abruptos.

Sigue siendo un misterio por qué los conductores de tractores tuvieron que esperar tanto para disfrutar de un entorno de trabajo más cómodo cuando las primeras furgonetas y camiones estaban equipados con cabinas y ejes con suspensión. Una explicación podría ser que los clientes eran reacios a pagar más por un tractor cuyos estándares de comodidad fueran más elevados aunque, irónicamente, ahora esté demostrado que gracias a ellos la producción se ve incrementada, ya que los conductores tienden a seleccionar una marcha más alta o una mayor velocidad del motor si disponen de un tractor más cómodo.

Abajo: *Los tractores County de la serie FC con una plataforma de carga detrás de la cabina montada en la parte delantera fueron uno de los diseños innovadores de los sesenta.*

La situación ha cambiado de forma muy drástica durante los últimos 25 años, ya que la comodidad del conductor ha ido escalando posiciones en la lista de prioridades de diseño. Los vendedores de tractores confirman que los clientes exigen niveles de comodidad cada vez mayores. Uno de los principales factores a la hora de competir en las ventas de estos vehículos es que dispongan de una cabina espaciosa y bien equipada.

Tractores robot

Ahora que los principales fabricantes de tractores ofrecen importantes estándares de comodidad para los conductores, el próximo paso podría ser prescindir del conductor y utilizar tractores robot para la mayoría de las tareas más repetitivas que se realizan en las granjas. No se trata de una idea nueva, ya que en 1958 un equipo de ingenieros de la Universidad de Reading presentó un tractor con un sistema de rastreo que podía seguir automáticamente las señales de un cable enterrado bajo el suelo.

Inevitablemente, el sistema de guía mediante cable enterrado, así como diversos sistemas de guía a distancia controlados por radio, presentaban problemas. Es posible que los sistemas más recientes disfruten de mayor aceptación, ya que utilizan componentes electrónicos avanzados, sistemas de

control informatizados y señales procedentes de la red de satélites del sistema de posicionamiento global (GPS) para determinar la posición del tractor con un margen de error de menos de un metro.

Mucha de la tecnología necesaria para fabricar tractores sin conductor ya es un equipamiento estándar en la mayoría de ellos, y esto incluye los sistemas de control electrónico interconectados que gestionan el funcionamiento del motor, la transmisión y la articulación trasera de la mayoría de modelos de potencia media y alta.

Se han realizado demostraciones con diversos tractores robot controlados electrónicamente, pero de momento no han sustituido todavía a los conductores. Sin embargo, están facilitando mucho el trabajo del conductor y haciéndolo más productivo al eliminar algunos de los aspectos rutinarios del manejo de un tractor. Cuánto tiempo se mantendrá esta situación es algo que no está claro todavía, ya que sin duda dependerá de la calidad del trabajo desempeñado y de la fiabilidad que ofrezcan los tractores que funcionen sin conductor.

Lo único seguro es que en los próximos 10 o 20 años, los avances en el diseño de los nuevos tractores serán, por lo menos, tan interesantes como lo han sido estas últimas décadas.

Abajo: El tractor Valmet con tracción a las seis ruedas presentado en 1975 se podía equipar con bandas de rodadura para minimizar el riesgo de compactación del suelo y mejorar el agarre.

capítulo 1

Los primeros tractores

Los primeros tractores empezaron a fabricarse en Estados Unidos en 1880, cuando la industria agrícola crecía rápidamente y se labraron por primera vez millones de hectáreas de tierras para el cultivo. La mayoría de máquinas estaban accionadas por caballos y mulas, pero la contribución de las máquinas de vapor era cada vez mayor. Los primeros tractores se diseñaron para sustituir a las máquinas de vapor en la labor de accionar las trilladoras.

Arriba: *Los tractores, como este insólito Crossley fabricado en Gran Bretaña, estaban diseñados para ser vehículos versátiles y eran capaces de utilizar aperos portátiles, además de accionar una correa que moviera equipos fijos.*

Izquierda: *Los diseños de tres ruedas atrajeron a muchos fabricantes durante los primeros años de desarrollo de los tractores, como Case con su singular modelo 10-20. La idea fue adoptada posteriormente por los tractores para cultivos en surcos.*

Los primeros tractores norteamericanos eran grandes y pesados, pues estaban diseñados principalmente para sustituir a las máquinas de vapor. La metodología empleada en Gran Bretaña era distinta, y los diseñadores fabricaron tractores más pequeños que sustituyeran a los caballos en las tareas de carga, como máquinas cultivadoras y de recolección de forraje.

En la década de 1890, cuando empezaron a funcionar los primeros tractores, la tecnología de las máquinas de vapor estaba respaldada por más de 100 años de desarrollo y los motores eran muy seguros. Los nuevos tractores equipados con motor de gasolina eran justo lo contrario. Los motores eran toscos e ineficaces. Su escasa fiabilidad era una de las razones por las que tanto los agricultores europeos como los americanos se mostraban reticentes a utilizar los tractores en lugar de los animales o las máquinas de vapor.

Sin embargo, la influencia de la Primera Guerra Mundial (1914-18) produjo cambios significativos en las prácticas agrícolas de América del Norte y Europa. Muchos hombres y caballos tuvieron que ir a combatir a los campos de batalla europeos, por lo que muchos granjeros se vieron obligados a utilizar tractores por primera vez para poder mantener los niveles de producción de alimentos. La escasez de mano de obra después de la guerra hizo posible que el tractor llegara para quedarse.

FROELICH
✖ 1892 Froelich, Iowa (EE. UU.)

FROELICH

La historia del tractor se remonta a aproximadamente 1889, cuando un estadounidense denominado John Charter utilizó un motor de gasolina montado sobre el chasis y la transmisión de un tractor de vapor para accionar una trilladora.

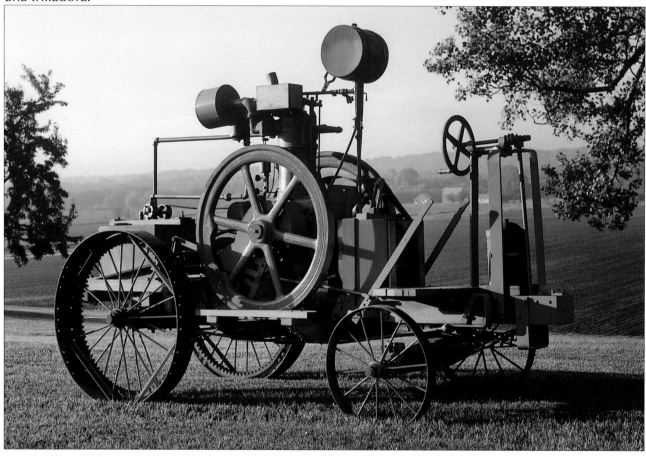

En 1892 hicieron su aparición tractores más experimentales que se utilizaron para trillar. Uno de ellos fue fabricado por John Froelich, natural de Froelich (Iowa), un pueblo que llevaba ese nombre en honor a su padre. John Froelich era un contratista que manejaba trilladoras accionadas por vapor y que decidió fabricar un tractor de gasolina para sustituir una de sus máquinas de vapor.

Diseño inicial

Un herrero local fabricó el chasis, que se instaló sobre un conjunto de ruedas de un motor de tracción. Froelich compró un motor Van Duzen y, con un único cilindro de 35,5 litros, fue capaz de generar sólo 20 CV (14,8 kW).

Probablemente fue el primer tractor que dispuso de marcha atrás, lo que debió simplificar el trabajo del conductor al maniobrar durante las

Arriba: Esta réplica del tractor original Froelich fue fabricada por Deere y Co. para que apareciera en una película sobre la historia de la compañía.

tareas de trilla, pero no había muchas más concesiones a la comodidad o seguridad del conductor, que se colocaba en la parte delantera del tractor. El único asiento que había se encontraba encima del depósito de combustible. La posición de conducción estaba muy cerca de los radios de los volantes de inercia del motor y de los engranajes de la transmisión, que también estaban a la vista y eran fácilmente accesibles. Sin embargo, contaba con un enorme depósito de agua potable por si el conductor tenía sed.

Waterloo Gasoline Traction Engine Co.

El tractor o motor de tracción accionado por gasolina funcionaba bien y su éxito animó a John Froelich y a un grupo de empresarios a crear una compañía que fabricara más máquinas basadas en

el mismo diseño. La compañía, con sede en Waterloo (Iowa), se denominó Waterloo Gasoline Traction Engine Co., pero los dos primeros tractores que se fabricaron en 1893 no cumplieron las expectativas de sus clientes y se devolvieron a la fábrica.

A pesar de este contratiempo, la compañía se reorganizó en 1895. Dejó de fabricar tractores y se concentró en los motores. Pasó a llamarse Waterloo Gasoline Engine Co. y John Froelich se marchó en 1895. Pero la historia no acabaría aquí. Cuando la compañía volvió a fabricar tractores, tuvo tanto éxito que Deere & Co. compró Waterloo para introducirse en el mercado de los tractores. De este modo, el Froelich de 1892 se convirtió en el antepasado más antiguo de los tractores de la marca John Deere.

Especificaciones

Fabricante: John Froelich
Procedencia: Froelich, Iowa (EE. UU.)
Modelo: n. d.
Tipo: motor de trilla autopropulsado
Motor: de un cilindro
Potencia: 20 CV (14,8 kW)
Transmisión: engranajes a la vista
Peso: n. d.
Año de fabricación: 1892

Izquierda: *Cuando se fabricó este tractor Froelich, la seguridad del operario no estaba entre las prioridades de diseño, como demuestran los volantes de inercia y los engranajes, completamente a la vista.*

CASE

1892 **Racine, Wisconsin (EE. UU.)**

TRACTOR EXPERIMENTAL DE CASE

A finales del siglo XIX, la compañía J. I. Case Threshing Machine Co. era uno de los principales fabricantes de maquinaria agrícola de vapor de Estados Unidos, y estaba en camino de convertirse en la más importante del mundo.

Especificaciones

Fabricante: J. I. Case Threshing Machine Co.
Procedencia: Racine, Wisconsin (EE. UU.)
Modelo: experimental
Tipo: motor de trilla autopropulsado
Motor: Patterson de un cilindro
Potencia: 20 CV (14,8 kW)
Transmisión: n. d.
Peso: n. d.
Año de fabricación: 1892

Arriba: *Como se puede apreciar en esta fotografía de 1890, el techo de este prototipo de tractor fabricado por Case parece proteger el motor pero deja al conductor expuesto a las inclemencias del tiempo.*

La mayoría de los principales fabricantes de motores de vapor no respondieron al reto que supusieron los nuevos motores de combustión interna hasta que fue demasiado tarde. La estrategia de Case fue distinta y la compañía fabricó en 1892 un tractor experimental.

Motor equilibrado

Algunos motores de gasolina de los primeros tractores tenían un solo cilindro que producía un movimiento oscilante cuando el pistón de gran tamaño se movía de un lado a otro. Case optó por el motor equilibrado de William Patterson, con dos pistones opuestos en un único cilindro, que ofrecía un funcionamiento mucho más uniforme. El motor estaba montado en el chasis y las ruedas de un tractor Case.

Los sistemas de combustible y encendido primitivos utilizados en los primeros motores de gasolina causaban problemas de fiabilidad y el motor Patterson no fue una excepción. Las máquinas de vapor, que contaban con muchos más años de desarrollo, eran más seguras y Case abandonó la producción del tractor con motor Patterson para concentrarse en sus máquinas de vapor que tantos éxitos le proporcionaron.

HART-PARR
✠ **1903   Charles City, Iowa (EE. UU.)**

HART-PARR 18-30

La asociación de Charles Hart y Charles Parr se inició en la Universidad de Wisconsin. Después de graduarse como ingenieros en 1896, crearon una compañía para fabricar motores basada en las ideas que habían desarrollado como estudiantes, entre las que se incluía utilizar aceite, y no agua, en el sistema de refrigeración, para que el agua congelada no produjera daños en el motor.

Derecha: Este tractor Hart-Parr modelo 18-30 fabricado en 1903 fue uno de los pesos pesados de los primeros años de diseño de tractores norteamericanos y se encuentra ahora en la Smithsonian Institution.

Especificaciones

Fabricante: Hart-Parr Co.

Procedencia: Charles City, Iowa (EE. UU.)

Modelo: 18-30

Tipo: motor de trilla autopropulsado

Motor: dos cilindros, refrigerado por aceite

Potencia: 30 CV (22,2 kW)

Transmisión: caja de cambios de una velocidad

Peso: 7.119 kg

Año de fabricación: 1903

La producción de tractores se inició cuando la compañía Hart-Parr se trasladó a un local mayor en Charles City (Iowa), y se completó el tractor n.º 1 en 1902. El tercer modelo fue el 18-30, fabricado en 1903 y equipado con un motor de dos cilindros de queroseno o parafina con refrigeración por aceite.

Torre de refrigeración

Un elemento distintivo del modelo 18-30 fue la gran torre rectangular que se encontraba en la parte delantera del tractor. Formaba parte del sistema de refrigeración, ya que extraía los gases de escape del motor del tractor y los utilizaba para inducir un chorro de aire ascendente dentro de la torre con el fin de refrigerar el aceite que circulaba desde el motor.

Los dos cilindros, con un diámetro interior de 3,9 cm y una carrera de 5,1 cm, generaban 30 CV (22,2 kW) en la polea de correa, con 18 CV disponibles en la barra de tracción. El modelo 18-30 pesaba siete toneladas; un tractor ligero comparado con las 27,4 toneladas del Hart-Parr 60-100 fabricado en 1911.

IVEL
🔧 1902 Biggleswade, Bedfordshire (Inglaterra)

IVEL

Dan Albone era el hijo de un horticultor y, al igual que Harry Ferguson y Henry Ford, su principal afición era la ingeniería. Se marchó de casa para montar un pequeño taller de fabricación de bicicletas y ejes para carruajes y vagonetas.

El negocio de Albone estaba situado en Bedfordshire y allí fue donde empezó a experimentar con los tractores. En 1902 terminó su primer prototipo. Se trataba de un modelo de tres ruedas con un motor de dos cilindros montado sobre un chasis de acero. El tractor estaba equipado en la parte posterior con un gran depósito para refrigerar el agua, cuyo peso recaía sobre las ruedas motrices para mejorar la tracción.

Se utilizaron varias marcas de motores y en 1913 el motor de 8 CV (6,03 kW) de las primeras versiones alcanzó los 24 CV (17,7 kW). Mientras los fabricantes estadounidenses fabricaban tractores pesados para accionar las trilladoras y arar los campos, Albone se dio cuenta de que un tractor pequeño y ligero, de unos 1.300 kg, podía sustituir a los caballos para tareas como tirar de una segadora o una agavilladora.

Arriba: *Para impulsar el tractor Ivel se utilizaron varios motores que generaban distintas potencias comprendidas entre los 8 CV (6,03 kW) y los 24 CV (17,7 kW).*

La mecanización agrícola siguió siendo una novedad en el Reino Unido y las ventas eran decepcionantes, pero el Ivel se anotó una impresionante lista de éxitos al ser exportado a 18 países en 1906. Un Ivel especialmente fabricado para un cultivador de fruta de Tasmania fue probablemente el primer tractor que se utilizó en una huerta, y Albone diseñó una versión estrecha para un viñedo francés. El Ivel también ganó medallas de oro y plata en exhibiciones por todo el mundo, que llegaron a un total de 24 en 1906.

Variantes del tractor

Albone mostró una imaginación considerable desarrollando usos alternativos para sus tractores. Convirtió un Ivel en un coche de bomberos equipado con bomba de agua y el personal necesario e hizo una demostración de cómo este vehículo podía apagar incendios.

Otro tractor blindado con amplias puertas traseras se exhibió como ambulancia para el campo de batalla. Los militares pudieron ver cómo la polea de correa podía accionar equipos para depurar agua y generar hielo en una unidad de primeros auxilios y cómo el tractor llevaba suministros médicos a través de terrenos abruptos. Además, se podía utilizar para transportar a los heridos, pero, aparte de disparar balas para probar la resistencia de la armadura, los militares mostraron poco interés en una idea que, diez años después, podría haber salvado miles de vidas.

Si el Ivel se hubiera desarrollado más, podría haberse convertido en un éxito absoluto, pero Albone murió en 1906 cuando contaba con 46 años. Sobre el Ivel, un periódico argentino llegó a decir que «era indudablemente la máxima atracción» del Salón Agrícola de París y «el motor agrícola de mayor éxito del mercado».

Especificaciones

Fabricante: Ivel Agricultural Motors
Procedencia: Biggleswade, Bedfordshire (Inglaterra)
Modelo: versión 1904
Tipo: uso general
Motor: dos cilindros opuestos horizontalmente
Potencia: 18 CV (13,32 kW)
Transmisión: caja de cambios con una velocidad de serie, opcional con dos velocidades
Peso: 1.525 kg
Año de fabricación: 1902

Izquierda: *A pesar de ganar un número impresionante de medallas de oro y plata, y de atraer a clientes en 18 países, el Ivel tuvo unas ventas decepcionantes en Gran Bretaña.*

RANSOMES
✕ 1903 Ipswich, Suffolk (Inglaterra)

RANSOMES

La familia Ransomes empezó a fabricar equipos agrícolas en Ipswich (Suffolk) en 1789, y durante la segunda mitad del siglo XIX fue uno de los principales fabricantes de máquinas de vapor agrícolas.

Abajo: Algunos de los primeros fabricantes no dotaron sus vehículos de frenos. Sin embargo, los tractores Ransomes disponían de frenos en las cuatro ruedas.

En 1903, Ransomes Sims & Jefferies exhibió su primer tractor. El motor elegido para el modelo fue un cuatro cilindros de gasolina con 20 CV (14,8 kW) fabricado por Sims, uno de los principales fabricantes de motores de coches.

El tractor también estaba equipado con una caja de cambios poco común con tres velocidades hacia delante y tres hacia atrás. La transmisión también accionaba la polea de correa y proporcionaba 220, 450 o 1.000 r. p. m. a la velocidad nominal del motor.

La disposición de los frenos tampoco era convencional. Un pedal desconectaba el embrague y al mismo tiempo aplicaba un freno en la transmisión a las ruedas, y una palanca de mano aplicaba los frenos en las cuatro ruedas.

Frenos

Éste fue probablemente el primer ejemplo de vehículo con frenos en las cuatro ruedas en una época en la que muchos fabricantes de tractores consideraban que no era necesario equiparlos con frenos. Se decía que el ritmo de trabajo con un arado de tres surcos era de 0,2 hectáreas por hora utilizando 4,5 litros de gasolina.

El tractor se exhibió en diversas ferias en 1903 y 1904, pero no se registró ninguna venta y el proyecto se abandonó.

Especificaciones

Fabricante: Ransomes Sims & Jefferies
Procedencia: Ipswich, Suffolk (Inglaterra)
Modelo: 20 CV
Tipo: uso general
Motor: cuatro cilindros Sims
Potencia: 20 CV (14,8 kW)
Transmisión: caja de cambios con tres velocidades y marcha atrás
Peso: 2.136 kg
Año de fabricación: 1903

FORD
⚒ **1906/7   Detroit, Michigan (EE. UU.)**

TRACTOR EXPERIMENTAL DE FORD

Abajo: El primer tractor experimental de Ford se fabricó a partir de componentes procedentes de automóviles Ford para reducir los costes.

La infancia de Henry Ford en la granja familiar de Michigan lo dejó con muy pocas ganas de trabajar con caballos, pero le sirvió para interesarse por desarrollar vehículos agrícolas que mejoraran la producción en las granjas.

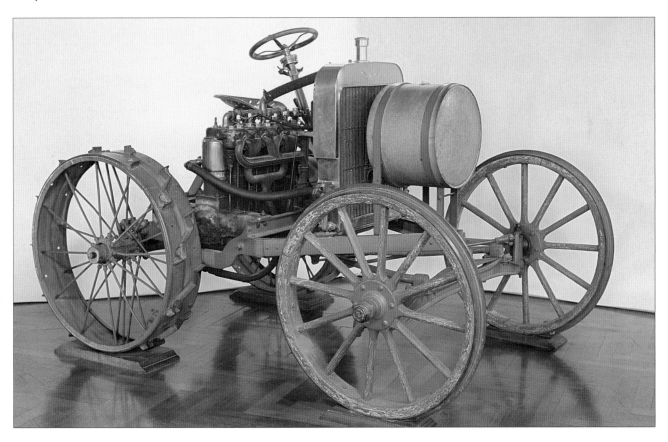

Especificaciones

Fabricante: Ford Motor Co.

Procedencia: Detroit, Michigan (EE. UU.)

Modelo: experimental

Tipo: uso general

Motor: Ford de cuatro cilindros

Potencia: 24 CV (17,7 kW)

Transmisión: n. d.

Peso: 681 kg

Año de fabricación: 1906/7

Se recuerda a Ford principalmente por su inmensa contribución a la industria del automóvil, aunque también revolucionó la producción de los tractores. Gracias a sus recursos financieros y a su experiencia en la fabricación en serie, muchos granjeros pudieron adquirir vehículos agrícolas económicos por primera vez.

El tractor de Ford

El desarrollo del tractor de Ford se inició en 1906 ó 1907 con un modelo experimental fabricado por Joseph Galamb. Utilizó principalmente componentes ya existentes, que incluían un motor de 24 CV (17,7 kW) y una caja de cambios de un automóvil Ford modelo B y los componentes de la dirección y el eje delantero de un automóvil modelo K. Las ruedas delanteras también procedían posiblemente de un modelo K, pero las ruedas traseras eran probablemente de una agavilladora.

El eje delantero del tractor tenía una suspensión con ballestas, que se incluyó porque formaba parte del diseño del modelo K y no existen indicios que demuestren que Ford y sus ingenieros estuvieran especialmente preocupados por la comodidad del conductor.

MARSHALL
⚒ **1908   Gainsborough, Lincolnshire (Inglaterra)**

MARSHALL DE 60 CV

Después de una larga y distinguida historia como fabricante de máquinas de vapor, la compañía Marshall de Gainsborough (Lincolnshire) hizo su primera incursión en el mercado del tractor en 1907, cuando anunció su modelo de 30 CV, equipado con un motor de parafina.

Arriba: Este tractor Marshall se exportó originalmente a Australia, pero ha regresado recientemente a Gran Bretaña, donde ahora ha sido completamente restaurado.

Especificaciones

Fabricante: Marshall Sons & Co.
Procedencia: Gainsborough, Lincolnshire (Inglaterra)
Modelo: 60 CV
Tipo: uso general
Motor: Marshall de dos cilindros
Potencia: 60 CV (44,4 kW)
Transmisión: caja de cambios de tres velocidades
Peso: 9.988 kg
Año de fabricación: 1908

El nuevo modelo pesaba aproximadamente cinco toneladas y se había diseñado principalmente para la exportación. Marshall pensó en países con granjas de gran tamaño, como Canadá y Australia, donde sus máquinas de vapor ya estaban bien establecidas y contaba con una reputación de fabricante de máquinas fiables.

Le siguió otro modelo en 1908, equipado con un motor de cuatro cilindros montado en la parte posterior, compuesto por un par de motores de dos cilindros de 30 CV (22,2 kW) montados uno al lado del otro para generar una potencia de 60 CV (44,4 kW).

Fortunas dispares

Aunque el mercado canadiense estaba dominado por máquinas de vapor y tractores fabricados en Estados Unidos, Marshall compitió con firmeza. La compañía presentó sus tractores de 30 y 60 CV, además de uno de vapor, en la Competición de Motores Agrícolas que se celebró en Winnipeg en 1909.

Los resultados fueron decepcionantes, ya que el tractor de 30 CV quedó tercero en una categoría en la que sólo participaban tres tractores. El nuevo tractor de 60 CV quedó el segundo entre cinco, y el mismo año también obtuvo la medalla de oro en la prestigiosa Feria de Brandon.

Arriba, izquierda: Marshall era una de las compañías dedicadas a la fabricación de máquinas de vapor en el Reino Unido que produjo tractores de gran tamaño para exportarlos a los rincones más apartados del imperio británico.

SAUNDERSON
✗ **1910 aprox. Elstow, Bedford (Inglaterra)**

SAUNDERSON UNIVERSAL MODELO G

Abajo: Delante del radiador del tractor Saunderson Universal había suficiente espacio para colocar una caja de madera que alojara herramientas, bujías de repuesto y otros utensilios básicos.

La necesidad acuciante de Gran Bretaña de incrementar la producción de alimentos durante la Primera Guerra Mundial afectó incluso a la familia real. Había mucha tierra que arar en la finca de Sandringham (Norfolk) y cuando el rey Jorge V decidió comprar un tractor, optó por un Saunderson modelo G.

Especificaciones

Fabricante: Saunderson

Procedencia: Elstow, Bedford (Inglaterra)

Modelo: Universal G

Tipo: uso general

Motor: dos cilindros

Potencia: 20 CV (14,8 kW)

Transmisión: caja de cambios de tres velocidades

Peso: n. d.

Año de fabricación: 1910 aprox.

El pedido se realizó en 1916 y el tractor tardó dos días en recorrer los 129 km que separaban la fábrica de la finca. La compañía obtuvo una valiosa publicidad con este pedido y con los informes que se obtuvieron posteriormente sobre el progreso del tractor en la finca de la familia real, y tuvo más publicidad por parte de la granja familiar de Saunderson. Entre otros de los muchos éxitos obtenidos por el modelo G se puede destacar el contrato firmado con una compañía francesa para fabricar el tractor bajo licencia.

Saunderson

Saunderson empezó a fabricar tractores en 1900. El modelo G estuvo disponible a partir de 1910, con un motor vertical de dos cilindros que en un principio se dijo que generaba 20 CV (14,8 kW) y posteriormente 25 CV (18,5 kW).

Después de la guerra, Saunderson tuvo que hacer frente a problemas financieros y, en 1924, la compañía Crossley compró la compañía Saunderson e intentó comercializar los tractores para transporte por carretera, pero dejó de fabricarlos al cabo de dos años.

CASE

✖ 1912   Racine, Wisconsin (EE. UU.)

CASE 20-40

Mientras la compañía J. I. Case Threshing Machine Co. desarrollaba la gama de máquinas de vapor agrícolas más vendidas del mundo, seguía contemplando los avances del tractor, y en 1911 decidió fabricar una amplia gama de tractores que se vendieran junto con sus motores de tracción.

Vistos ahora, la decisión y el momento en que se llevó a cabo fueron acertados. La demanda de tractores iba en aumento en América del Norte y quedaban muy pocos años para que llegara el auge que se produciría durante la Primera Guerra Mundial. El otro factor que probablemente desempeñó un papel crucial en la decisión fue la mejora en la fiabilidad de los motores.

El primer modelo de serie fue el Case 30-60 de 1911, al que siguió el tractor 20-40 a principios de 1912. Ambos modelos tenían un diseño robusto y compartían algunos componentes con los motores de tracción Case. El modelo 20-40 fue el más popular de los dos, y también fue uno de los tractores americanos de tipo pesado más populares, ya que se siguió fabricando hasta 1920.

Superior: *El motor Case de dos cilindros se ponía en marcha manualmente mediante un mecanismo de trinquete, utilizando una palanca extensible que encajaba en la abertura.*
Arriba: *El Case 20-40 fue uno de los tractores más populares durante la Primera Guerra Mundial.*

Motores Case

Case compró los motores para los primeros tractores 20-40, pero en unos meses disponía ya de su propio motor, que fue utilizado para el resto de la producción. Ambos motores contaban con un diseño de dos cilindros opuestos horizontalmente para mejorar el equilibrio y reducir las vibraciones, y ambos se ponían en marcha manualmente utilizando un trozo de madera que se encajaba en un mecanismo de trinquete para girar el motor.

Una caja de cambios de dos velocidades proporcionaba una velocidad de 3,2 y 4,8 km/h a una velocidad nominal del motor de 475 r. p. m. El sistema de refrigeración se basaba en la torre rectangular sobre el eje delantero, utilizando los gases de escape del motor para incrementar la circulación del aire con el fin de eliminar el calor. Posteriormente se añadieron una bomba de agua y un ventilador para que la refrigeración del motor fuera más eficaz.

La confirmación del buen diseño del tractor 20-40 llegó con las pruebas realizadas en Winnipeg, donde obtuvo una medalla de oro en 1913. En 1920, el tractor 20-40 fue uno de los primeros en participar en las nuevas pruebas realizadas en Nebraska, donde destacó principalmente por conseguir una de las puntuaciones más bajas en la prueba de deslizamiento de las ruedas, probablemente debido a que al pesar 6.256 kg fue uno de los tractores más pesados que realizaron esta prueba.

Especificaciones

Fabricante: J. I. Case Threshing Machine Co.
Procedencia: Racine, Wisconsin (EE. UU.)
Modelo: 20-40
Tipo: uso general
Motor: Case de dos cilindros opuestos horizontalmente

Potencia: 40 CV (29,6 kW)
Transmisión: caja de cambios de dos velocidades
Peso: 6.256 kg
Año de fabricación: 1912

Izquierda: *El robusto chasis de viga de acero con motor horizontal de bajas revoluciones era un diseño clásico cuando este tractor de la compañía Case se presentó en 1912.*

HART-PARR 40

En 1912, International Harvester había arrebatado a Hart-Parr su posición privilegiada en los *rankings* de ventas norteamericanos, aunque esta última compañía seguía siendo uno de los principales fabricantes.

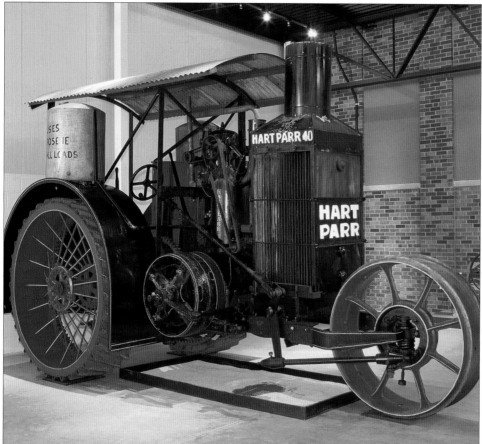

Especificaciones

Fabricante: Hart-Parr Co.

Procedencia: Charles City, Iowa (EE. UU.)

Modelo: 40

Tipo: uso general

Motor: dos cilindros, refrigerado por aceite

Potencia: 40 CV (29,6 kW)

Transmisión: caja de cambios de dos velocidades

Peso: n. d.

Año de fabricación: 1912

Hart-Parr debía su fama a la fabricación de grandes tractores, y su nuevo modelo 40 con una potencia nominal de 20-40 pertenecía a este tipo. Presentaba el habitual diseño de motor refrigerado por aceite con una gran torre de refrigeración rectangular en la parte delantera, y la marquesina con un techo de metal corrugado sobre el motor y la plataforma del conductor también eran un rasgo distintivo de Hart-Parr.

Diseño de triciclo

La mayoría de tractores Hart-Parr anteriores estaban basados en el diseño convencional de cuatro ruedas y la primera excepción a esta norma había sido el tractor 15-30 de tres ruedas que se presentó en 1909. Un diseño de tres ruedas puede ser útil en algunos casos, especialmente para el cultivo en hileras, aunque las ventajas de que un tractor pesado sólo disponga de una única rueda delantera, como ocurría con el nuevo modelo 40-60, parecían verse superadas por las desventajas.

Hart-Parr conservó el motor de dos cilindros de queroseno para el modelo 40. La potencia se transmitía a través de una caja de cambios de dos velocidades con la habitual transmisión. Alcanzaba una velocidad máxima de 6,4 km/h.

Arriba: Hart-Parr fabricó una serie de modelos pesados con una singular torre de refrigeración en la parte delantera, aunque si por algo destacaba el modelo 40 era por su diseño de tipo triciclo.

MUNKTELLS

⚒ **1913 Eskilstuna (Suecia)**

MUNKTELLS

Abajo: *La producción de tractores en Suecia se inició de forma espectacular con el modelo Munktells equipado con un motor de 14,4 litros, un antepasado de los automóviles Volvo.*

La producción de tractores en Suecia se inició en 1913, cuando apareció el primer modelo fabricado por Munktells. La compañía había fabricado máquinas de vapor desde 1853, y su primer tractor se diseñó para sustituir las máquinas de vapor en trabajos como la trilla en granjas de gran tamaño.

Especificaciones

Fabricante: Munktells
Procedencia: Eskilstuna (Suecia)
Modelo: 30 CV
Tipo: motor de trilla autopropulsado
Motor: semidiésel de dos cilindros
Potencia: 40 CV (29,6 kW) (máximo)
Transmisión: caja de cambios de tres velocidades
Peso: 8.136 kg
Año de fabricación: 1913

El peso del tractor con los depósitos de combustible y líquido de refrigeración llenos era de 8,1 toneladas, y estaba montado sobre unas ruedas que tenían casi dos metros de diámetro. El motor era de tipo semidiésel y los dos cilindros disponían de una capacidad de 14,4 litros.

El primer tractor sueco

Contaba con una potencia nominal de 30 CV (22,2 kW), pero los fabricantes también afirmaban que el motor generaba una potencia máxima de 40 CV (29,6 kW). Alcanzaba una velocidad máxima de 4,4 km/h con la transmisión de tres velocidades en la relación superior.

Entre 1913 y 1915, Munktells fabricó aproximadamente 30 tractores. La mayoría se vendió en granjas y fincas de gran tamaño de Suecia, pero también se exportó hasta países tan lejanos como Rusia y Argentina. Munktells se fusionó después con la compañía de automóviles y camiones Volvo, y los tractores fabricados después de 1950 se vendieron con el nombre Volvo BM. La división de tractores de Volvo se combinó posteriormente con la compañía Valmet de Finlandia, donde se concentraba la producción de tractores. Más tarde se produjo un cambio en el nombre, ya que los tractores Volvo pasaron a denominarse Valmet y en la actualidad se llaman Valtra.

WALSH & CLARK
🔧 **1913 Leeds, Yorkshire (Inglaterra)**

WALSH & CLARK VICTORIA

El arado por cable utilizando vapor se desarrolló en el Reino Unido y pronto se extendió a otros países europeos. La máquina se mantiene en un extremo del campo, desde donde acciona un tambor de enrollamiento que tira del aparejo instalado en el extremo de un cable de alambre de un lado a otro del campo. La principal ventaja es que el peso del motor de vapor no daña el suelo.

Tarde o temprano alguien sustituiría el habitual equipo de arado por cable accionado mediante una máquina de vapor por un tractor. La primera compañía que lo hizo fue Walsh & Clark de Guiseley (Leeds), que fabricó el primer motor de la serie Victoria en 1913.

Cuestión de imagen
La imagen que ofrecían los motores Victoria era engañosa, ya que estaban diseñados para parecer una máquina de vapor tradicional con caldera y chimenea. Las paredes de la caldera estaban fabricadas con una placa de acero de 6 mm de grosor

Arriba: Esta máquina Victoria para arar estaba equipada con una bobina para enrollar cable colocada debajo del enorme depósito de combustible con forma de caldera y tenía un aspecto similar al de una locomotora.

que formaba el depósito de combustible, con capacidad para alojar parafina suficiente para trabajar durante cuatro días, y también proporcionaban el armazón principal del tractor. La chimenea tomaba los gases de escape del motor, facilitando la inducción de un flujo de aire a través del radiador al mismo tiempo.

El tambor de enrollamiento o cabrestante estaba suspendido debajo de la caldera, como en un motor de arado por vapor, y el motor que lo accionaba estaba montado sobre la caldera. Walsh & Clark optó por utilizar un motor de gasolina y parafina con dos cilindros horizontales. Las medidas del diámetro y la carrera del cilindro eran de 17,8 y 20,3 cm respectivamente y la velocidad de funcionamiento de 600 r. p. m.

Arado por cable

El arado por cable normalmente implica el uso de un par de motores que trabajan en extremos opuestos del campo y utilizan los tambores de enrollamiento para tirar de un arado o máquina de cultivar hacia delante y atrás entre ellos. Los fabricantes afirmaban que los motores Victoria de 1918 podían mantener una tracción de 1.587 kg en el cable, y un par de motores con un arado reversible de 10 surcos podían cubrir hasta 4 hectáreas en un día, aunque algunos campos no eran adecuados para arar por cable debido a irregularidades en el terreno o porque no estaban suficientemente nivelados.

La mayoría de equipos de arado por cable estaba en manos de contratistas, y algunos cambiaron las máquinas de vapor por motores Victoria para evitar problemas con el suministro de carbón y agua en el campo. Los Victoria también podían trabajar en zonas donde la calidad del agua no era adecuada para las máquinas de vapor.

La producción de los motores Victoria finalizó a principios de la década de 1920, cuando la potencia de los nuevos tractores hizo que los trabajos de arado con cable quedaran obsoletos.

Especificaciones

Fabricante: Walsh & Clark
Procedencia: Leeds, Yorkshire (Inglaterra)
Modelo: Victoria (primera versión)
Tipo: tractor de arado por cable
Motor: dos cilindros horizontales
Potencia: 22 CV (16,3 kW)
Transmisión: caja de cambios de tres velocidades
Peso: 5.588 kg
Año de fabricación: 1913

Abajo: El motor horizontal de dos cilindros que accionaba el tambor de enrollamiento de la máquina de arar Victoria estaba montado sobre el depósito de combustible.

INTERNATIONAL HARVESTER
1913 Chicago, Illinois (EE. UU.)

INTERNATIONAL HARVESTER MOGUL 12-25

International Harvester Company (IH) obtuvo un éxito sin igual durante sus primeros años de actividad en el sector de la fabricación de tractores. IH empezó en 1905 y en 1910 se había convertido en el mayor fabricante de tractores del mundo, con un tercio de la cuota del mercado norteamericano.

Especificaciones

Fabricante: International Harvester Co.
Procedencia: Chicago, Illinois (EE. UU.)
Modelo: Mogul 12-25
Tipo: uso general
Motor: IH de dos cilindros opuestos horizontalmente
Potencia: 25 CV (18,5 kW)
Transmisión: caja de cambios de dos velocidades
Peso: 4.475 kg
Año de fabricación: 1913

Arriba: *International Harvester decidió que la transmisión mediante un juego de cadena y piñón de su tractor Mogul 12-25 no quedase expuesta para protegerla de posibles daños provocados por el polvo, el barro o las piedras.*

El éxito residía en sus grandes tractores, pero un cambio en la política de la empresa trajo consigo una serie de modelos más pequeños, como el modelo 12-25 en 1913. El término «pequeño» es relativo, ya que el 12-25 pesaba en funcionamiento casi 4,5 toneladas.

Diseño avanzado

Algunas de las características del diseño supusieron un avance significativo en comparación con los anteriores modelos fabricados por IH; entre ellas se incluye la transmisión directa a las ruedas mediante un juego de cadena y piñón que estaba completamente cerrado para protegerlo de la suciedad y las piedras. El 12-25 fue también el primer tractor de IH con un radiador y un ventilador accionado mediante el motor en lugar de una torre de refrigeración. Asimismo, la dirección de automóvil suponía una mejora con respecto a los anteriores sistemas de tipo cadena.

El 12-25 estaba equipado con un motor de dos cilindros opuestos. Un magneto de alta tensión proporcionaba la chispa y la lubricación se basaba en un engrasador de presión automático. La caja de cambios de dos velocidades proporcionaba una velocidad máxima de 6,4 km/h.

AVERY

✖ **1913 Peoria, Illinois (EE. UU.)**

AVERY 40-80

A partir de 1910 el mercado de los tractores pesados creció rápidamente en Estados Unidos y Canadá, ya que cada vez se araba más tierra para sembrar trigo. En 1913, Avery diseñó el modelo 40-80 para competir en este sector.

Arriba: Los tractores Avery fueron populares en el mercado dedicado a los tractores pesados. El modelo 40-80, que pesaba 10 toneladas, era uno de los pesos pesados clásicos.

Derecha: El motor del modelo 40-80 de Avery estaba compuesto por cuatro cilindros opuestos horizontalmente, una configuración muy popular que disminuía las vibraciones.

Especificaciones

Fabricante: Avery Co.

Procedencia: Peoria, Illinois (EE. UU.)

Modelo: 40-80

Tipo: uso general

Motor: cuatro cilindros opuestos horizontalmente

Potencia: 80 CV (59 kW)

Transmisión: caja de cambios de bastidor deslizante de dos velocidades

Peso: 10 toneladas

Año de fabricación: 1913

Pesaba unas diez toneladas y, como la mayoría de sus rivales, el 40-80 tenía un diseño robusto. El motor estaba compuesto por cuatro cilindros opuestos horizontalmente, un diseño popular en aquella época, ya que los movimientos del cilindro ayudaban a reducir las vibraciones.

La velocidad de giro del motor de 500 r. p. m. era la habitual en los tractores pesados y la torre de refrigeración con circulación del aire inducida por los gases de escape también era convencional.

Muchos de los rivales del 40-80 también compartían el mismo mecanismo de dirección de tipo cadena. La transmisión final mediante engranaje y piñón también procedía de la era de las máquinas de vapor.

El cambio de marchas

El mecanismo del cambio de marchas de Avery era más inusual. Se componía de un bastidor deslizante que permitía al conductor cambiar los piñones del árbol de transmisión manualmente cuando se seleccionaba una de las dos marchas. Podía ser incómodo de manejar, ya que eliminaba la esperanza de disponer de una palanca de cambios y, desde luego, no hubiera cumplido con ninguna de las normas de seguridad actuales.

HART-PARR
✖ 1915   Charles City, Iowa (EE. UU.)

HART-PARR LITTLE DEVIL

Incluso compañías como Hart-Parr, una de las pioneras en desarrollar los tractores pesados, se interesaron por los modelos más pequeños y ligeros a partir de 1913.

El primer tractor económico de Hart-Parr se anunció en 1914. Era un tractor de tres ruedas y recibió el nombre de Little Devil. La posición de conducción en el lado derecho de la rueda trasera ofrecía una visibilidad razonable hacia delante y la derecha, pero la visibilidad hacia el lado izquierdo no era muy buena.

Características del diseño

El Little Devil tenía un buen diseño que incluía un motor completamente cerrado y transmisión directa a las ruedas mediante un juego de cadena y piñón. El motor, de dos cilindros, era de dos tiempos y desarrollaba 22 CV (16,3 kW) a una velocidad nominal de 600 r. p. m. y también incluía una caja de cambios con dos marchas, aunque carecía de marcha atrás.

Para que el Little Devil se moviera hacia atrás, según se indica en la *Encyclopaedia of American Farm Tractors* de C. H. Wendel, el conductor debía reducir la velocidad del motor hasta ponerlo al ralentí, interrumpir el encendido hasta que el motor casi se detuviera y accionar de repente la palanca de distribución para que se produjera un fallo de encendido del motor. Con un poco de suerte, el fallo en el encendido hacía que el motor girara marcha atrás y el tractor retrocediera con una de las marchas engranada.

Arriba: *El Little Devil fue el primer intento de Hart-Parr de responder a la demanda de tractores más ligeros.*

Especificaciones

Fabricante: Hart-Parr Co.
Procedencia: Charles City, Iowa (EE. UU.)
Modelo: Little Devil
Tipo: uso general
Motor: dos cilindros y dos tiempos
Potencia: 22 CV (16,3 kW)
Transmisión: caja de cambios de dos velocidades
Peso: n. d.
Año de fabricación: 1915

SAWYER-MASSEY

✎ **1913 Hamilton, Ontario (Canadá)**

SAWYER-MASSEY 20-40

La compañía Massey-Harris creció rápidamente hasta convertirse en uno de los principales fabricantes de aperos agrícolas, pero siguió especializada en fabricar maquinaria, retrasando su entrada en el mercado de los tractores.

Derecha: *Cuando Sawyer-Massey se introdujo en el mercado de los tractores, la familia Massey ya había vendido su participación mayoritaria en la compañía.*

Arriba: *Sawyer-Massey optó por un motor de cuatro cilindros para su tractor 20-40, colocando el peso cerca de la parte posterior del chasis para incrementar la adherencia de las ruedas.*

Especificaciones

Fabricante: Sawyer-Massey Co.

Procedencia: Hamilton, Ontario (Canadá)

Modelo: 20-40

Tipo: uso general

Motor: cuatro cilindros

Potencia: 40 CV (29,6 kW)

Transmisión: n. d.

Peso: n. d.

Año de fabricación: 1913

La familia Massey tenía una política diferente. Eran los mayores accionistas cuando las compañías Massey y Harris se fusionaron en 1891, y al año siguiente compraron una participación del 40% en la compañía L. D. Sawyer Co. de Hamilton (Ontario), una de las más importantes fabricantes de máquinas de vapor. Tras la aportación de capital de Massey, la compañía pasó a llamarse Sawyer-Massey y la producción aumentó.

Sawyer-Massey

La producción de tractores siguió en 1910, pero en ese momento la familia Massey vendió sus intereses en la compañía. Sawyer-Massey pasó a desarrollar una gama de tractores. El primero fue el modelo 22-45, que participó en el Certamen de Vehículos Agrícolas celebrado en Winnipeg en 1911.

El motor se encontraba sobre el eje trasero, donde su peso mejoraba la tracción, dejando el sistema de refrigeración en la parte delantera del motor. El diseño del modelo 20-40 permitía afirmar a la compañía Sawyer-Massey que el 75% del peso recaía sobre las ruedas traseras.

El tractor 20-40 de Sawyer-Massey fue uno de los modelos que obtuvo un mayor éxito de ventas y se mantuvo en producción hasta principios de la década de 1920.

MOLINE

1914 Moline, Illinois (EE. UU.)

MOLINE UNIVERSAL MOTOR PLOW

El motoarado fue diseñado con la intención de sustituir a los caballos o mulas en las tareas de tirar de las máquinas cultivadoras y otros tipos de maquinaria, y entre 1915 y 1920 se vendieron en grandes cantidades en América del Norte y, en menor medida, en varios países europeos.

Aunque eran lentos y tenían fama de ser difíciles de manejar, los motoarados eran una alternativa relativamente económica a los tractores convencionales y ofrecían a miles de granjeros con pequeños terrenos su primera oportunidad de dejar de utilizar animales en sus tareas agrícolas. Algunas de las grandes compañías estadounidenses de tractores también produjeron motoarados, aunque también lo hicieron muchas de las pequeñas empresas que proliferaron en el mercado del tractor durante el auge de ventas que se produjo con la Primera Guerra Mundial.

El que obtuvo un mayor éxito fue el Moline Universal. En 1914, la Universal Tractor Manufacturing Co. de Columbus (Ohio) fabricó la primera versión, pero al año siguiente la compañía Moline Plow Co. de Moline (Illinois) compró el diseño e introdujo una serie de mejoras.

Arriba: *Los motoarados disfrutaron de gran popularidad durante la Primera Guerra Mundial, y el Moline Universal fue el modelo más destacado.*

El motor del modelo original de Universal era un dos cilindros fabricado por la compañía Reliable y esta versión se mantuvo en producción después de que Moline comprara la empresa. Moline también introdujo otra versión, denominada el modelo D, que estaba equipada con un motor de cuatro cilindros. La producción del modelo D se inició con un motor comprado para la ocasión, aunque en 1917 fue sustituido por otro diseñado y fabricado por la compañía Moline.

Prestaciones avanzadas

El cilindro del motor de Moline tenía un diámetro interior de 8,9 cm y una carrera del pistón de 12,7 cm, y los diseñadores también añadieron prestaciones avanzadas procedentes del sector del automóvil, como un regulador eléctrico. En 1918, el Universal fue el primer tractor equipado con arranque eléctrico y entre sus prestaciones también se incluyó un faro delantero. Entre las otras mejoras de diseño que presentaba el modelo D se puede destacar un pesado disco de cemento conectado a cada rueda motriz para proporcionar un peso adicional con el fin de mejorar la estabilidad.

La demanda de motoarados fue disminuyendo rápidamente alrededor de 1919 y la producción del Moline Universal finalizó a principios de la década de los veinte. En 1929 la Moline Plow Co., entonces conocida con el nombre de Moline Implement Co., era una de las tres compañías implicadas en una fusión de empresas para formar la Minneapolis-Moline Power Implement Co.

Especificaciones

Fabricante: Moline Plow Co.	**Motor:** Moline de cuatro cilindros
Procedencia: Moline, Illinois (EE. UU.)	**Potencia:** 18 CV (13,32 kW)
	Transmisión: n. d.
Modelo: D	**Peso:** 1.630 kg
Tipo: motoarado	**Año de fabricación:** 1914

Izquierda: El Moline Universal estaba disponible con una amplia gama de motores, y en 1918 se convirtió en el primer tractor equipado con un motor de arranque eléctrico.

INTERNATIONAL HARVESTER

1914 Chicago, Illinois (EE. UU.)

IH MOGUL 8-16

Como la mayoría de sus competidores en América del Norte, International Harvester se concentró en fabricar modelos pesados durante sus primeros años en el mercado del tractor. Sin embargo, en 1914 la compañía anunció un nuevo modelo destinado al segmento de tractores más pequeños.

En 1914 se presentó el modelo Mogul 8-16 de la fábrica IH de Chicago al que siguió, en 1915, otro modelo relativamente ligero de la serie Titan procedente de la fábrica de Milwaukee (Wisconsin).

El tractor de la serie Mogul, con una potencia nominal de 8-16 r. p. m., 8 CV (6,03 kW) en la barra de tracción y 16 CV (11,8 kW) en la polea de correa, era el modelo más pequeño de la gama IH, pero tenía un buen diseño y tuvo fama de ser un tractor fiable a largo plazo.

Diseño sencillo

Parte de su éxito se debió a un diseño sencillo que funcionaba casi a la perfección. El motor contaba con un cilindro de 20,3 cm de diámetro y una carrera del pistón de 30,5 cm, y generaba una potencia nominal de 400 r. p. m. Incluso para los estándares de 1914, la tecnología empleada en el sistema de refrigeración mediante depósito de agua, que utilizaba un tanque rectangular de gran tamaño colocado sobre el eje trasero, era básica y, si surgían problemas, fácil de reparar.

Arriba: *El Mogul 8-16 de International Harvester era uno de los mejores tractores de pequeño tamaño de su época, a pesar de que contaba con algunas prestaciones anticuadas, como un sistema de refrigeración mediante depósito de agua.*

La transmisión final se efectuaba mediante una enorme cadena de rodillos y piñones que transmitía la potencia desde la caja de cambios planetaria de dos velocidades y proporcionaba una velocidad máxima de 3,2 km/h. La dirección también era bastante básica, con una barra larga y recta que conectaba el volante a un engranaje de tornillo sin fin sobre las ruedas delanteras.

Distribución del peso

A pesar de su pequeño tamaño y modesta potencia, el 8-16 pesaba 2.279 kg debido a su robusto diseño. La mayoría del peso del motor y del depósito de agua de refrigeración se concentraba sobre el eje trasero, y la distribución del peso era uno de los motivos por los que el más pequeño de la serie Mogul adquirió una buena reputación como tractor para arar los campos. Algunas unidades se exportaron a Gran Bretaña para ayudar en la campaña de arado en tiempo de guerra y realizaron bien su trabajo en suelo británico.

La producción finalizó en 1917, aunque para entonces al modelo 8-16 se había unido uno más potente, conocido como el Mogul 10-20. El 8-16 y el 10-20 eran básicamente similares, aparte de la incorporación de guardabarros en las ruedas traseras del modelo 10-20. Asimismo, el motor del 10-20 tenía un diámetro interior ligeramente superior que le proporcionaba una mayor potencia.

Especificaciones

Fabricante: International Harvester Co.

Procedencia: Chicago, Illinois (EE. UU.)

Modelo: Mogul 8-16

Tipo: uso general

Motor: dos cilindros

Potencia: 16 CV (11,8 kW)

Transmisión: caja de cambios de dos velocidades

Peso: 2.279 kg

Año de fabricación: 1914

Abajo: Su fiabilidad y su diseño robusto convirtieron al Mogul 8-16 en uno de los tractores más utilizados.

INTERNATIONAL HARVESTER
⚒ **1915   Milwaukee, Wisconsin (EE. UU.)**

IH TITAN 10-20

Durante los primeros 50 años de historia del tractor, International Harvester fue el fabricante de más éxito en todo el mundo y el modelo Titan 10-20 se encontraba entre los tractores más importantes y exitosos de la compañía.

La producción se inició en 1915 y cuando el último tractor 10-20 salió de la línea de montaje en la fábrica que IH tenía en Milwaukee, se habían fabricado casi 80.000 unidades.

Fiabilidad

Aunque en apariencia eran muy diferentes, los modelos Titan y Mogul compartían características importantes: ambos tenían un diseño robusto y, en una época en la que algunos fabricantes estaban experimentando, los ingenieros de International Harvester optaron por un enfoque más tradicional basado en un bastidor con largueros paralelos de acero y un motor de dos cilindros con pocas revoluciones. El resultado le otorgó una reputación de tractor fiable que ayudó a International

Arriba: El Titan 10-20 era otro de los tractores de peso ligero que contribuyeron a que International Harvester se convirtiera en la principal compañía de fabricación de tractores antes de la llegada del Fordson.

Harvester a encabezar el sector del mercado dedicado a la fabricación de tractores de pequeño y mediano tamaño.

Los cilindros del motor del modelo 10-20 estaban dispuestos horizontalmente, con el cigüeñal en la parte delantera y la culata justo delante del conductor. El diámetro interior de los cilindros era de 16,5 cm, con una carrera de 20,3 cm, y el motor generaba una potencia de 20 CV (14,8 kW) a 500 r. p. m. Como combustible utilizaba queroseno, aunque un dispositivo de inyección añadía agua para controlar la temperatura y evitar un encendido prematuro.

Sistema de refrigeración

Un depósito de 117 litros de capacidad situado sobre el eje delantero funcionaba a modo de sistema de refrigeración y se correspondía con la sencillez general del 10-20. Dependía de la diferencia térmica y el impulso del vapor para hacer circular el agua de un lado a otro del motor. Era un sistema que ya estaba quedándose

anticuado cuando apareció en el Titan, pero funcionaba bien.

Una caja de cambios de dos velocidades proporcionaba una velocidad máxima de 4,5 km/h. La transmisión final se realizaba mediante dos juegos de cadena y piñón que quedaban expuestos. El 10-20 pesaba 2.372 kg, que lo convertían en el modelo más ligero de la serie Titan, y tenía una altura total de sólo 170 cm frente a los 279 cm del resto de modelos Titan.

Durante el tiempo que este tractor estuvo en producción se realizaron pocos cambios en el diseño, aunque el más evidente fue el que se llevó a cabo en 1919, cuando se le colocaron unos guardabarros traseros más grandes.

Especificaciones

Fabricante: International Harvester Co.	**Motor:** dos cilindros horizontales
Procedencia: Milwaukee, Wisconsin (EE. UU.)	**Potencia:** 20 CV (14,8 kW)
	Transmisión: caja de cambios de dos velocidades
Modelo: Titan 10-20	**Peso:** 2.372 kg
Tipo: uso general	**Año de fabricación:** 1915

Abajo: *La refrigeración del motor del Titan 10-20 se basaba en el agua alojada en el gran depósito cilíndrico situado sobre las ruedas delanteras; la circulación se producía debido a las diferencias de temperatura.*

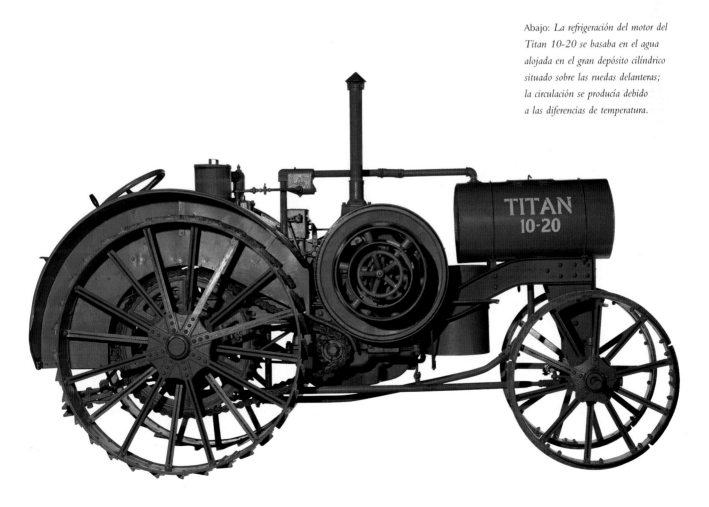

CASE

1915 Racine, Wisconsin (EE. UU.)

CASE 10-20

Los tractores con un diseño de tres ruedas disfrutaron de una popularidad considerable en las granjas norteamericanas durante la Primera Guerra Mundial, y fue entonces cuando hizo su aparición el primer tractor Case de tres ruedas.

Se trataba del modelo 10-20, anunciado en 1915; una característica poco común era que todas las ruedas tenían diferentes tamaños. El volante era muy pequeño, la rueda trasera izquierda tenía una anchura normal, pero la derecha, que normalmente se encargaba de transmitir toda la potencia de tracción, era mucho más ancha.

Las ventajas de contar con ruedas de distintos tamaños no estaban demasiado claras, pero algunas desventajas eran bastante obvias. La posición de la rueda delantera pequeña, que estaba en el lado derecho alineada con la rueda trasera de mayor tamaño, no era visible desde el asiento del conductor, lo que impedía ver hacia dónde estaba dirigida la rueda antes de engranar el embrague. Por este motivo había una pequeña flecha roja sobre la rueda, que mostraba hacia dónde estaba orientada.

Arriba: *Dado que el conductor no podía ver bien la rueda delantera del tractor Case 10-20, una flecha montada sobre la rueda indicaba hacia dónde estaba orientada.*

La rueda trasera, más ancha, presumiblemente ayudaba a reducir la compactación del terreno cuando el tractor se desplazaba por tierra cultivada, aunque también debió crear problemas al arar, ya que era mucho más ancha que la parte inferior del surco.

Aunque la rueda trasera izquierda normalmente no transmite la potencia del motor, se podía bloquear en el eje para proporcionar tracción en las dos ruedas. Probablemente esto producía una tensión considerable en la transmisión al tomar una curva con ambas ruedas a plena potencia.

Motor de cuatro cilindros

Case optó por equipar al 10-20 con un motor de cuatro cilindros verticales, que lo convirtió en el primer tractor Case fabricado en serie que se apartaba del diseño tradicional de la compañía, que había utilizado hasta entonces motores de dos cilindros. El diámetro y carrera del cilindro eran de 10,8 cm y 15,2 cm respectivamente, y la velocidad nominal del motor de 900 r. p. m. El motor estaba montado transversalmente en el bastidor principal y esa misma configuración aparecería en todos los modelos que Case presentó en los doce años siguientes. El Case 10-20 tenía un peso total de 2.306 kg y la transmisión ofrecía una marcha adelante con una velocidad de 3,2 km/h.

Este tractor se mantuvo en la gama de Case hasta 1920 y en ese año fue sometido a pruebas en Nebraska, donde obtuvo una potencia máxima de casi 23 CV (17,02 kW) al subir la velocidad del motor a 980 r. p. m.

Especificaciones

Fabricante: J. I. Case Threshing Machine Co.

Procedencia: Racine, Wisconsin (EE. UU.)

Modelo: 10-20

Tipo: uso general

Motor: cuatro cilindros verticales

Potencia: 23 CV (17,02 kW) (máx.)

Transmisión: caja de cambios de una velocidad

Peso: 2.306 kg

Año de fabricación: 1915

Abajo: *Un primer plano de la rueda de transmisión principal en la parte posterior del 10-20 muestra los engranajes a la vista que forman la transmisión final.*

capítulo 2

El impacto del Fordson

El desarrollo más importante en la historia del tractor durante los últimos años de la Primera Guerra Mundial fue el lanzamiento del modelo F de Fordson. Por primera vez proporcionaba las ventajas de la mecanización agrícola a un precio razonable. También tuvo un enorme impacto en los fabricantes de tractores, al obligar a muchas compañías rivales a cerrar sus negocios, e influyó en el diseño y la evolución de los tractores a lo largo de la década de 1920.

Arriba: *Los frenos seguían todavía ausentes de la lista de prioridades de la mayoría de equipos de diseño de tractores; sin embargo, los ingenieros de Lanz equiparon a su primer tractor Bulldog con este freno mediante un bloque de madera.*

Izquierda: *El fin de la guerra en 1918 trajo nuevas incorporaciones al mercado del tractor europeo, como Renault con su tractor de cadenas, que tenía un diseño similar al de un tanque.*

El modelo F de Henry Ford no fue el único avance importante de esa época. Case también produjo una serie de modelos basados en un diseño con el motor transversal que se encuentra entre los diseños clásicos de principios de la década de 1920. Los ingenieros de International Harvester fabricaron una serie de diseños de tractores que también tuvieron mucho éxito, incluido el tractor 8-16 Junior, así como los modelos 10-20 y 15-30.

El equipo de IH incluso encontró tiempo para experimentar con tractores accionados por vapor y, en Gran Bretaña, la compañía Garrett fabricó el tractor de vapor Suffolk Punch. Pero ésta fue la etapa final de la energía producida mediante vapor, de modo que el motor de combustión interna quedó como única fuente de energía para la agricultura mecanizada.

La mayoría de los motores de los tractores fabricados durante este periodo utilizaban encendido por chispa y empleaban combustibles como gasolina y parafina; sin embargo, en 1921 hizo su aparición el primer tractor Lanz Bulldog equipado con un motor semidiésel. Los Lanz Bulldog se mantuvieron como la serie de tractores más importante de Alemania durante los 30 años siguientes.

ALLIS-CHALMERS
⚒ **1915 Milwaukee, Wisconsin (EE. UU.)**

ALLIS-CHALMERS 6-12

Aunque la moda de los motoarados en Estados Unidos fue efímera, las ventas fueron suficientes para atraer a docenas de pequeñas compañías, además de algunas grandes empresas, como Allis-Chalmers.

Arriba: *El Allis-Chalmers 6-12 era un motoarado americano típico; la potencia del motor se transmitía a través de sus grandes ruedas motrices delanteras.*

Especificaciones

Fabricante: Allis-Chalmers Co.
Procedencia: Milwaukee, Wisconsin (EE. UU.)
Modelo: 6-12
Tipo: motoarado
Motor: cuatro cilindros Le Roi
Potencia: 12 CV (9 kW)
Transmisión: una velocidad
Peso: 1.135 kg
Año de fabricación: 1915

El modelo Allis-Chalmers 6-12 de uso general estaba disponible desde 1915 con el habitual diseño de motoarado, que colocaba el peso del motor sobre las ruedas motrices delanteras. Un amplio espacio en la parte inferior permitía utilizar aperos montados en el centro, con el conductor en la parte posterior.

Un motor Le Roi de cuatro cilindros desarrollaba una potencia nominal de 12 CV (9 kW) a 1.000 r. p. m., y en la sesión de prueba realizada en Nebraska en 1920 fue uno de los tractores sometidos a pruebas ese año que demostró un menor consumo de combustible. A pesar de ello, el tractor 6-12 no tenía mucha demanda. Su alto precio era probablemente uno de los motivos. En 1919, Allis-Chalmers vendía el 6-12 por 850 dólares

cuando el precio de un tractor Fordson modelo F era de 750 dólares. El Fordson era un tractor con más potencia y mayor capacidad de trabajo que el motoarado, de modo que atrajo a más clientes.

Punto final

Allis-Chalmers dejó de fabricar el 6-12 en 1922, cuando sólo se habían vendido 500 unidades. En ese momento, quedaban todavía 200 tractores 6-12 en la fábrica por vender; la compañía se deshizo de ellos finalmente vendiéndolos a precio de saldo en 1923. El nombre Allis-Chalmers contaba con una buena reputación y el 6-12 probablemente poseía un buen diseño, pero los motoarados simplemente estaban quedando anticuados a medida que los tractores se iban imponiendo.

Arriba, izquierda: *Allis-Chalmers decidió aventurarse en el mercado de los motoarados con el modelo 6-12, pero tuvo unas ventas decepcionantes y, en consecuencia, la compañía tuvo que rebajar el precio inicial para poder deshacerse de las máquinas que no se habían vendido.*

INTERSTATE

⚒ **1916 aprox. Waterloo, Iowa (EE. UU.)**

INTERSTATE PLOW MAN 15-30

El aumento de la demanda de tractores en Estados Unidos y Canadá durante la guerra entre 1914 y 1918 atrajo a una enorme cantidad de nuevas compañías al mercado del tractor. Muchas de ellas desaparecieron pocos años después.

Derecha: A pesar de contar con un motor Buda y de tener un diseño compacto, tanto el Interstate Plow Man como el modelo más pequeño, conocido como Plow Boy, tuvieron una aparición fugaz en el mercado del tractor.

Arriba: Una competencia encarnizada y la política de rebajar precios que Henry Ford aplicó a su tractor Fordson modelo F pusieron en aprietos a algunas de las pequeñas compañías que se dedicaban a la fabricación de tractores, como Interstate.

Especificaciones

Fabricante: Interstate Tractor Co.

Procedencia: Waterloo, Iowa (EE. UU.)

Modelo: Plow Man 15-30

Tipo: uso general

Motor: Buda de cuatro cilindros

Potencia: 30 CV (22,2 kW)

Transmisión: n. d.

Peso: n. d.

Año de fabricación: 1916 aprox.

El índice de fracaso entre los recién llegados fue elevado. La compañía Interstate Tractor Co., con sede en Waterloo (Iowa), se veía abocada a este destino, ya que probablemente estaba situada muy cerca de la compañía Waterloo Boy. Muchos fracasos, quizá la mayoría, fueron debidos a un diseño deficiente de los productos que no atrajo a los clientes, aunque quizá éste no sea el motivo de la caída de la compañía Interstate.

Diseño compacto

El tractor Plow Man 15-30 era tan robusto que, por lo menos, uno de los pocos tractores de este modelo que ha llegado hasta nuestros días funciona ahora casi tan bien como cuando salió de fábrica hace más de 80 años. Está equipado con un motor Buda del tipo que utilizaron muchos otros fabricantes durante la Primera Guerra Mundial y que tenía fama de ser fiable.

La compañía Interstate se estableció en 1915, según cuenta la *Encyclopaedia of American Farm Tractors* de Charles Wendel. Los dos principales modelos fabricados fueron el 10-20 Plow Boy y el Plow Man. A pesar de las virtudes del Plow Man, hay pruebas que demuestran que la compañía estaba haciendo frente a dificultades financieras desde sus inicios y parece ser que cesó en sus actividades hacia 1919.

CLAYTON
✂ **1916 Lincoln, Lincolnshire (Inglaterra)**

CLAYTON

Durante un breve periodo durante e inmediatamente después de la Primera Guerra Mundial, los agricultores británicos mostraron cada vez mayor interés en los tractores oruga, y se ha sugerido que su popularidad fue alentada hasta cierto punto por la enorme publicidad que se dio a los tanques británicos que tuvieron que hacer frente a las difíciles condiciones de los campos de batalla.

Diversas compañías con sede en Gran Bretaña se pasaron al mercado de los tractores oruga para competir con los Caterpillar, Cletrac y otros tractores importados de Estados Unidos. El más famoso de todos fue el tractor Clayton fabricado por la compañía Clayton & Shuttleworth. El tractor Clayton se puso a la venta en 1916, y los dos primeros años de producción se vieron reforzados por el gobierno del Reino Unido, que realizó importantes pedidos para utilizar los tractores en la campaña de roturación de campos durante la guerra.

Servicio en tiempos de guerra

El tractor Clayton que aparece en la fotografía de arriba, que data de 1918, tiene una insignia del

Arriba: *Aquí tenemos uno de los muchos tractores de cadenas fabricados por Clayton que el gobierno británico encargó para utilizarlos en la campaña para roturar los campos durante la guerra.*

Departamento de Defensa estampada en la matrícula que indica que probablemente era uno de los tractores que encargó originalmente el gobierno.

El Clayton tenía un diseño sencillo, con el depósito de combustible montado sobre el compartimento del motor. Estaba equipado con un volante en lugar de palancas de dirección, que eran más habituales, y un mecanismo de dirección accionado a través de dos embragues de cono, uno a cada lado, que controlaba la transmisión a las orugas. Cuando era necesario hacer un giro pronunciado, el conductor podía utilizar frenos accionados mediante un pedal para bloquear una de las orugas, obligando al tractor a girar en un espacio apenas superior a su propia longitud.

Características del motor

La mayoría de los tractores Clayton estaban equipados con un motor Dorman de cuatro cilindros adaptado para funcionar con parafina, pero también disponían de motores Aster. El motor Dorman tenía una potencia de 35 CV (26 kW), pero hacia el final de su producción se incrementó a 40 CV (29,8 kW). La caja de cambios de dos velocidades proporcionaba una velocidad máxima de 6,6 km/h y 4,8 km/h marcha atrás.

Clayton siguió fabricando el tractor oruga hasta mediados de la década de 1920, cuando la producción se suspendió temporalmente. Hizo su reaparición en 1928, aunque también fue efímera, ya que en 1930 la compañía Marshall de Gainsborough adquirió Clayton & Shuttleworth.

Todos los trabajos dedicados a desarrollar el tractor llevados a cabo en Marshall a principios de la década de 1930 se concentraron en su motor diésel de un cilindro. La producción del tractor oruga Clayton finalizó alrededor de 1931.

Desarrollo

Quizá Marshall debería haber tomado la decisión de dedicar algunos recursos a mejorar el tractor Clayton. Cuando la compañía Marshall se hizo cargo de la empresa, este tractor contaba con un diseño consolidado y una buena reputación, aunque necesitaba una actualización. Si el tractor Clayton se hubiera combinado con los motores Marshall de un cilindro, se hubiera obtenido una gama de tractores impresionante.

Especificaciones

Fabricante: Clayton & Shuttleworth
Procedencia: Lincoln, Lincolnshire (Gran Bretaña)
Modelo: Clayton
Tipo: tractor de cadenas
Motor: Dorman de cuatro cilindros
Potencia: 35 CV (26 kW)
Transmisión: caja de cambios de dos velocidades
Peso: desconocido
Año de fabricación: 1916 aprox.

Izquierda: *Cuando se diseñó el tractor Clayton, la comodidad y la seguridad del conductor no eran prioritarias. Las orugas de acero y la polea de correa estaban a pocos centímetros de los pies del conductor.*

EMERSON-BRANTINGHAM

1916 **Rockford, Illinois (EE. UU.)**

EMERSON-BRANTINGHAM 12-20

Emerson-Brantingham tenía la ambición de convertirse en una de las empresas de tractores más importantes del sector cuando empezó a adquirir diversas compañías en 1912. La lista de empresas que compró incluía la Gas Traction Co., que fabricó la gama de tractores pesados Big 4, la Rockford y la Reeves.

Especificaciones

Fabricante: Emerson-Brantingham Implement Co.
Procedencia: Rockford, Illinois (EE. UU.)
Modelo: 12-20
Tipo: uso general
Motor: cuatro cilindros
Potencia: 20 CV (14,8 kW)
Transmisión: caja de cambios de dos velocidades
Peso: 1.816 kg
Año de fabricación: 1916

Arriba: *El diseño de cuatro ruedas identifica a este tractor como la versión posterior del modelo Q del Emerson Brantingham 12-20 en lugar de la versión anterior de tres ruedas.*

Su mayor éxito fue debido a un diseño realizado en la propia empresa. Se desarrolló a partir del 12-20 modelo L, un tractor de tres ruedas con una sola rueda motriz en la parte posterior. El modelo L se unió a la gama E-B en 1916, pero en 1917 volvió a desaparecer para ser sustituido por el 12-20 modelo Q.

Disposición de las ruedas

La diferencia visible más obvia entre el modelo L anterior y el modelo Q posterior fue el cambio de tres a cuatro ruedas. Los cambios en el diseño que no se veían incluían un diámetro interior del cilindro ligeramente mayor, aunque no afectaba a la potencia nominal del 12-20, que se siguió utilizando después de que se presentara la versión Q. La versión posterior del motor tenía cilindros de 12 cm por 12,7 cm y un régimen de giro de 900 r. p. m. En este ejemplo, el silenciador situado debajo del compartimento del motor parece expuesto a daños si el tractor circula por terreno abrupto.

El 12-20 modelo Q se mantuvo en la gama de tractores de Emerson-Brantingham hasta 1928, cuando la compañía pasó a formar parte de la organización J. I. Case.

SAWYER-MASSEY

1917 Hamilton, Ontario (Canadá)

SAWYER-MASSEY 11-22

Aunque los primeros tractores fabricados por Sawyer-Massey eran de tamaño medio y grande, algunos de sus modelos posteriores eran más pequeños, lo que reflejaba el cambio en el patrón de ventas que se produjo en el mercado. El tractor más ligero de toda su gama de vehículos era el pequeño modelo 11-22. Se anunció hacia 1917 y todavía seguía disponible a principios de 1920, cuando la compañía Sawyer-Massey decidió retirarse del mercado del tractor.

Abajo: *Más pequeño y ligero que los anteriores modelos de Sawyer-Massey, el 11-22 mantenía el mismo diseño, con un motor en la parte posterior y el sistema de refrigeración delante.*

Derecha: *Sawyer-Massey utilizó un motor vertical de cuatro cilindros para el tractor 11-22; fue su aportación al sector dedicado a máquinas de menor potencia.*

Especificaciones

Fabricante: Sawyer-Massey
Procedencia: Hamilton, Ontario (Canadá)
Modelo: 11-22
Tipo: uso general
Motor: cuatro cilindros
Potencia: 22 CV (16,3 kW)
Transmisión: n. d.
Peso: n. d.
Año de fabricación: 1917

Una de las características especiales de diseño que ofrecían los grandes tractores fabricados por Sawyer-Massey era la posición del motor.

Características del motor

Contaba con un motor vertical de cuatro cilindros montado en la parte posterior del chasis, donde el peso recaía sobre las ruedas motrices.

De hecho, la publicidad de ventas de Sawyer-Massey afirmaba que la distribución del peso tenía una proporción de 75/25; la cifra del 75% ayudaba a incrementar la tracción de la rueda motriz al arar, donde lo importante era la potencia en la barra de enganche.

La competencia cada vez mayor y la caída de los precios que afectó al mercado del tractor a principios de la década de 1920 repercutieron en los modelos más pequeños, en lugar de en los tractores más pesados, pero el mercado del tractor estaba perdiendo su atractivo para Sawyer-Massey, y la compañía dejó de fabricar equipos agrícolas para concentrarse en la producción de maquinaria para la construcción de carreteras y edificios.

HAPPY FARMER

⚒ **1916 Minneapolis, Minnesota (EE. UU.)**

HAPPY FARMER

Los tractores norteamericanos tuvieron un auge de ventas a partir de 1914 y muchas nuevas compañías empezaron a fabricar tractores, aunque algunos de los recién llegados desaparecieron tan rápidamente como habían llegado.

Happy Farmer Tractor Co. de Minneapolis (Minnesota) se estableció en 1915. Al no disponer de un lugar donde fabricar los vehículos, la compañía Happy Farmer compró los tractores a dos compañías de Wisconsin. Una de ellas, La Crosse Tractor Co., estaba vinculada estrechamente desde el punto de vista financiero con la compañía Happy Farmer.

Características del motor

El 8-16 estaba equipado con un motor de dos cilindros horizontales y un régimen de giro de 750 r. p. m. conectado a una caja de cambios con una velocidad hacia delante y marcha atrás. El sistema de refrigeración se componía de un radiador montado transversalmente para evitar bloquear la vista delantera del conductor y un tubo de acero servía como chasis.

Un nuevo modelo

A finales de 1916, la compañía Happy Farmer había desaparecido. La Crosse se hizo cargo de la empresa, aunque el nombre de Happy Farmer se mantuvo hasta principios de la década de 1920. Un nuevo modelo con un motor de 24 CV (17,8 kW) hizo su aparición en 1920, disponible como el modelo F con una sola rueda delantera; el modelo G era la versión de cuatro ruedas.

Arriba: *La compañía Happy Farmer Tractor Co. tuvo una existencia efímera.*

Especificaciones

Fabricante: Happy Farmer Tractor Co.
Procedencia: Minneapolis, Minnesota (EE. UU.)
Modelo: 8-16
Tipo: uso general
Motor: dos cilindros horizontales
Potencia: 16 CV (11,8 kW)
Transmisión: caja de cambios de una velocidad
Peso: n. d.
Año de fabricación: 1916

WALLIS
⚒ 1916 Racine, Wisconsin (EE. UU.)

WALLIS CUB JUNIOR

Durante los primeros años de desarrollo de los tractores, el diseño estándar era un bastidor con largueros paralelos de acero donde se montaban el motor y otros componentes. Este tipo de diseño presentaba una serie de problemas. En 1913 el tractor Wallis Cub supuso la primera alternativa.

Arriba: *El Wallis Cub Junior era famoso por la placa de acero curvada bajo el motor y la caja de cambios.*

Especificaciones

Fabricante: Wallis Tractor Co.
Procedencia: Racine, Wisconsin (EE. UU.)
Modelo: Cub Junior
Tipo: uso general
Motor: Wallis de cuatro cilindros
Potencia: 25 CV (18,5 kW)
Transmisión: caja de cambios de dos velocidades
Peso: n. d.
Año de fabricación: 1916

El equipo de diseño del Cub fabricó una estructura curvada compuesta por una placa de acero laminado para sustituir el bastidor con largueros paralelos de acero. Además de la resistencia estructural, otra ventaja de la estructura curvada era que formaba una protección para evitar que la suciedad y el agua penetraran en la parte inferior del motor y la caja de cambios.

Motor y caja de cambios

La placa de acero curvada del Wallis Cub soportaba el motor y la caja de cambios. Cuando la compañía presentó el tractor Cub Junior en 1916 mejoró el diseño ampliando la placa para que también soportara la transmisión final. Así, todos los componentes mecánicos principales se encontraban alojados en una misma estructura cerrada.

Un tractor popular

El Cub Junior fue un tractor muy apreciado, equipado con un motor vertical de cuatro cilindros con una potencia de 25 CV (18,5 kW). La maniobrabilidad se veía facilitada por la rueda delantera rematada por el emblema de Wallis, que representaba un oso y servía para mostrar al conductor la dirección de la rueda. Si se soltaba el embrague con la rueda delantera en ángulo recto, se podía dañar el mecanismo de dirección.

SQUARE TURN

1917 Norfolk, Nebraska (EE. UU.)

SQUARE TURN

El Square Turn fue uno de los diseños más extraños y maravillosos que inundaron el mercado del tractor en Estados Unidos durante la Primera Guerra Mundial. Muchos de ellos empezaban a fabricarse sin haber sido sometidos a las pruebas adecuadas ni disponer de piezas de repuesto o un servicio de asistencia o, si lo tenían, era mínimo.

Izquierda: *Esta vista posterior de uno de los pocos tractores Square Turn que han llegado hasta nuestros días muestra las palancas accionadas manualmente que elevaban o hacían descender los aparejos montados en la parte central y transportados debajo del bastidor principal del tractor.*

Una de las consecuencias de esta situación fue la decisión de crear un programa de pruebas en Nebraska. De este modo, se protegía a los compradores de tractores proporcionándoles una fuente independiente de datos sobre el rendimiento de los vehículos que también servía para garantizar que los fabricantes ofrecieran un servicio de asistencia técnica posventa adecuado para sus tractores.

La historia del tractor Square Turn se inició en Nebraska en 1915, cuatro años antes de que el programa de pruebas entrara en vigor. No hay nada que haga suponer que este tractor fuera mejor o peor que la mayoría de sus competidores, pero sí tenía un largo historial de altibajos, puesto que la compañía había cambiado tres veces de propietario en menos de tres años.

Diseño poco convencional

Las ruedas motrices, de gran tamaño, estaban en la parte delantera, y el tractor contaba con un único volante en la parte posterior. El diseño también incluía suficiente espacio en la parte inferior para llevar aparejos montados en la parte central que se levantaban o se hacían descender mediante una palanca accionada manualmente. Estaba equipado con un motor Waukesha de cuatro cilindros con una potencia de 30 CV (22,2 kW), aunque posteriormente fue sustituido por un motor Climax de cuatro cilindros. De este modo, la potencia aumentó hasta alcanzar los 35 CV (25,9 kW).

Dirección

El sistema de dirección del Square Turn era muy poco convencional. Unos embragues especiales permitían invertir la tracción en una de las ruedas delanteras, mientras que la otra continuaba girando hacia adelante. Dado que la rueda trasera podía girar en un ángulo de 90°, el Square Turn podía girar sobre sí mismo. El hecho de que

contara con una buena maniobrabilidad obviamente era útil, pero la capacidad de girar en el acto tenía escaso valor, ya que se trataba obviamente de un tractor para trabajar en el campo y el sistema de dirección accionado mediante servomotor produjo probablemente un excesivo desgaste en los embragues de la dirección.

Lo cierto es que el Square Turn se vendió bastante bien y se mantuvo en el mercado mucho más tiempo que alguno de sus rivales. Dejó de fabricarse hacia 1923 y la compañía Square Turn Tractor Co. cesó sus actividades comerciales en 1925.

Especificaciones

Fabricante: Square Turn Tractor Co.	**Peso:** 3.360 kg
Procedencia: Norfolk, Nebraska (EE. UU.)	**Año de fabricación:** 1917
Modelo: 18-30	
Tipo: tractor para cultivo en surcos	
Motor: Waukesha de cuatro cilindros	
Potencia: 30 CV (22,2 kW)	
Transmisión: n. d.	

Abajo: *Debajo del Square Turn había espacio para montar aparejos en la parte central y su dirección ofrecía una buena maniobrabilidad.*

WATERLOO BOY

1917   Waterloo, Iowa (EE. UU.)

WATERLOO BOY MODELO N

La compañía Waterloo Gasoline Engine Co. se fundó en 1895 como una empresa de fabricación de motores después de que surgieran problemas al vender una versión fabricada en serie del tractor de 1892 de John Froelich. La empresa fue todo un éxito y en 1912 la compañía volvió a dedicarse a la fabricación de tractores para que sus motores se pudieran distribuir por otros medios.

Para su tractor de 1912, utilizaron un motor de dos cilindros horizontales. El motor de dos cilindros era probablemente más seguro y barato de fabricar que el de cuatro cilindros; también su uso fue el inicio de la serie de motores para tractor más conocida de Estados Unidos. El motor para el modelo R tenía un diámetro interior de 13,9 cm y una carrera del pistón de 17,7 cm, aunque en 1915 se añadieron 1,3 cm al diámetro interior, seguidos de 1,3 cm más en 1917 cuando apareció el nuevo modelo N. El modelo N también estaba equipado con una caja de cambios de dos velocidades en lugar de una, como en anteriores versiones.

Arriba: *Los tractores John Deere adoptaron el motor horizontal de dos cilindros con el que estaban equipadas las versiones posteriores del tractor Waterloo Boy.*

Ferguson and Deere & Co.

Tanto el modelo R como el posterior modelo N tuvieron éxito y ejercieron una inesperada influencia en los futuros avances que se produjeron en la industria del tractor. Los tractores Waterloo Boy se exportaron a Gran Bretaña durante los años de la guerra, donde se conocían con el nombre de Overtime. El distribuidor de lo que hoy en día se conoce como Irlanda del Norte era el propietario de un garaje de Belfast llamado Harry Ferguson. Ferguson supervisó personalmente algunas de las demostraciones realizadas por los tractores Overtime, lo que pudo influir en las ideas que dieron lugar a su sistema Ferguson de control y conexión de aparejos.

Los tractores Waterloo Boy también atrajeron el interés de Deere & Co. En esa época, Deere era un fabricante de maquinaria de mucho éxito que tenía intención de pasarse al mercado del tractor, que se iba ampliando cada vez con mayor rapidez. Sin embargo, sus intentos de desarrollar un nuevo tractor John Deere no habían tenido mucho éxito. La compra de una compañía de tractores ya existente le ofreció una vía de acceso rápido a este mercado con un producto ya establecido. La compra de la compañía Waterloo Boy también proporcionaría a Deere & Co. sus propios talleres de fabricación de motores.

La adquisición de la compañía se completó en 1918, cuando Deere pagó 2.350.000 dólares por toda la compañía Waterloo. El tractor modelo N se continuó fabricando con modificaciones mínimas y se siguió llamando Waterloo Boy hasta 1923.

Especificaciones

Fabricante: Waterloo Gasoline Engine Co.

Procedencia: Waterloo, Iowa (EE. UU.)

Modelo: N

Tipo: uso general

Motor: dos cilindros horizontales

Potencia: (nominal) 25 CV (18,5 kW)

Transmisión: caja de cambios de dos velocidades

Peso: 2.807 kg

Año de fabricación: 1917

Izquierda: La transmisión final de los tractores Waterloo Boy estaba expuesta al polvo y al barro, aunque esto no impidió que los tractores fueran famosos por su fiabilidad.

Izquierda: A los tractores que se exportaron a Gran Bretaña se les retiró la placa de identidad de Waterloo Boy, que estaba colocada en el depósito de combustible, ya que allí estos vehículos se llamaron Overtime.

FORDSON

1917 **Dearborn, Michigan (EE. UU.)**

FORDSON MODELO F

Aunque el primer tractor experimental de Henry Ford se completó en 1906 ó 1907, el proyecto siguió teniendo una baja prioridad durante unos años, ya que el éxito de sus automóviles ocupaba la mayor parte de su tiempo.

Arriba: *El modelo F fue uno de los tractores más vendidos jamás fabricados, gracias a la política de reducción de precios de Henry Ford, que hizo que muchos de sus rivales se vieran obligados a cerrar sus empresas.*

Ford no había abandonado su idea de desarrollar un tractor fabricado en serie que pudieran permitirse las granjas de pequeño tamaño, pero fue la Primera Guerra Mundial la que hizo que los trabajos avanzaran más deprisa.

Compañía de tractores independiente

En 1915, Henry Ford formó una compañía independiente en Dearborn (Michigan) para desarrollar su proyecto de fabricación de tractores. La llamó Henry Ford & Son y en ella trabajaron algunos de los mejores ingenieros de Ford. En 1916 Ford dio el visto bueno para que fabricaran unos 50 prototipos con fines de evaluación. Dos se enviaron a Gran Bretaña a petición del gobierno para probar si eran aptos para la campaña de roturación de campos durante la guerra.

Los tractores llegaron en enero de 1917 y los expertos que asistieron a las pruebas encontraron satisfactorios tanto su rendimiento como su poco peso. El hecho de que fueran los primeros tractores diseñados específicamente para ser fabricados en serie con el fin de reducir los costes de producción también atrajo al gobierno británico, que solicitó a Henry Ford que enviara 6.000 tractores a Gran Bretaña lo antes posible.

Aunque Ford deseaba realizar más trabajos de desarrollo, aceptó la petición del gobierno británico e inició los preparativos para fabricarlos. El tractor fue el Fordson modelo F y a finales de año ya se habían fabricado 254 vehículos, que ascendieron a más de 100.000 al año a mediados de la década de 1920. En Dearborn se fabricaron más de 700.000 Fordson antes de que la producción pasara a realizarse en Irlanda en 1928.

A los enormes volúmenes de producción contribuyeron los pedidos en grandes cantidades realizados por el nuevo gobierno comunista de Rusia. Con la imperiosa necesidad de incrementar la mecanización en las granjas rusas para reforzar la producción de alimentos, los rusos importaron más de 26.000 tractores Fordson y también fabricaron bajo licencia una cantidad indeterminada de vehículos en Rusia. La política de reducción de precios llevada a cabo por Henry Ford también incrementó las ventas del modelo F. El precio de venta de los tractores Fordson en Estados Unidos era de 750 dólares en 1918, pero fueron bajando de precio varias veces hasta llegar a los 395 dólares en 1922.

Características del diseño

La característica de diseño más avanzada del modelo F era el modo en el que los alojamientos para el motor, la transmisión y el diferencial se unían para crear una unidad rígida y completamente cerrada que eliminaba la necesidad de disponer de un bastidor independiente. El motor de cuatro cilindros proporcionaba la potencia necesaria y estaba equipado con un filtro de aire con limpieza mediante agua, un engranaje de tornillo sin fin proporcionaba la transmisión final, y las primeras versiones no disponían de frenos.

Especificaciones

Fabricante: Henry Ford & Son
Procedencia: Dearborn, Michigan (EE. UU.)
Modelo: F
Tipo: uso general
Motor: cuatro cilindros
Potencia: 18 CV (13,3 kW)

Transmisión: caja de cambios de tres velocidades
Peso: 1.230 kg
Año de fabricación: 1917

Abajo: Esta vista lateral muestra cómo el motor, la caja de cambios y el eje posterior del modelo F se combinaban en una estructura rígida que evitaba que los componentes se ensuciaran.

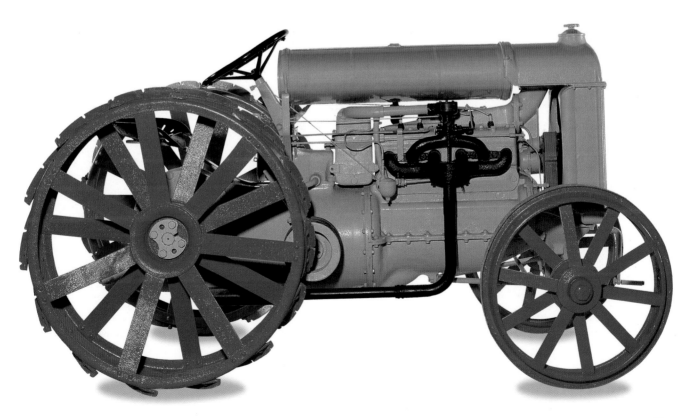

GARRETT

⚒ **1917 Leiston, Suffolk (Inglaterra)**

GARRETT SUFFOLK PUNCH

La compañía Garrett empezó a fabricar aperos tirados por caballos en Leiston (Suffolk) en 1782. Cuando celebró su primer centenario ya había adoptado la tecnología más reciente y estaba fabricando máquinas de vapor agrícolas.

Garrett se convirtió en uno de los fabricantes de máquinas de vapor más importantes del Reino Unido y cuando los tractores se convirtieron en la siguiente revolución mecánica en la agricultura, aceptó el desafío de una forma poco habitual.

La mayoría de las compañías veteranas que se dedicaban a fabricar máquinas de vapor trató de hacer caso omiso a la amenaza que suponía la nueva competencia, pero algunas pasaron a fabricar tractores. Garrett decidió volver a diseñar el motor de tracción de vapor tradicional y convertirlo en un nuevo tractor accionado por vapor. Lo llamó Suffolk Punch, en honor a una celebre raza de caballos de tiro. Quizá no era la imagen más adecuada para un tractor diseñado para el futuro, aunque se desarrolló para eliminar algunas de las desventajas del motor de tracción tradicional.

Arriba: *El tractor de vapor Suffolk Punch fue el ambicioso intento de Garrett de modernizar el motor de tracción de vapor, pero no pudo competir con los tractores de bajo coste.*

Características de diseño

El conductor pasó de estar colocado en su habitual plataforma en la parte posterior del tractor a sentarse en la parte delantera, lo que supuso una enorme mejora para su visibilidad frontal. La caldera se desplazó a la parte de atrás, colocando el peso sobre las ruedas motrices para facilitar la tracción. Esto también redujo el peso sobre los volantes de dirección en la parte delantera, lo que permitió utilizar un mecanismo de dirección Ackermann más preciso y cómodo para el conductor. También había un sistema de suspensión sobre el eje trasero del tractor.

Además de colocar la caldera en la parte trasera, el equipo de diseño colocó un depósito de agua auxiliar sobre el eje trasero para poner un peso adicional sobre las ruedas motrices. Esto se hizo porque el tractor estaba diseñado para tirar de arados u otros aparejos en el campo. Fue un gran paso adelante, ya que la tracción directa accionada por vapor en los cultivos era muy poco común en el Reino Unido, donde el terreno a menudo es duro y un motor de tracción pesado puede dañarlo fácilmente.

Características del motor

El Suffolk Punch estaba equipado con un motor de expansión múltiple con doble cigüeñal abastecido por carbón que producía 40 CV (29,6 kW). Había mucho optimismo sobre el futuro del tractor de vapor, que se convirtió en preocupación cuando hizo su aparición el nuevo tractor Fordson, que tenía un excelente rendimiento y no era caro.

Aunque el Suffolk Punch sobresalía en las tareas de arado, la ventaja que presentaban los Fordson desde el punto de vista económico jugó en su favor. Garrett fabricó ocho tractores Suffolk Punch y el único que se conserva se encuentra en un museo en la fábrica donde se construyó.

Especificaciones

Fabricante: Richard Garrett & Sons
Procedencia: Leiston, Suffolk (Inglaterra)
Modelo: Suffolk Punch
Tipo: tractor de vapor
Motor: de vapor de expansión múltiple con doble cigüeñal
Potencia: 40 CV (29,6 kW)
Transmisión: n. d.
Peso: n. d.
Año de fabricación: 1917

Abajo: Los ingenieros de Garrett rediseñaron el motor de tracción tradicional, y colocaron al conductor en la parte delantera y la caldera en la parte posterior del Suffolk Punch.

INTERNATIONAL HARVESTER
✶ 1917 Chicago, Illinois (EE. UU.)

INTERNATIONAL HARVESTER 8-16

El compromiso de International Harvester con la fabricación de tractores ligeros dio un paso adelante con el lanzamiento del 8-16 en 1917. Se construyó en Chicago, el hogar de los tractores de la serie IH Mogul. No obstante, IH ya había tomado la decisión de abandonar los nombres Mogul y Titan, por lo que el 8-16 se vendió simplemente como un tractor International Harvester.

Una de las características del 8-16 era la pendiente del capó, que permitía disfrutar de una buena visibilidad delantera desde el asiento del conductor. Para conseguir esta pendiente, los ingenieros de IH tuvieron que desplazar el radiador hasta una nueva posición detrás del motor, un diseño que también fue adoptado en aquel entonces por los tractores Renault fabricados en Francia. Tuvieron que pasar otros 70 años para que la línea descendente del capó fuera adoptada de forma universal por el sector de la fabricación de tractores.

Superior: *International Harvester equipó al 8-16 con un motor de cuatro cilindros.*

Arriba: *Para conseguir este diseño del capó, el radiador del 8-16 se tuvo que desplazar hasta la parte posterior.*

IH optó por un motor de cuatro cilindros para el 8-16. El nuevo motor tenía un diámetro de 10,1 cm y una carrera de 12,7 cm, y contaba con un régimen de giro de 1.000 r. p. m.

Otra característica que colocaba al 8-16 por delante de sus rivales era el eje de la toma de fuerza. No se trataba de una invención de IH, ya que el tractor Scott de Escocia se equipó con un dispositivo similar en 1904, aunque fue International Harvester con su tractor 8-16 la firma que estableció la toma de fuerza como un accesorio importante y permanente para aumentar la versatilidad y eficacia del tractor.

Éxito de ventas

Su tamaño y su poco peso, además de la incorporación de una toma de fuerza, convirtieron al tractor 8-16 en uno de los más versátiles y avanzados del momento, y su éxito de ventas llegó hasta el Reino Unido, donde se habían importado algunos de estos tractores para ayudar en la campaña de roturación de campos durante la guerra. Eran idóneos para las condiciones existentes en Gran Bretaña, y tuvieron fama de ser tractores con un buen rendimiento y fiabilidad.

Aunque el diseño del 8-16 incluía algunas prestaciones avanzadas, la transmisión final mediante un juego de cadena y piñón, sin ningún tipo de protección que evitara que se ensuciara o entrara barro en su interior, estaba quedando anticuada hacia 1917. En 1922, cuando después de cinco años International dio por finalizada la fabricación del 8-16, ya había quedado completamente obsoleta.

Especificaciones

Fabricante: International Harvester
Procedencia: Chicago, Illinois (EE. UU.)
Modelo: 8-16
Tipo: uso general
Motor: cuatro cilindros
Potencia: 16 CV (12 kW)
Transmisión: caja de cambios de tres velocidades
Peso: 1.662 kg
Año de fabricación: 1917

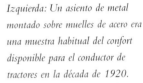

Izquierda: Un asiento de metal montado sobre muelles de acero era una muestra habitual del confort disponible para el conductor de tractores en la década de 1920.

HUBER
⚒ 1917   Marion, Ohio (EE. UU.)

HUBER LIGHT FOUR

La compañía Huber de Marion (Ohio) fue una de las pioneras de la industria de fabricación de tractores. Su producción se inició en 1898, pero su primer gran éxito no llegó hasta 1917, cuando presentó el modelo Light Four.

Abajo: Huber nunca fue una de las marcas más vendidas en Estados Unidos, pero su modelo Light Four se mantuvo durante más de 10 años.

El Light Four estaba equipado con un motor de cuatro cilindros. Estaba montado en el bastidor, entre los ejes delanteros y traseros; el sistema de refrigeración se basaba en un radiador colocado lateralmente con un ventilador accionado mediante una correa. Los cilindros verticales tenían un diámetro y carrera de 10,1 cm por 14,6 cm y la potencia era de 25 CV (18,5 kW) a 1.000 r. p. m. en la polea de correa y 12 CV (8,9 kW) en la barra de tracción.

Transmisión

Pese a optar por un diseño moderno del motor, la compañía Huber confiaba en una transmisión más anticuada. Tenía dos velocidades y un mecanismo selector deslizante, y la transmisión final a las ruedas traseras se realizaba mediante coronas dentadas completamente expuestas, un diseño que ya tenía fama de desgastarse excesivamente con el uso. A pesar de su nombre, el Light Four no era realmente un tractor ligero, ya que en las pruebas a las que fue sometido en Nebraska en 1920 registró un peso de 2.497 kg.

El Light Four se siguió fabricando hasta 1928, a lo que contribuyó su fama de tractor de diseño robusto. La compañía Huber se mantuvo en el mercado hasta principios de la década de 1940.

Especificaciones

Fabricante: Huber Manufacturing Co.
Procedencia: Marion, Ohio (EE. UU.)
Modelo: Light Four
Tipo: uso general
Motor: cuatro cilindros
Potencia: 25 CV (18,5 kW)
Transmisión: caja de cambios de dos velocidades
Peso: 2.497 kg
Año de fabricación: 1917

SAMSON
⚒ **1918   Stockton, California (EE. UU.)**

SAMSON MODELO M

Aunque el tractor Samson Sieve Grip de Stockton (California) obtuvo cierto éxito a nivel local, a escala nacional no estuvo nunca entre los más relevantes. A pesar de esto, sorprendentemente, fue el elegido por General Motors cuando buscaba un modo de entrar rápidamente en el mercado del tractor.

Derecha: Se cree que la incursión de General Motors en el mercado del tractor fue un intento de contrarrestar el éxito que su gran rival, Henry Ford, había obtenido con el tractor modelo F.

Especificaciones

Fabricante: General Motors

Procedencia: Stockton, California (EE. UU.)

Modelo: M

Tipo: uso general

Motor: cuatro cilindros

Potencia: 19 CV (14,06 kW) (máximo)

Transmisión: caja de cambios de dos velocidades

Peso: 1.497 kg

Año de fabricación: 1918

No se sabe exactamente por qué General Motors decidió dedicarse a fabricar tractores en 1917. Una teoría apunta a que el lanzamiento del tractor Fordson tuvo algo que ver. General Motors y Ford estaban plenamente consolidadas como empresas rivales en el sector del automóvil y la noticia de que Henry Ford tenía intención de añadir un tractor a su gama de productos pudo alentar a GM a hacer lo mismo.

Guerra de precios
La oferta de GM de comprar la compañía Samson fue aceptada. El pequeño Sieve Grip se mantuvo en producción hasta que apareció un nuevo modelo, el Samson modelo M, en 1918. El M fue un obvio rival para el Fordson, y en las pruebas a las que fueron sometidos, el Samson superó claramente al Fordson.

Sin embargo, en la breve batalla por las ventas que siguió, parece ser que el precio tuvo mayor importancia que el rendimiento. Henry Ford estaba dispuesto a perder dinero y bajó todavía más el precio de sus tractores, aunque General Motors probablemente esperaba obtener beneficios con el Samson. En 1923, las decepcionantes ventas del Samson obligaron a General Motors a abandonar el mercado del tractor. Ese mismo año, Henry Ford vendió más de 100.000 Fordson.

GRAY

⚒ 1918 Minneapolis, Minnesota (EE. UU.)

GRAY 18-36

La compañía Gray Tractor Co. se fundó en Minneapolis en 1914, y los tractores que fabricó estaban basados en varios modelos experimentales. Algunas de las características del diseño introducidas para trabajar en las huertas se mantuvieron en los modelos posteriores para uso general.

Arriba: El diseño poco convencional del Gray 18-36 presentaba un motor Waukesha montado transversalmente y transmisión mediante un juego de cadena y piñón que accionaba las ruedas traseras.

Especificaciones

Fabricante: Gray Tractor Co.
Procedencia: Minneapolis, Minnesota (EE. UU.)
Modelo: 18-36
Tipo: uso general
Motor: Waukesha de cuatro cilindros
Potencia: 36 CV (26,6 kW)
Transmisión: caja de cambios de dos velocidades
Peso: 2.951 kg
Año de fabricación: 1918

Una de las características de los tractores Gray fue su poca altura, que pudo haber sido resultado de que originalmente fueran diseñados para trabajar en huertas. También se diseñaron con dos anchas ruedas traseras, que estaban muy juntas y funcionaban casi como un rodillo dividido. Este diseño recibía el nombre de tracción por tambor Gray. La idea de colocar un techo que cubriera el motor y las ruedas traseras, aunque no al conductor, que quedaba completamente expuesto a las inclemencias climatológicas, también procedía de los tractores cuya fabricación estaba destinada a las granjas.

Características de diseño

El modelo con más éxito de la gama Gray fue el 18-36. Empezó a fabricarse en 1918 y utilizaba un motor Waukesha de cuatro cilindros verticales.

Según los fabricantes, la ventaja que tenía la tracción por tambor era que se obtenía una mayor eficacia y un menor deslizamiento de las ruedas, lo que supuso un importante argumento de ventas para los tractores. Lamentablemente los principios teóricos no se vieron confirmados en las pruebas a las que se sometió y la eficacia del sistema de tracción con respecto al deslizamiento de las ruedas en las pruebas de tracción en la barra fue peor que la media.

Arriba, izquierda: Las ruedas traseras de tipo rodillo de tracción por tambor, el techo que protegía el motor y las ruedas traseras eran algunas de las características más significativas de este tractor fabricado por Gray.

AVERY
⚒ 1919   Peoria, Illinois (EE. UU.)

AVERY 12-20

La mayoría de tractores de la gama Avery seguía un diseño singular que se inició con la gran torre de refrigeración circular situada en la parte delantera y que también incluía un motor montado en la parte central y la cabina. El modelo que introdujo la imagen por la que Avery era conocida fue el 20-35 fabricado en 1912.

Derecha: La torre de refrigeración cilíndrica montada en la parte delantera del chasis era un rasgo distintivo en el diseño de los tractores Avery, como el 12-20.

Arriba: Avery produjo el tractor 12-20 desde 1919 hasta que la compañía no pudo hacer frente a las dificultades financieras y dejó de fabricar tractores en 1924.

Especificaciones

Fabricante: Avery Co.

Procedencia: Peoria, Illinois (EE. UU.)

Modelo: 12-20

Tipo: uso general

Motor: cuatro cilindros horizontales

Potencia: 24 CV (18 kW) (máximo)

Transmisión: caja de cambios de dos velocidades

Peso: 2.497 kg

Año de fabricación: 1919 aprox.

A partir de 1916 y durante los cuatro años siguientes, Avery presentó una serie de nuevos modelos, como el 12-20, que estuvo disponible a partir de 1919. Además de su diseño fácilmente reconocible, el 12-20 también heredó el concepto de tractor pesado. La versión de 1920 del 12-20 pesaba 2.497 kg y era mucho más pesada que la mayoría de sus rivales en el segmento del mercado correspondiente a los tractores con una potencia de 20 CV (14,8 kW).

Características del motor

El diseño de motor horizontal era otra de las características tradicionales de Avery que se mantuvo en el 12-20. Los cuatro cilindros estaban opuestos con el fin de proporcionar un funcionamiento más suave, y las medidas de diámetro y carrera eran de 11,2 cm por 15,2 cm.

El régimen de giro del motor era de 800 r. p. m., pero las cifras obtenidas en las pruebas realizadas en Nebraska fueron de 24,26 CV (18 kW), es decir, estaba muy por encima de la potencia nominal, y la cifra correspondiente a la tracción máxima en la barra también superaba holgadamente los 12 CV (8,9 kW), con 17,58 CV (13,1 kW) registrados en la primera velocidad.

A principios de la década de 1920, la gama presentó nuevos diseños más modernos. Aun así, la compañía llevaba tiempo con problemas financieros y dejó de producir tractores en 1924.

MASSEY-HARRIS
⚒ 1919 aprox.   Weston, Ontario (Canadá)

MASSEY-HARRIS N.º 3

Cuando Massey-Harris firmó un contrato para fabricar el tractor Parrett, fue el segundo intento de la compañía de pasarse al lucrativo mercado del tractor agrícola, que se encontraba en una fase de rápida expansión.

Un contrato anterior para distribuir el tractor Big Bull en Canadá finalizó cuando el fabricante norteamericano no pudo entregar los tractores debido a problemas en la producción. Para su siguiente intento, Massey-Harris decidió controlar la producción, además de las ventas, y el tractor que eligió estaba diseñado por los hermanos Parrett de Chicago.

El contrato se firmó en 1918 y la producción se inició al año siguiente. Los tractores llevaban el nombre Massey-Harris y se vendieron en Canadá a través de la amplia red de distribuidores de Massey-Harris.

Ruedas de gran tamaño

Un rango distintivo del Parrett eran sus ruedas delanteras, de 1,2 m de diámetro. Los hermanos Parrett tenían muchos motivos para afirmar que las ruedas de gran tamaño eran mejores que las pequeñas, aunque parecieran más frágiles. En su opinión, las ruedas con una gran circunferencia superaban mejor los obstáculos y también distribuían el peso del tractor sobre una zona más grande, con lo que se disminuía la compactación del terreno.

Los cojinetes de las ruedas también tenían mayor duración, añadían. Esto es debido a que

Superior: *La espaciosa plataforma permitía al operario acceder fácilmente a todos los controles. El volante estaba conectado mediante un juego de cadena y piñón a la parte delantera.*

Arriba: *Las ruedas delanteras de gran diámetro, heredadas del diseño original de Parrett, fueron una característica de venta importante para el nuevo tractor Massey-Harris.*

una rueda de gran tamaño gira más lentamente que una pequeña cuando el tractor se desplaza. Además, los cojinetes también están más alejados del suelo y mejor protegidos.

Las ventas de los tractores Parrett fabricados por Massey-Harris tuvieron unos inicios prometedores, pero no se sabe si los agricultores canadienses quedaron impresionados por la publicidad que se dio a las ruedas de gran tamaño o si simplemente confiaron en la marca Massey-Harris, que ya les era familiar.

Versiones

Massey-Harris presentó tres versiones del tractor Parrett. Las versiones número 1 y 2 eran similares. El tractor 12-25 tenía una potencia de 12 CV (8,9 kW) en la barra de tracción y 25 CV (18,6 kW) en la polea de correa, y el radiador en ambos tractores estaba colocado a un lado. Ambos presentaban una caja de cambios de dos velocidades, que permitía alcanzar los 3,8 km/h y 6,4 km/h respectivamente, aunque se consideraron demasiado rápidos, de modo que las velocidades máximas se redujeron a 2,8 km/h y 3,8 km/h cuando se presentó el tercer modelo.

Otros cambios en el Massey-Harris número 3 incluyeron el incremento del diámetro y la carrera del cilindro a 11,4 cm y 16,5 cm respectivamente para aumentar la potencia hasta 15-28. Además, se dio un giro de 90° al radiador para colocarlo en la parte delantera.

Mientras tanto, la demanda cada vez menor de tractores junto con la intensa competencia, a la que había que añadir la política de reducción de precios de Henry Ford, estaban causando problemas en el sector. La compañía Parrett dejó de fabricar tractores hacia 1922 y la producción de tractores por parte de Massey-Harris finalizó al año siguiente.

Especificaciones

Fabricante: Massey-Harris	**Potencia:** 28 CV (20,72 kW)
Procedencia: Weston, Ontario (Canadá)	**Transmisión:** caja de cambios de dos velocidades
Modelo: N.º 3	**Peso:** n. d.
Tipo: uso general	**Año de fabricación:** 1919 aprox.
Motor: cuatro cilindros	

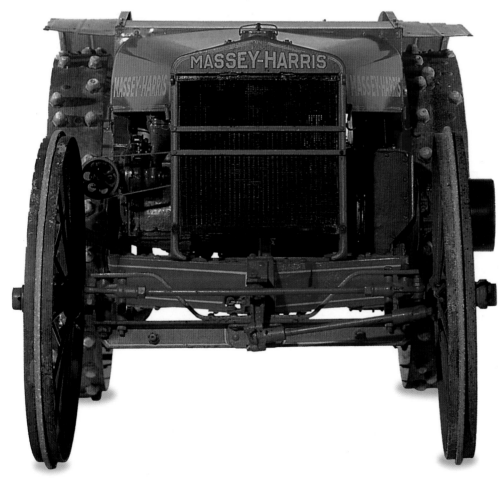

Izquierda: *Una de las características más significativas del tractor número 3 era que el radiador estaba colocado en la parte delantera, a diferencia de los modelos 1 y 2 de Massey-Harris, que lo tenían a un lado.*

TWIN CITY
✖ **1919 Minneapolis, Minnesota (EE. UU.)**

TWIN CITY 16-30

Twin City era la principal marca comercial de tractores de Minneapolis Steel and Machinery Co. (MSM), con sede en Minnesota. La producción se inició hacia el año 1910 y pronto los tractores Twin City estuvieron bien establecidos en el sector del mercado dedicado a los tractores pesados.

Arriba: *El motor con doble árbol de levas en culata y cuatro válvulas por cilindro contribuyó a dar al tractor 16-30 su imagen de coche deportivo.*

Especificaciones

Fabricante: Minneapolis Steel and Machinery Co.

Procedencia: Minneapolis, Minnesota (EE. UU.)

Modelo: 16-30

Tipo: uso general

Motor: cuatro cilindros con 16 válvulas

Potencia: 30 CV (22,2 kW)

Transmisión: n. d.

Peso: n. d.

Año de fabricación: 1919

Aunque se siguió potenciando la fabricación de tractores de gran tamaño, la compañía era consciente de la cada vez mayor popularidad que tenían los modelos pequeños, de modo que también se añadieron a la gama de tractores de Twin City. Entre ellos estaba el tractor 16-30, que se anunció en 1919. Probablemente fue al equipo de marketing de MSM a quien se le ocurrió la idea de dar al 16-30 una imagen de alto nivel, utilizando características técnicas del sector del automóvil. Estaba equipado con un motor de cuatro cilindros con una especificación de alto nivel que incluía un doble árbol de levas en culata y cuatro válvulas por cilindro.

Hasta el diseño recordaba al de un coche deportivo, con una altura baja.

Características de diseño

El diseño incluía un sistema de engranajes y transmisión final completamente cerrado para reducir el riesgo de que se produjeran daños debidos al polvo y el agua. El sistema de refrigeración estaba basado en un radiador de nido de abeja del tipo que entonces se utilizaba en los automóviles, pero con una mayor capacidad.

Lamentablemente se seguía pensando que los tractores debían tener una imagen de vehículo de trabajo y, dado que la industria agrícola estaba haciendo frente a problemas financieros cada vez mayores, no había suficientes agricultores dispuestos a pagar un precio adicional por las prestaciones del 16-30. Las ventas del tractor fueron decepcionantes, y dejó de fabricarse en 1920.

Arriba, izquierda: *Los agricultores norteamericanos a principios de la década de 1920 no parecían dispuestos a pagar un precio adicional por un tractor con prestaciones de alto nivel como las que poseía el 16-30.*

CASE CROSSMOUNT
1919   Racine, Wisconsin (EE. UU.)

CASE CROSSMOUNT 22-40

Una característica importante en el sector de los tractores en Estados Unidos entre 1915 y principios de la década de 1920 fue la de experimentar con distintas ideas. Algunas compañías decidieron montar los motores transversalmente a lo largo del bastidor en algunos de sus modelos.

Derecha: Su singular diseño, así como su motor montado transversalmente, contribuyeron a establecer a esta serie de tractores de la compañía Case entre los tractores clásicos de principios de la década de 1920.

Especificaciones

Fabricante: J. I. Case Threshing Machine Co.

Procedencia: Racine, Wisconsin (EE. UU.)

Modelo: 22-40

Tipo: uso general

Motor: cuatro cilindros

Potencia: 40 CV (29,6 kW)

Transmisión: caja de cambios de dos velocidades

Peso: 4.512 kg

Año de fabricación: 1919

Era una idea que diversos fabricantes de tractores ya habían probado. Sin embargo, la compañía que promocionó el diseño de motor transversal de forma más eficaz fue J. I. Case Threshing Machine Co. La mayoría de los modelos que presentaron a partir de 1916 y durante los 10 años siguientes siguieron el diseño de motor transversal y dieron forma a una serie conocida con el nombre de Case Crossmount.

Fiabilidad

Aunque las ventajas de montar el motor a lo largo del bastidor no son obvias, los modelos Case Crossmount fueron populares y tuvieron fama de ser unos tractores fiables a largo plazo.

Una característica notable y poco común de algunos de los tractores Crossmount más pequeños era el bastidor de hierro fundido, que fue sustituido por un bastidor con largueros paralelos de acero en el modelo 22-40 presentado en 1919, cuando el éxito de los modelos Crossmount ayudó a Case a mantenerse en el mercado del tractor, que cada vez era más competitivo.

El Crossmount 22-40 estaba equipado con un motor Case de gasolina/parafina de cuatro cilindros dispuestos por pares. Tenía un diámetro de 13,9 cm y una carrera de 17,1 cm respectivamente, el régimen de giro del motor era de 850 r. p. m. y la potencia se transmitía a través de una caja de cambios de dos velocidades.

AVERY
✖ 1919 Peoria, Illinois (EE. UU.)

AVERY MODELO C

Los motores de seis cilindros eran una rareza en el mercado del tractor antes de la década de 1930. En la actualidad no se suelen utilizar en tractores con una potencia inferior a 100 CV (74 kW). En 1919, Avery decidió equipar al modelo C con un motor de seis cilindros. Este tractor fue el primer tractor de seis cilindros que fue sometido a pruebas en Nebraska.

Especificaciones

Fabricante: Avery Co.

Procedencia: Peoria, Illinois (EE. UU.)

Modelo: C

Tipo: uso general

Motor: seis cilindros

Potencia: 14 CV (10,4 kW)

Transmisión: caja de cambios de tres velocidades

Peso: 1.436 kg

Año de fabricación: 1919

El motor contaba con un diseño realizado por Avery de cilindros verticales con un diámetro interior de 7,6 cm y una carrera de 10,1 cm; el régimen de giro era de 1.250 r. p. m. en una época en la que la mayoría de los motores de los tractores giraban a menos de 1.000 r. p. m.

Es sorprendente que Avery eligiera lo que era probablemente un motor relativamente caro para accionar un tractor tan pequeño, que sólo tenía una potencia de salida de 14 CV (10,4 kW) en la polea de correa y unos modestos 8,6 CV (6,4 kW) en la barra de tracción.

Transmisión

Un tractor pequeño con un motor complejo y caro era una combinación peculiar. La transmisión también encerraba algunas sorpresas. La caja de cambios con tres velocidades estaba cubierta, pero la transmisión directa a las ruedas tenía las coronas dentadas completamente expuestas, de modo que no estaba protegida de los daños que podían provocar la suciedad o las piedras. Avery iba camino de enfrentarse a problemas financieros a mediados de la década de 1920, cuando el modelo C desapareció de su línea de productos.

Arriba: Avery rompió con la tradición al presentar su nuevo tractor para cultivos en surcos modelo C equipado con un motor de seis cilindros.

FIAT
✗ 1919 Turín (Italia)

FIAT 702

Al terminar la Primera Guerra Mundial, se necesitaron tractores para incrementar la producción de alimentos en Europa, lo que motivó la llegada de nuevas compañías que se dedicaron a la fabricación de tractores.

Arriba: Fiat fue una de las grandes compañías europeas de fabricación de automóviles que también decidió fabricar tractores después de la guerra.

Derecha: Los conductores del Fiat 702 disfrutaban del lujo de disponer de una suspensión con ballesta transversal sobre el eje delantero, una prestación que, probablemente, se tomó prestada de los automóviles y camiones fabricados por Fiat.

Especificaciones

Fabricante: Fiat

Procedencia: Turín (Italia)

Modelo: 702

Tipo: uso general

Motor: cuatro cilindros

Potencia: 25 CV (18,5 kW)

Transmisión: caja de cambios de tres velocidades

Peso: 2.600 kg

Año de fabricación: 1919

Fiat fue una de las primeras compañías importantes que empezó a fabricar tractores en Europa. Su historial como compañía dedicada a la fabricación de coches y camiones se remonta a 1899, pero no empezó a fabricar tractores hasta 20 años después, cuando apareció el modelo 702.

Características de diseño

Fiat optó por un motor de gasolina/parafina de cuatro cilindros para el modelo 702. Desarrollaba unos 25 CV (18,5 kW) y la potencia se transmitía a través de una caja de cambios de tres velocidades que también proporcionaba tres velocidades de tracción para la polea de correa. La polea estaba montada en la parte posterior, cerca del asiento del conductor, que se había desplazado para permitir una mejor visibilidad delantera. Una característica poco usual era la ballesta transversal sobre el eje delantero, que proporcionaba una marcha más suave.

Esto fue debido probablemente a la experiencia de Fiat en el diseño de otros vehículos. Los sistemas de suspensión para mejorar la comodidad ya eran una prestación de serie casi 100 años antes de que se generalizaran los tractores agrícolas.

El 702 fue sustituido hacia 1921 por el modelo 703 con una transmisión mejorada. A los propietarios del 702 se les ofreció un juego de actualización para que dispusieran de las especificaciones técnicas más recientes.

RENAULT

1919 Billancourt (Francia)

RENAULT GP

Entre las compañías europeas que se pasaron al mercado del tractor después de la guerra se encuentran Citroën, Peugeot y Renault. Fue Renault la que contó con la mayor ventaja inicialmente, ya que pudo basar el diseño de su primer tractor en un tanque de pequeñas dimensiones que había desarrollado durante la Primera Guerra Mundial para el ejército francés.

Abajo: *Renault basó el diseño del tractor oruga GP en un tanque ligero que había fabricado para el ejército francés durante la guerra.*

El nuevo tractor oruga hizo su aparición en 1919 y se conoció con el nombre de GP. Estaba equipado con un motor de gasolina de cuatro cilindros que generaba unos 30 CV (22,3 kW); la transmisión estaba compuesta por un embrague de cono conectado a una caja de cambios de tres velocidades.

Una característica de su diseño heredada del tanque era la línea descendente del capó, que proporcionaba una mejor visibilidad delantera. Esto se conseguía colocando el radiador entre el motor y el conductor, con el depósito de combustible montado sobre el radiador. Otra característica heredada del tanque Renault era la dirección por palanca de mano. Cuando una versión mejorada del GP, conocida como H1, se presentó en 1920, se mantuvo la dirección por palanca de mano. La inclusión de un par de manillares similares a los de las bicicletas facilitó el manejo de la palanca.

Indicaciones para el futuro

El tractor de cadenas GP fue un tractor que no se vendió mucho, aunque tuvo el éxito suficiente para animar a Renault a crear nuevos modelos de tractores oruga y provistos de ruedas basados en el mismo diseño.

Especificaciones

Fabricante: Renault
Procedencia: Billancourt (Francia)
Modelo: GP
Tipo: tractor de cadenas
Motor: cuatro cilindros
Potencia: 30 CV (22,3 kW)
Transmisión: caja de cambios de tres velocidades
Peso: n. d.
Año de fabricación: 1919

AUSTIN
✤ **1919 Birmingham (Inglaterra)**

AUSTIN

Arriba: *Austin diseñó su nuevo tractor para que compartiera el motor de 26 CV (19,3 kW) que había creado para el nuevo automóvil que acababa de fabricar.*

Austin era uno de los principales fabricantes automovilísticos de Gran Bretaña cuando empezó a fabricar tractores en 1919, como otros fabricantes europeos (Benz, Citroën y Renault) que también se incorporaron a este mercado.

Derecha: *El tractor Austin tuvo una mayor demanda en Francia que en el Reino Unido y finalmente la producción se transfirió de la fábrica británica a Francia.*

Especificaciones

Fabricante: Austin Motor Co.
Procedencia: Birmingham (Inglaterra)
Modelo: n. d.
Tipo: uso general
Motor: cuatro cilindros
Potencia: 23,7 CV (17,5 kW) (parafina)
Transmisión: caja de cambios de dos velocidades
Peso: 1.422 kg
Año de fabricación: 1919

Uno de los alicientes para Austin de esta diversificación era la posibilidad de utilizar básicamente el mismo motor para impulsar tanto un tractor como su nuevo automóvil. El motor de cuatro cilindros estaba disponible en una versión que funcionaba con gasolina tanto para el automóvil como para el tractor. También había una versión que funcionaba con gasolina-parafina sólo para el tractor. La potencia máxima era de 26 CV (19,3 kW) para la versión equipada con un motor de gasolina y de 23,7 CV (17,5 kW) para la versión con motor de parafina.

Éxito en Francia

El tractor tuvo mucho más éxito en Francia que en su propio país. Durante su primera aparición en Francia en las pruebas internacionales celebradas en 1919 obtuvo resultados excelentes. Este éxito animó a la compañía a crear una fábrica de tractores en Francia utilizando motores suministrados desde Birmingham. La producción se inició en 1920.

Cuando dejaron de fabricarse en Birmingham hacia 1925, los tractores para el mercado británico se importaron desde Francia. En esta fase se mejoró la versión francesa al añadirle una caja de cambios de tres velocidades en lugar de la unidad de dos velocidades del tractor original fabricado en Gran Bretaña. El intento de volver a lanzar el Austin fabricado en Francia en el Reino Unido en 1930 no tuvo el éxito esperado, de modo que la fábrica francesa cerró en 1932.

GLASGOW

✖ **1919   Cardonald, Glasgow (Escocia)**

GLASGOW

La producción de tractores en Escocia nunca tuvo mucho éxito. El tractor Scott fracasó porque se adelantó a su tiempo, la fábrica de tractores de Leyland en Bathgate produjo tractores excelentes pero necesitaba disponer de más capital para poder desarrollar nuevos productos, y el tractor Glasgow no tuvo éxito en parte porque no podía competir con el bajo precio del Fordson.

Los planes para el proyecto Glasgow eran realmente ambiciosos. La fábrica se encontraba en Cardonald. El proyecto fue financiado por un consorcio de compañías, y se firmó un acuerdo con una firma con sede en Londres que ofrecía centros de distribución por todo el Reino Unido y sus colonias. Un anuncio de prensa indicaba que se esperaba que la producción alcanzara los 5.000 tractores al año.

En la primera versión, diversas partes del diseño, como el depósito de combustible ovalado, los paneles laterales del radiador y el depósito de alimentación, podían haber estado influidas por el Fordson modelo F, aunque este diseño se modificó al cabo de unos pocos meses. La construcción del tractor, utilizando una serie de piezas de fundición, también parece haber estado inspirada en el Fordson.

Arriba: A pesar de su diseño poco convencional, el tractor Glasgow atrajo muchos elogios por el rendimiento obtenido gracias a su sistema de tracción a las tres ruedas.

Características originales

A pesar de las similitudes, el Glasgow tenía muchas características originales y la más curiosa era disponer de tracción a las tres ruedas a través de las ruedas delanteras y traseras del mismo diámetro. También, en lugar de utilizar un diferencial para compensar las diferentes velocidades de las ruedas al tomar una curva, el equipo de diseño del Glasgow decidió utilizar una serie de trinquetes que hicieran el mismo trabajo.

La eliminación del diferencial ayudó a incrementar la tracción en superficies pronunciadas o resbaladizas, según decían los fabricantes. Los testimonios citados por la compañía sugieren que los clientes estaban impresionados por la potencia de tracción del Glasgow en condiciones difíciles.

Un motor Waukesha de cuatro cilindros desarrollaba una potencia nominal de 27 CV (20 kW) y accionaba una caja de cambios de dos velocidades con un embrague de cono. La transmisión quedaba completamente protegida.

La demanda que tuvo el tractor Glasgow fue decepcionante y las cifras de producción del tractor nunca se acercaron a las 5.000 unidades que se había previsto fabricar al año, de modo que el proyecto se encontró haciendo frente a serios problemas financieros. Su precio era uno de los motivos principales, y aunque se rebajó de 450 a 375 libras esterlinas, esto no bastó para tentar a los clientes que estaban más interesados en el Fordson de importación, que llegó a costar tan sólo 120 libras esterlinas, o menos de un tercio del precio del Glasgow una vez rebajado.

Fin de la producción

La producción del tractor Glasgow finalizó hacia 1923 y la compañía cesó en sus actividades comerciales en 1924. Un intento posterior de revivir la compañía bajo el nombre Clyde Tractors, con financiación adicional y un nuevo equipo directivo, no acabó de prosperar y la idea no tardó en abandonarse.

Especificaciones

Fabricante: Wallace (Glasgow) Ltd.
Procedencia: Cardonald, Glasgow (Escocia)
Modelo: Glasgow
Tipo: uso general
Motor: cuatro cilindros
Potencia: 27 CV (20 kW)
Transmisión: caja de cambios de dos velocidades

Peso: 1.829 kg
Año de fabricación: 1919

Abajo: *Es posible que las similitudes entre el diseño del depósito de combustible y el panel lateral del radiador del Glasgow y el Fordson sólo fueran una coincidencia.*

TRACTORES DE VAPOR IH

1920   Chicago, Illinois (EE. UU.)

TRACTOR DE VAPOR IH

Las ventas de máquinas de vapor agrícolas descendían espectacularmente a principios de los años veinte, mientras la industria agrícola iba optando progresivamente por utilizar tractores.

Desde principios del siglo XX se habían producido nuevos avances tecnológicos en la aplicación del vapor como fuente de energía, pero no fue hasta principios de la década de 1920 cuando se llevaron a cabo intentos serios de crear una nueva generación de máquinas de vapor orientadas a la agricultura.

Tractores experimentales

Una de las compañías que trabajaba con las tecnologías más recientes de aplicación del vapor como fuente de energía era International Harvester. En 1920, Henry Ford y su tractor modelo F habían arrebatado a IH el liderazgo en el mercado del tractor en Estados Unidos, y el proyecto de fabricar un tractor de vapor pudo formar parte de la búsqueda de nuevos productos que restablecieran la supremacía de IH en las ventas de vehículos agrícolas.

Entre 1920 y 1923, IH desarrolló al menos dos tractores de vapor experimentales. El calor necesario para que ascendiera el vapor se producía en

Arriba: Esta fotografía de archivo de principios de la década de 1920 muestra uno de los tractores de vapor experimentales fabricado por los ingenieros de International Harvester.

una cámara de combustión utilizando un combustible líquido, como la parafina. El combustible ocupaba mucho menos espacio que el carbón o la leña. Así, ya no era necesario tener que alimentar la cámara de combustión con una pala, no había cenizas ni escoria que desechar y era fácil aumentar o reducir la llama para controlar la producción de vapor.

Características de diseño

Otra característica era su caldera en forma de cilindro. Con un volumen mucho más pequeño que la anticuada caldera de los motores de tracción, había una significativa reducción de peso y el menor volumen del agua permitía subir la presión del vapor en pocos minutos después de un arranque en frío. La caldera en forma de cilindro también era más segura, ya que el pequeño volumen de vapor a alta presión provocaría menos daños si explotaba. Otra característica esencial era el condensador de tipo radiador, para que el agua volviera a circular y disminuyera el volumen.

Las fotografías que han llegado hasta nuestros días de los archivos de IH muestran que los tractores de vapor experimentales eran aproximadamente del mismo tamaño que un tractor común con una potencia de 25 CV a 30 CV (de 18,6 kW a 22,3 kW). Se estima que su potencia rondaba los 20 CV (14,9 kW). El proyecto se abandonó en 1922, quizá para dedicar más recursos al nuevo tractor Farmall.

Lamentablemente, todos los tractores de vapor experimentales se desguazaron y hoy apenas se conserva información técnica sobre ellos.

Especificaciones

Fabricante: International Harvester Co.
Procedencia: Chicago, Illinois (EE. UU.)
Modelo: n. d.
Tipo: experimental
Motor: de vapor con dos cilindros
Potencia: n. d.
Transmisión: n. d.

Peso: n. d.
Año de fabricación: 1920

Abajo: Otra fotografía original de la época, todo lo que queda del intento de emplear una nueva tecnología para actualizar la máquina de vapor con fines agrícolas.

CLETRAC
⚒ 1920 Cleveland, Ohio (EE. UU.)

CLETRAC MODELO F

Cletrac era el nombre de marca comercial elegido para los tractores fabricados por la Cleveland Tractor Co. de Cleveland (Ohio). La compañía fue fundada por Rollin White, prominente hombre de negocios y miembro de la familia de automóviles de vapor White, que había estado estrechamente relacionado con el desarrollo de un nuevo mecanismo de dirección para los tractores oruga.

El nuevo mecanismo era conocido como sistema de dirección de diferencial controlado y se accionaba mediante un volante, en lugar de las palancas que utilizaban los tractores de cadenas, lo cual era una de sus principales ventajas, ya que la mayoría de conductores estaban más familiarizados con un volante que con un par de palancas.

El sistema Cletrac utilizaba la acción del volante para disminuir la velocidad de la tracción en una de las orugas, lo que automáticamente hacía que la otra girara más rápidamente. Era el sistema que se utilizó en todos los tractores de cadenas Cletrac y también fue adoptado por otros fabricantes para varios vehículos de tipo oruga.

Arriba: *Esta fotografía publicitaria original muestra el tractor modelo F trabajando como un motoarado, con una serie de controles ampliados.*

La producción del modelo F se inició en 1920. Se trataba de un tractor oruga ligero y estaba disponible en tres versiones: el modelo estándar, una versión estrecha para utilizar en viñedos, viveros o huertos y un modelo sobreelevado para el cultivo en hileras. Disponía de una versatilidad adicional en el modelo F sobreelevado, que se podía utilizar como un tractor convencional o, con el volante y otros controles, como un motoarado.

Características del motor

Para el modelo F se creó un motor de cuatro cilindros con una válvula lateral, cuya fabricación corrió a cargo de la compañía Cleveland. En aquella época Rollin White había puesto en marcha una nueva compañía para fabricar el automóvil Rollin, que compartiría el mismo motor que el tractor modelo F.

El régimen de giro del motor era de 1.600 r. p. m., la potencia nominal de la versión para el tractor con motor de parafina era de 16 CV (12 kW) en la polea de correa, y la versión para automóvil estaba diseñada para funcionar con gasolina.

Diseño de las orugas

Una característica poco habitual del modelo F era el diseño de las orugas. La tracción a cada lado se realizaba mediante una rueda dentada colocada cerca de la parte posterior de la oruga y lo suficientemente alta para darle un perfil triangular.

Debajo de la oruga de tracción principal a cada lado había una segunda, que se componía de rodillos de acero. Sin embargo, proporcionaban una superficie de baja fricción sobre la que se desplazaban las orugas principales. El problema con las orugas de rodillos era que la suciedad y la gravilla provocaban un alto índice de desgaste, una desventaja muy importante a pesar de sus otras prestaciones, por lo que esta idea ya no se utilizó en otros modelos fabricados por Cletrac.

Abajo: Esta vista lateral del Cletrac modelo F muestra el volante y el diseño de orugas dobles, que supuestamente reducía la fricción.

Especificaciones

Fabricante: Cleveland Tractor Co.

Procedencia: Cleveland, Ohio (EE. UU.)

Modelo: F

Tipo: tractor de cadenas

Motor: de cuatro cilindros y válvula lateral

Potencia: 16 CV (12 kW)

Transmisión: caja de cambios de una velocidad

Peso: 872 kg

Año de fabricación: 1920

MINNEAPOLIS
⚒ **1920 Hopkins, Minnesota (EE. UU.)**

MINNEAPOLIS 22-44

La Minneapolis Threshing Machine Co. (MTM) de Hopkins (Minnesota) fue una de las compañías que se asociaron para formar la Minneapolis-Moline, aunque eso fue en 1929. En 1920 todavía seguía fabricando sus propios tractores con un diseño y unas prestaciones que estaban quedando anticuados.

Abajo: Muchas de las características del Minneapolis 22-44, como el mecanismo de dirección accionado por una cadena, ya estaban anticuadas cuando se empezó a fabricar en 1920.

En 1920 hizo su aparición el modelo Minneapolis 22-44. En una época en la que el diseño de los tractores estaba haciendo rápidos progresos, el 22-44 era aún similar a los tractores fabricados 10 o 12 años antes. La dirección accionada mediante una cadena, que se remontaba a la tecnología de los motores de tracción por vapor, ya estaba anticuada y no era fácil de manejar en un gran tractor. Además, con sus seis toneladas de peso, era un tractor realmente pesado.

Características del motor
El Minneapolis estaba equipado con un motor de cuatro cilindros y tenía un diámetro interior de 15,2 cm y una carrera de 17,7 cm, así como un régimen de giro de 700 r. p. m. La prueba de peso máxima en Nebraska dio un total de 46 CV (34,3 kW) en la correa, aunque la valoración que dio MTM de 22 CV (16,4 kW) para la tracción en la barra fue superada fácilmente por los 33 CV (24,6 kW) obtenidos en la prueba.

Una característica poco usual eran los dos embragues independientes: uno controlaba la potencia que se transmitía a las ruedas y el otro accionaba la polea de correa. Esto posiblemente proporcionaba el mismo tipo de flexibilidad que la tracción independiente para la toma de fuerza en un tractor moderno.

Especificaciones

Fabricante: Minneapolis Threshing Machine Co.

Procedencia: Hopkins, Minnesota (EE. UU.)

Modelo: 22-44

Tipo: uso general

Motor: horizontal de cuatro cilindros

Potencia: 44 CV (32,5 kW)

Transmisión: n. d.

Peso: 5.634 kg

Año de fabricación: 1920

PETER BROTHERHOOD

1920 Peterborough, Cambridgeshire (Inglaterra)

PETERBRO'

Peterbro' es una abreviación de Peter Brotherhood Ltd., la compañía de ingeniería que diseñó este tractor de altas especificaciones y lo fabricó en pequeñas cantidades a lo largo de la década de 1920. La mayor parte de la producción se exportó a Australia y otros mercados del imperio británico.

Derecha: *El tractor Peterbro' estaba equipado con un motor diseñado por Ricardo que presentaba diminutos orificios de purga en las paredes del cilindro para impedir que la parafina que no se había quemado diluyera el aceite del cárter.*

Especificaciones

Fabricante: Peter Brotherhood
Procedencia: Peterborough, Cambridgeshire (Inglaterra)
Modelo: Peterbro'
Tipo: uso general
Motor: cuatro cilindros
Potencia: 31 CV (23 kW) (máximo)
Transmisión: caja de cambios de tres velocidades
Peso: n. d.
Año de fabricación: 1920

Peter Brotherhood llevaba mucho tiempo dedicándose a la ingeniería ferroviaria y la construcción naval cuando tomó la decisión de introducirse en el mercado del tractor. El Peterbro' empezó a fabricarse en 1920. La compañía presentó el nuevo tractor en las pruebas nacionales de tractores que se realizaron cerca de Lincoln en 1920, donde quedó en segundo lugar en la categoría comprendida entre los 25 y los 30 CV (de 18,5 a 22,2 kW).

Características de diseño

Según las normas británicas, el Peterbro' era un tractor grande, equipado con un motor de cuatro cilindros que generaba una potencia de hasta 31 CV (23 kW). El motor se ponía en marcha con gasolina y funcionaba con parafina. Una característica poco común y probablemente cara era una serie de diminutos orificios de purga dispuestos a lo largo de las paredes del cilindro para expulsar la parafina que no se había quemado y que se filtraba fuera de los anillos de los pistones, ya que si no se retiraba podía diluir el aceite del cárter. Otros fabricantes aceptaron que la dilución del aceite del cárter era inevitable y recomendaron llevar a cabo cambios de aceite frecuentes.

Aunque las ventas en Gran Bretaña fueron decepcionantes, el Peterbro' demostró ser más popular en Nueva Zelanda y Australia. En 1928 se presentó una versión semioruga, pero poco tiempo después dejó de fabricarse.

LANZ
1921 **Mannheim (Alemania)**

LANZ HL BULLDOG

Cuando el primero de los tractores Lanz Bulldog hizo su aparición en 1921, fue el inicio de lo que sería una de las series de tractores más longevas e influyentes que se produjeron en Europa.

Especificaciones

Fabricante: Heinrich Lanz
Procedencia: Mannheim (Alemania)
Modelo: HL Bulldog
Tipo: diseñado para trabajos con correa
Motor: de bulbo incandescente de un cilindro
Potencia: 12 CV (9 kW)
Transmisión: caja de cambios de una velocidad
Peso: n. d.
Año de fabricación: 1921

Arriba: *Los diseños clásicos a lo largo de la historia del tractor han sido muy variados, como el pequeño tractor HL Bulldog de Lanz, el primero de una larga línea de tractores Bulldog.*

La compañía Heinrich Lanz tenía su sede en Mannheim, donde empezó a fabricar maquinaria agrícola durante la década de 1860. La producción se inició con una serie de equipos fijos a los que siguieron posteriormente máquinas de vapor; sin embargo, fue la llegada de los tractores Bulldog la que tuvo el mayor impacto en el desarrollo futuro de la compañía.

Características de diseño

El ingeniero que diseñó el primero de los Bulldog fue Fritz Huber, que se había incorporado a la compañía en 1916. El HL Bulldog fue su primer tractor de fabricación en serie, basado en un motor semidiésel de un cilindro montado en un chasis autopropulsado. La potencia del motor era de 12 CV (9 kW), y la falta de distancia con respecto al suelo y las ruedas con un diámetro relativamente pequeño muestran que el Bulldog estaba diseñado para mover equipos fijos en lugar de realizar tareas agrícolas. De forma opcional se ofrecían neumáticos de caucho macizo y la versión estándar incluía frenos accionados mediante un pedal con bloques de madera que actuaban sobre las llantas de las dos ruedas traseras.

Durante los ochos años en los que el HL Bulldog estuvo fabricándose se vendieron más de 6.000 unidades, pero en 1956 la producción total de Bulldog de todos los modelos había superado las 200.000 unidades, y en otros países europeos se habían fabricado muchos tractores idénticos al Bulldog bajo diversos acuerdos de licencia.

CASE
⚒ **1922   Racine, Wisconsin (EE. UU.)**

CASE 12-20

Los tractores Case Crossmount, con su diseño de motor transversal, cubrían una amplia gama de potencias de salida, como el modelo 12-20. Se trataba de un tractor Crossmount clásico, con un robusto bastidor de hierro fundido de una sola pieza; sin embargo, las ruedas delanteras y traseras de acero prensado eran una característica distintiva del 12-20.

Derecha: El tractor 12-20 compartía la mayoría de las características del Crossmount, aunque sólo las ruedas delanteras y traseras de este modelo estaban fabricadas con acero prensado.

Arriba: Esta vista posterior del pequeño 12-20 muestra el puesto de conducción desplazado; también parece que es preciso reparar el tubo de escape, ya que está dañado.

Especificaciones

Fabricante: J. I. Case Threshing Machine Co.

Procedencia: Racine, Wisconsin (EE. UU.)

Modelo: 12-20

Tipo: uso general

Motor: cuatro cilindros montado transversalmente

Potencia: 22,5 CV (16,7 kW) (máximo)

Transmisión: caja de cambios de dos velocidades

Peso: 2.020 kg

Año de fabricación: 1922

Case introdujo el 12-20 como un sustituto del modelo 10-20 de tres ruedas y se mantuvo en la gama hasta 1929. Para entonces, Case había cambiado su sistema de identificación de los modelos y utilizaba letras en lugar de números para indicar la potencia nominal, de modo que cuando el 12-20 dejó de fabricarse se conocía como el modelo A.

Características del motor

El motor montado transversalmente estaba dotado de cuatro cilindros verticales con válvulas en la culata. El diámetro interior del cilindro era de 10,4 cm y tenía una carrera de 12,7 cm. Contaba con un régimen de giro de 1.050 r. p. m., y una característica del diseño del motor era el uso de camisas de los cilindros intercambiables para simplificar las tareas de mantenimiento. La potencia máxima del motor era de 22,5 CV (16,7 kW), aunque se redujo a 20,17 CV (15 kW) cuando el motor se probó a su régimen de giro nominal.

El 12-20 fue uno de los últimos tractores Case Crossmount con un diseño distinguido. Los modelos que lo reemplazaron, se diseñaron con el motor colocado longitudinalmente, que era la posición más habitual.

MINNEAPOLIS
⚒ **1921   Hopkins, Minnesota (EE. UU.)**

MINNEAPOLIS 17-30 TIPO A

El tractor Minneapolis 17-30 estaba fabricado por la compañía Minneapolis Threshing Machine Co., que se fusionó con la Minneapolis Steel and Machinery Co. con el fin de formar la compañía de tractores Minneapolis-Moline.

Arriba: *Aunque este tractor pertenece a la versión A del 17-30, sólo un experto podría reconocer las pequeñas características que lo distinguen de la versión B, que apareció posteriormente.*

Especificaciones

Fabricante: Minneapolis Threshing Machine Co.

Procedencia: Hopkins, Minnesota (EE. UU.)

Modelo: 17-30 tipo A

Tipo: uso general

Motor: cuatro cilindros

Potencia: 31,9 CV (23,6 kW)

Transmisión: caja de cambios de dos velocidades

Peso: 2.724 kg

Año de fabricación: 1921

El tractor 17-30 estaba disponible en dos versiones similares: A y B. Aunque se presentó como un producto de la compañía Minneapolis Threshing Machine (MTM), se mantuvo en la gama de Minneapolis Moline (M-M) durante varios años después de la fusión.

Versiones

La razón por la que los fabricantes decidieron producir dos versiones similares del mismo tractor no está clara. La versión A, que estuvo disponible a principios de 1922, estaba equipada con un motor de cuatro cilindros montado transversalmente con un diámetro interior de 12 cm y una carrera de 17,7 cm, pero cuando hizo su aparición

la versión B en 1926 el diámetro interior se aumentó sólo en 3 mm y el régimen de giro pasó a ser de 825 r. p. m., lo que suponía un aumento del 10%. Aunque no era suficiente para modificar la potencia nominal anunciada por el fabricante, la potencia máxima registrada por ambos tractores en las pruebas realizadas en Nebraska demostró que la versión B tenía una ventaja de menos de 3 CV (2,2 kW) en las pruebas de tracción en la barra y el volante de inercia.

También se diferenciaban en que la batalla de la versión B se había incrementado en 25,4 cm. Además, la versión B pesaba 317 kg más y costaba 100 dólares, es decir, era un 10 por ciento más cara que la versión A.

Arriba, izquierda: *La Minneapolis Threshing Machine Co. era una de las compañías de fabricación de tractores más pequeñas de Estados Unidos y finalmente desapareció al pasar a formar parte de un consorcio de empresas.*

RENAULT

🛠 **1922 Billancourt (Francia)**

RENAULT H0

La incursión de Renault en el mercado con el tractor de cadenas GP basado en un tanque y el modelo H1 mejorado no consiguió grandes ventas, pero el éxito obtenido fue suficiente para justificar que se siguieran desarrollando estos vehículos.

Derecha: *Renault se incorporó al mercado de los tractores con ruedas con el modelo H0, que todavía era un descendiente directo de los tanques utilizados durante la guerra aunque estaba equipado con un motor más pequeño.*

Especificaciones

Fabricante: Renault
Procedencia: Billancourt (Francia)
Modelo: H0
Tipo: uso general
Motor: gasolina de 3,2 litros
Potencia: 20 CV (14,8 kW)
Transmisión: caja de cambios de tres velocidades
Peso: 2.140 kg
Año de fabricación: 1922

El H0 estaba basado en el H1 y compartía el mismo diseño delantero con el radiador colocado en ángulo en la parte posterior del motor. Ambos disponían de un enorme bastidor con largueros paralelos de acero, pero el nuevo tractor provisto de ruedas era más pequeño que el tractor de cadenas y, con un peso de 2.140 kg, mucho más ligero.

Características del motor

Entre las características del H0 se pueden destacar un motor de gasolina de cuatro cilindros fabricado por Renault, más compacto y con una potencia de 20 CV (14,8 kW) a 1.600 r. p. m., en lugar de los 30 CV (22,3 kW) que generaban los modelos anteriores.

Renault había reconocido la necesidad de contar con un modelo menos potente, ya que el motor de 30 CV original era probablemente demasiado grande para atraer un volumen de ventas considerable en un país que contaba principalmente con granjas no muy grandes.

Al igual que los modelos de tipo oruga, el H0 estaba diseñado con una polea de correa reversible montada en la parte delantera.

La familia de tractores de diseño exclusivo compuesta por los modelos GP, H1 y H0 convirtió a Renault en el principal fabricante de tractores francés y todos ellos siguieron mostrando la influencia en su diseño del tanque ligero Renault hasta que la compañía presentó un modelo completamente nuevo a finales de los años veinte.

capítulo 3

Los primeros tractores diésel

Los motores diésel se hicieron con el liderazgo del mercado a finales de los años cuarenta y principios de los cincuenta. Aunque los primeros tractores diésel ya habían aparecido en los años veinte no despertaron demasiado interés, por su precio y por las operaciones, a menudo complicadas, que se requerían para ponerlo en marcha. Sin embargo, el ahorro de carburante era significativo en comparación con los motores de gasolina.

Arriba: *Hart-Parr fue una de las grandes compañías de la época que perdió su identidad tras la fusión de empresas que dio lugar al grupo Oliver.*

Izquierda: *Los primeros tractores diseñados y fabricados por Deere & Co. hicieron su aparición en los años veinte con el motor de dos cilindros horizontales, que se convirtió casi en una marca de fábrica de John Deere.*

La serie de avances que se realizaron en los tractores durante los años veinte también incluye los primeros tractores John Deere con sus singulares motores de dos cilindros horizontales. Los primeros neumáticos de caucho especiales para tractores hicieron su aparición a principios de los años treinta. El Allis-Chalmers modelo U se hizo célebre por su velocidad gracias a una espectacular campaña que sirvió para promocionarlo.

Otro tractor que hizo su aparición en los años veinte fue el primero de los Farmall de International Harvester para cultivos en hileras. Muchas cosechas importantes se cultivan en hileras y el desarrollo de un tractor con características especiales ideales para trabajar en hileras fue un enorme paso adelante que otros fabricantes de Estados Unidos se vieron obligados a seguir.

También fue un periodo de cambios estructurales en la industria del tractor. Las compras y fusiones de empresas siempre han sido una característica del sector, pero en los años veinte se crearon una serie de consorcios importantes. En el Reino Unido algunas de las compañías que integraban el infortunado grupo AGE (Agricultural and General Engineers) desaparecieron tras el colapso financiero de la organización. No obstante, uno de los escasos logros del grupo fue producir los tractores diésel más avanzados del mundo.

INTERNATIONAL HARVESTER
✶ 1923   Chicago, Illinois (EE. UU.)

IH MCCORMICK-DEERING 10-20

Durante un periodo de 10 años a partir de 1914 los ingenieros de International Harvester fabricaron una serie de tractores excelentes y el McCormick-Deering 10-20 fue desde luego uno de los mejores.

El 10-20 estaba disponible desde 1923, y aparte de ser más pequeño, más ligero y menos potente que el modelo 15-30 anterior, ambos compartían un diseño y una mecánica similares. Los dos estaban equipados con un motor de gasolina-parafina de cuatro cilindros con un diseño de válvulas en culata y un régimen de giro nominal de 1.000 r. p. m. Una de las características de su avanzado diseño era el uso de cojinetes de bolas para los rodamientos del cigüeñal principal.

Características de diseño

Los cilindros de las primeras versiones del 10-20 tenían un diámetro de 10,7 cm y una carrera de

Arriba: Este McCormick-Deering 10-20, que está esperando a tener un nuevo propietario en una subasta celebrada en Inglaterra, se ha equipado posteriormente con neumáticos de caucho especiales.

12,7 cm. Las medidas del motor del 15-30 eran ligeramente superiores, 11,4 cm y 15,2 cm respectivamente. Una caja de cambios de tres velocidades proporcionaba una velocidad máxima de 6,4 km/h para ambos modelos.

Cuatro años después, se actualizó el diseño del tractor 10-20 y el régimen de giro del motor pasó a ser de 1.025 r. p. m. La velocidad máxima se incrementó ligeramente hasta 6,8 km/h.

Otro avance en el 10-20 fue una versión estrecha cuya anchura total se redujo de 1,5 m a 1,2 m. También estaba disponible un modelo para trabajar en huertas con revestimiento adicional, y una toma de aire y un tubo de escape modificados para trabajar cerca de los árboles. En 1928 apareció una versión oruga del 10-20. Los neumáticos de caucho se añadieron a la lista de prestaciones opcionales a finales de los años treinta.

Toma de fuerza

Tras equipar al modelo 8-16 Junior con una toma de fuerza opcional, también se incluyó entre las prestaciones de serie de los tractores 15-30 y 10-20, lo que les otorgó la distinción de ser los primeros tractores en incorporar esta prestación.

Puesto que la toma de fuerza era una novedad a principios de los años veinte, IH se dio cuenta de que muchos agricultores no entenderían su función y, por este motivo, publicó un folleto de ventas en 1924 donde se explicaba que «una toma de fuerza se compone de un eje conectado a la parte posterior de la transmisión. El 10-20 transmite la potencia de forma muy similar al eje propulsor de un automóvil o un camión y se utiliza para accionar el mecanismo de la máquina tractora».

Producción

La producción del modelo 15-30 con tres arados se inició en 1921 y finalizó en 1934, cuando las ventas totales habían alcanzado las 156.000 unidades. Las cifras correspondientes a la producción anual del modelo 10-20 ascendieron a 34.742 en 1929 y se alcanzó una espectacular cifra total de 215.000 en 1939.

Especificaciones

Fabricante: International Harvester Co.

Procedencia: Chicago, Illinois (EE. UU.)

Modelo: McCormick-Deering 10-20

Tipo: uso general

Motor: cuatro cilindros con válvulas en culata

Potencia: 20 CV (14,8 kW)

Transmisión: caja de cambios de tres velocidades

Peso: 1.820 kg

Año de fabricación: 1923

Abajo: *Aquí podemos ver el emblema de McCormick-Deering en el depósito de agua del radiador de un tractor 15-30 completamente restaurado.*

HOLT

1923 **Stockton, California (EE. UU.)**

HOLT 2 TON

El modelo 2 Ton se añadió a la gama de tractores Holt en 1923. Faltaban todavía dos años para la fusión entre las compañías Holt y Best, de manera que Holt seguía siendo una compañía independiente y Caterpillar su marca comercial.

Especificaciones

Fabricante: Holt Manufacturing Co.
Procedencia: Stockton, California (EE. UU.)
Modelo: 2 Ton
Tipo: tractor oruga
Motor: Holt de cuatro cilindros de gasolina
Potencia: 25 CV (18,5 kW)
Transmisión: caja de cambios de tres velocidades
Peso: 1.834 kg
Año de fabricación: 1923

Arriba: *El tractor 2 Ton estaba fabricado por la compañía Holt, que lo presentó dos años antes de la creación de Caterpillar tras fusionarse con Best. El 2 Ton siguió fabricándose después de la fusión.*

El Caterpillar 2 Ton era el modelo más reciente de la gama de Holt y, con sus 1.834 kg, era también muy ligero para ser un tractor oruga. Incorporaba un motor Holt de cuatro cilindros de gasolina con un diseño de válvulas en culata accionadas por un árbol de levas en la culata.

Características del motor

El diámetro y la carrera de los cilindros del Caterpillar 2 Ton eran de 10,1 y 13,9 cm respectivamente, y el régimen de giro del motor, de 1.000 r. p. m. La potencia medida en las pruebas de rendimiento arrojaba un promedio de 25,4 CV (18,9 kW) a la velocidad nominal del motor. La caja de cambios de tres velocidades proporcionaba una velocidad máxima de 8,4 km/h.

Fusión de empresas

La fusión de 1925 reunió a los dos principales fabricantes de tractores oruga. Holt era el socio más grande, de modo que para la nueva compañía se eligió el nombre de su marca comercial Caterpillar. Holt también suministró tres de los cinco tractores seleccionados de las dos gamas para que formaran la nueva línea de tractores Caterpillar, uno de los cuales fue el modelo 2 Ton.

Tras la fusión, la producción del nuevo Caterpillar 2 Ton siguió hasta 1928 sin mayores modificaciones mecánicas, aunque se produjeron cambios menores en su imagen. Uno de ellos fue el de grabar la identificación del modelo, 2 TON, en las placas laterales del radiador, como en los otros modelos de la gama Caterpillar.

BENZ-SENDLING
1923 Gaggenau, Baden (Alemania)

BENZ-SENDLING

Abajo: Fotografía de estudio del primer tractor que utilizó un motor diésel en las tareas agrícolas sacada de los archivos de Mercedes-Benz.

Daimler y Benz, dos de los principales fabricantes de vehículos alemanes, se asociaron en 1926 para formar Daimler-Benz, una de las compañías con más éxito a nivel mundial y fabricante de la gama de vehículos Mercedes-Benz.

Especificaciones

Fabricante: Benz & Co.

Procedencia: Gaggenau, Baden (Alemania)

Modelo: Benz-Sendling

Tipo: motoarado

Motor: diésel de dos cilindros

Potencia: 27,5 CV (20,4 kW)

Transmisión: n. d.

Peso: n. d.

Año de fabricación: 1923 (versión diésel)

La parte de la sociedad correspondiente a Benz había fabricado tractores en pequeñas cantidades desde 1919, y en 1921 la compañía había empezado a fabricar un motor diésel de dos cilindros en su fábrica de Mannheim.

El motor diésel se utilizó inicialmente en un camión Benz; sin embargo, a partir de 1923 sustituiría a la unidad de gasolina como el motor estándar del tractor Benz-Sendling.

El primer tractor diésel

En 1919 se inició la fabricación del Benz-Sendling con motor de gasolina; sin embargo, la versión diésel fue casi con toda seguridad el primer tractor del mundo fabricado en serie que contaba con un motor de esas características. Era un tractor poco convencional de tres ruedas que había sido diseñado como un motoarado y tenía una gran rueda motriz en la parte posterior. La transmisión final se realizaba a través de un juego de cadena y piñones cubierto.

Una de las razones del éxito de los motores diésel de Benz es que fueron de los primeros en utilizar una cámara de precombustión. Se fabricaban en Mannheim y la versión de dos cilindros que se utilizó para el tractor Benz-Sendling tenía un índice de compresión de 15:1 y un régimen de giro de 800 r. p. m. El diámetro y la carrera del cilindro eran de 13,5 y 20 cm respectivamente y la potencia nominal, de 27,5 CV (20,4 kW).

JOHN DEERE
✕ 1923 Waterloo, Iowa (EE. UU.)

JOHN DEERE MODELO D

Después de adquirir la compañía Waterloo Boy, Deere & Co. siguió fabricando tractores del modelo N con sólo unas pequeñas mejoras, y también continuó utilizando el nombre Waterloo Boy.

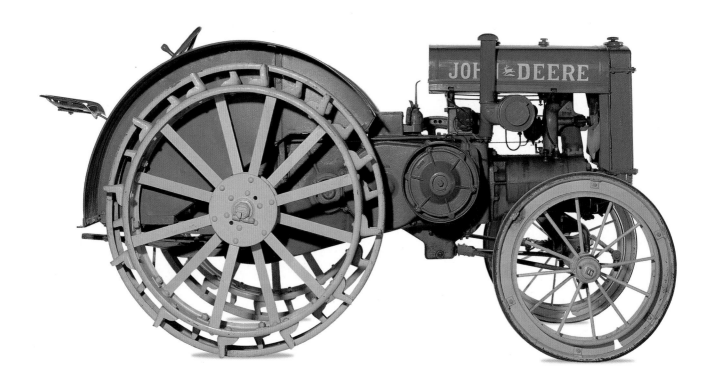

Los ingenieros de Waterloo Boy ya estaban trabajando en un sustituto para el tractor modelo N en 1918 cuando se produjo la adquisición de la compañía y el proyecto prosiguió bajo la dirección de los nuevos propietarios.

En 1923 hizo su aparición el modelo D que lo reemplazó; fue el primer tractor que llevó el nombre de John Deere y sus ventas fueron considerables.

Nuevas prestaciones
Casi todas las prestaciones del antiguo diseño del Waterloo Boy se modificaron en el nuevo modelo D, aunque se mantuvo su motor de dos cilindros horizontales.

La potencia máxima aumentó y pasó a ser de 30,4 CV (22,5 kW) en comparación con los 26 CV (19,4 kW) del modelo N. La velocidad de giro del motor recibió un incremento, de modo que el nuevo tractor alcanzaba las 800 r. p. m. El diámetro y la carrera del motor del Waterloo Boy se mantuvieron en la nueva versión.

El nuevo diseño prescindió del antiguo bastidor con largueros paralelos de acero y transmisión final expuesta y los sustituyó por un sistema de construcción unitaria y una transmisión

Superior: El volante de radios identifica a este tractor como una de las primeras versiones del John Deere modelo D, el tractor que reemplazó a la serie Waterloo Boy.

Arriba: Esta vista lateral muestra la posición del motor de dos cilindros horizontales, probablemente la serie de motores más famosa que ha producido la industria del tractor.

completamente cerrada. El modelo D era más corto que su predecesor y considerablemente más ligero, ya que pesaba 1.934 kg en comparación con los 2.812 kg de peso del modelo N.

Para los amantes del motor John Deere de dos cilindros, el volante de inercia del modelo D tenía un interés especial. Inicialmente el motor tenía un volante de radios con un diámetro de 66 cm que se redujo a 61 cm después de que se hubieran fabricado los primeros 900 tractores.

Volante de inercia

Se produjo otro cambio cuando la producción alcanzó la cifra de 5.755 unidades. En esta etapa el volante de radios fue sustituido por una versión maciza. Los tractores del modelo D con un volante de radios, conocidos por los aficionados como «modelos D de radios», son especialmente

valorados por los coleccionistas ya que pertenecen a los primeros años de producción.

Otro de los cambios del modelo D fue el incremento en el diámetro del cilindro a 17,1 cm en 1928, lo que junto a otras modificaciones aumentó la potencia a 41,6 CV (31 kW) en 1935.

En 1935 la caja de cambios de dos velocidades fue sustituida por una de tres marchas. En 1939 se dotó al modelo D de un nuevo diseño, que siguió fabricándose en distintas versiones hasta 1953.

Un tractor pionero

El modelo D fue el primero de una nueva línea de tractores robustos y seguros que contribuyó a establecer a John Deere como uno de los fabricantes de más éxito en Estados Unidos, y también contribuyó al prolongado éxito de la serie de motores John Deere de dos cilindros.

Especificaciones

Fabricante: Deere & Co.

Procedencia: Waterloo, Iowa (EE. UU.)

Modelo: D

Tipo: uso general

Motor: dos cilindros horizontales

Potencia: 30,4 CV (22,5 kW)

Transmisión: caja de cambios de dos velocidades

Peso: 1.934 kg

Año de fabricación: 1923

Abajo: *Los tractores del modelo D continuaron fabricándose en diversas versiones y con potencias cada vez mayores durante 30 años.*

INTERNATIONAL HARVESTER

⚒ 1924   Chicago, Illinois (EE. UU.)

IH FARMALL

El tractor Farmall original supuso uno de los avances más importantes de la historia del tractor. Mientras que la mayoría de los equipos de diseño del sector estaban desarrollando nuevos tractores de uso general, International Harvester destinó el nuevo Farmall específicamente a granjas que cultivaran en surcos.

El Farmall fue el último de una larga serie de excelentes tractores IH de entre 1914 y 1924. Fue una época en la que International Harvester tuvo a su servicio al que seguramente fue el mejor equipo de diseñadores, como Bert R. Benjamin, que creó el Farmall original. Benjamin era un «prolífico inventor muy ingenioso y con visión de futuro», según un historiador. El Farmall fue el primer tractor que supo hacer frente a las necesidades específicas de los agricultores que se dedicaban al cultivo en hileras.

Tractor para cultivar en hileras

Unos años después del lanzamiento del Farmall en 1924, muchos de los principales fabricantes de tractores de Estados Unidos habían creado sus

Superior: *La disposición de la rueda delantera de este tractor Farmall para cultivo en hileras hizo que los ingenieros de IH tuvieran que crear un mecanismo de dirección especial.*
Arriba: *Aunque el Farmall se diseñó como un tractor para cultivo en hileras, también podía trabajar con otro tipo de equipos.*

propios modelos para cultivar en hileras basándose en las características que Bert Benjamin había incluido en su diseño. Las imitaciones demuestran la influencia y el éxito del Farmall. Las cifras de producción son otro indicativo. A pesar de la dura competencia y la desaceleración económica en los años veinte, en 1930 se habían fabricado más de 100.000 Farmall y, con el clima de ventas más favorable que propiciaron los años treinta, la producción anual alcanzó una cifra de más de 35.000 unidades en su punto álgido.

A los agricultores que se dedicaban al cultivo en hileras les gustó el diseño del Farmall, ya que disponía de la altura suficiente para pasar por encima de las plantas cultivadas y para acomodar equipos montados en la parte central. Además, el diseño de tipo triciclo del Farmall, con un rueda en la parte delantera, garantizaba una buena maniobrabilidad al virar, a lo que contribuían el diferencial o los frenos de dirección que podían bloquear una de las ruedas traseras.

Características de diseño

El diseño de Benjamin también agrupaba el motor y la transmisión en una sola estructura rígida que los protegía del polvo. Así se evitó que el tractor tuviera un peso excesivo para minimizar el riesgo de compactación del terreno. Para proporcionar al Farmall la máxima versatilidad con una amplia gama de maquinaria, también se equipó con una toma de fuerza y una polea de correa. Más tarde se hicieron ajustes en las vías para adaptarlas a las distintas anchuras de los surcos.

Los primeros prototipos del Farmall se completaron en 1923 y se usaron en un programa de pruebas supervisado por los ingenieros de International Harvester. Se identificaron y solucionaron varios problemas, y los primeros Farmall fabricados en serie se entregaron en el año 1924. Los tractores incorporaban un motor de cuatro cilindros con válvulas en culata de 18 CV (13,3 kW), un diámetro de 9,5 cm, una carrera de 12,7 cm y un régimen de giro de 1.200 r. p. m.

Especificaciones

Fabricante: International Harvester

Procedencia: Chicago, Illinois (EE. UU.)

Modelo: Farmall

Tipo: tractor para cultivo en hileras

Motor: cuatro cilindros con válvulas en culata

Potencia: 18 CV (13,3 kW)

Transmisión: caja de cambios de tres velocidades

Peso: 1.861 kg

Año de fabricación: 1924

Abajo: Los primeros Farmall estaban equipados con un motor International Harvester de cuatro cilindros con un diseño de válvulas en culata. La potencia se transmitía a través de un caja de cambios de tres velocidades.

HART-PARR

1924 **Charles City, Iowa (EE. UU.)**

HART-PARR 12-24E

A principios de los años veinte, Hart-Parr hizo todo lo posible para dejar atrás su imagen de fabricante de tractores pesados y competir en los sectores dedicados a los tractores de pequeño y mediano tamaño. El modelo 12-24E pertenece a esta nueva generación de tractores ligeros. Se presentó en 1924, pesaba 2.122 kg y era uno de los modelos más pequeños de la gama Hart-Parr.

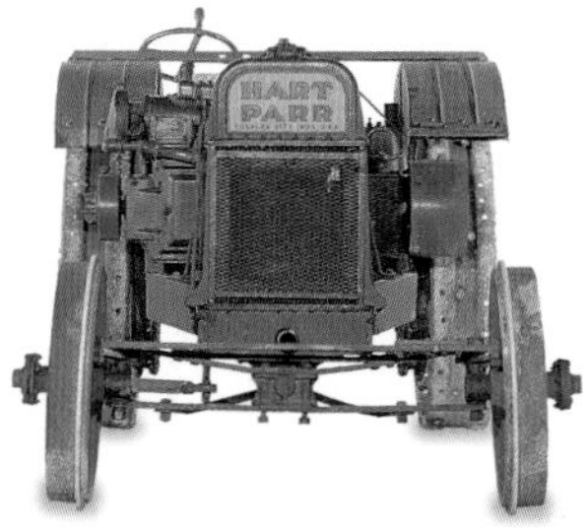

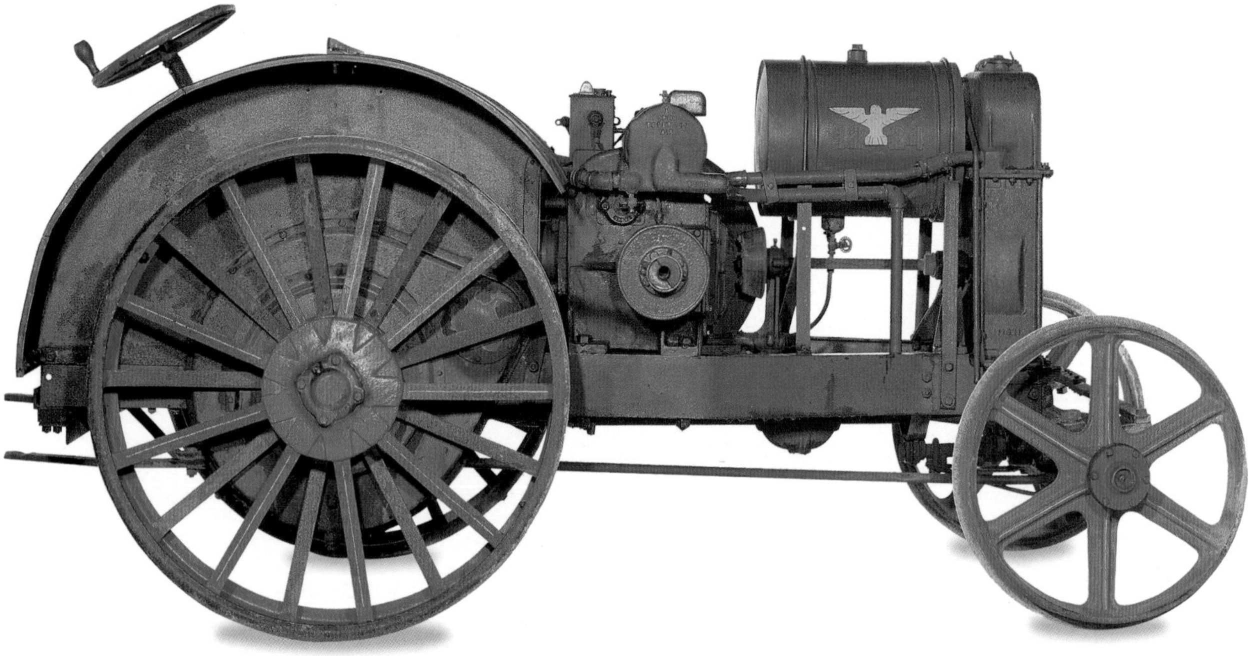

El motor del 12-24E era el típico de un diseño Hart-Parr, basado en un par de cilindros horizontales, un esquema con válvulas en culata y un régimen de giro nominal de 800 r. p. m. Tenía un diámetro de 13,9 cm, una carrera de 16,5 cm y la potencia máxima del tractor 12-24E cuando fue sometido a pruebas en Nebraska era de casi 27 CV (20 kW).

Otras versiones

El 12-24E se desarrolló a partir del modelo 10-20 anterior que estuvo disponible en dos versiones distintas entre 1921 y 1924. Tanto el 12-24 como el 10-20 compartían básicamente el mismo motor y la principal mejora que tenía el modelo 12-24E era un embrague de disco más moderno.

El mismo motor, al que se añadieron 6 mm de diámetro en los cilindros, hizo su aparición una vez más en un nuevo tractor 12-24H que se puso a la venta a partir de 1928 con el fin de sustituir al modelo E.

La clásica versión H del 12-24 estaba todavía en fase de producción cuando la compañía Hart-Parr perdió su identidad corporativa con la fusión que dio lugar en 1929 a la Oliver Farm Equipment Co., una de las muchas compras y fusiones de empresas que racionalizaron el sector del tractor por aquel entonces.

Arriba: Entre las medidas para atraer a los clientes con pequeños cultivos estaba la creación del tractor ligero 12-24E.

Especificaciones

Fabricante: Hart-Parr Co.
Procedencia: Charles City, Iowa (EE. UU.)
Modelo: 12-24E
Tipo: uso general
Motor: dos cilindros horizontales
Potencia: 27 CV (20 kW)
Transmisión: caja de cambios de dos velocidades
Peso: 2.122 kg
Año de fabricación: 1924

HEIDER

⚒ **1924   Rock Island, Illinois (EE. UU.)**

HEIDER 15-27

Una familia de agricultores de Iowa puso en marcha la Heider Manufacturing Co., que empezó a fabricar tractores en 1911. Los tractores tuvieron una buena acogida y pocos años después vendieron su empresa a Rock Island Plow Co.

Derecha: El nombre de Heider se mantuvo después de que la Rock Island Plow Co. comprara esta compañía, cuyos propietarios eran una familia de agricultores de Iowa que también llevó a cabo el diseño de los tractores.

Especificaciones

Fabricante: Rock Island Plow Co.

Procedencia: Rock Island, Illinois (EE. UU.)

Modelo: Heider 15-27

Tipo: uso general

Motor: Waukesha de cuatro cilindros

Potencia: 30 CV (22,2 kW)

Transmisión: por fricción con velocidades infinitamente variables

Peso: 2.856 kg

Año de fabricación: 1924

Los nuevos propietarios siguieron basándose en el diseño de Heider y, además de los característicos adornos a los lados del techo de la marquesina, siguieron utilizando ese nombre como marca comercial. Mantuvieron también la transmisión por fricción Heider, que proporcionaba una gama de velocidades infinitamente variable que permitía ajustar la velocidad de giro del motor y la de desplazamiento de forma más precisa para adaptarse a las condiciones de trabajo.

Características del motor

Cuando la compañía Rock Island presentó su tractor 15-27 en 1924, todavía seguía utilizando el nombre de Heider y la transmisión por fricción. El Heider 15-27, como la mayoría de tractores Heider, estaba equipado con un motor Waukesha de cuatro cilindros. El cilindro tenía un diámetro de 12 cm y una carrera de 17,1 cm. El motor del tractor estaba colocado sobre el eje trasero, donde el peso contribuía a incrementar la adherencia de las ruedas.

El 15-27 se mantuvo en la gama de Rock Island durante tres años y fue uno de los últimos tractores que llevó el nombre de la marca Heider. Finalmente, este nombre dejó de utilizarse a finales de los años veinte y la Rock Island Co. pasó a formar parte del grupo J. I. Case en 1937.

HSCS

⚒ **1924 Budapest (Hungría)**

PROTOTIPO HSCS

Clayton y Shuttleworth fue uno de los fabricantes de máquinas de vapor agrícolas más importantes de Gran Bretaña durante el siglo XIX y principios del XX. Las grandes granjas y fincas de Hungría fueron uno de los mejores mercados para la exportación de la compañía.

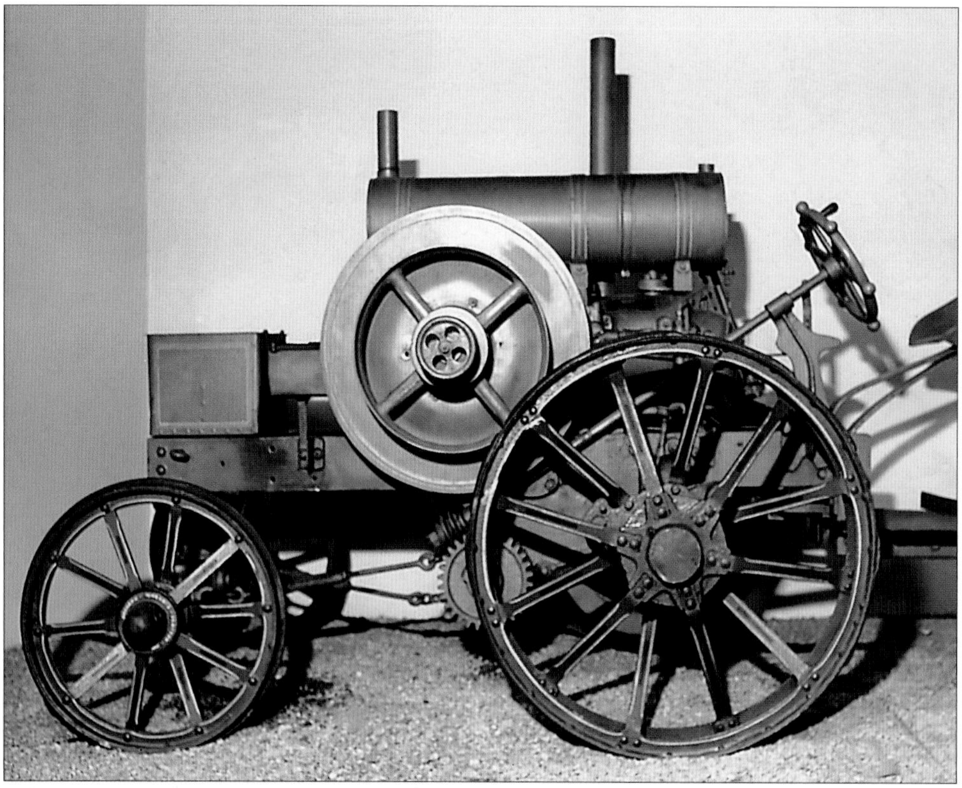

Izquierda: *El prototipo original del tractor desarrollado por la compañía HSCS todavía puede verse expuesto en el Museo Agrícola de Hungría.*

Especificaciones

Fabricante: Hofherr-Schrantz Clayton-Shuttleworth

Procedencia: Budapest (Hungría)

Modelo: prototipo

Tipo: uso general

Motor: bulbo incandescente de un cilindro

Potencia: 15 CV (11 kW)

Transmisión: una velocidad

Peso: n. d.

Año de fabricación: 1924

El cambio de las máquinas de vapor por los tractores produjo serios problemas a Clayton y Shuttleworth, que en 1912 tuvo que vender su filial húngara. El comprador fue un fabricante de maquinaria agrícola local. Tras la compra, la compañía pasó a llamarse Hofherr-Schrantz Clayton-Shuttleworth, o HSCS.

Tractores HSCS

La nueva compañía se amplió y a principios de los años veinte era el mayor fabricante de máquinas fijas de Hungría. Puso en marcha su programa de desarrollo de tractores a principios de los años veinte y su primer tractor equipado con un motor semidiésel o de bulbo incandescente se completó en 1924. Era un prototipo utilizado para trabajos de desarrollo adicionales equipado con un motor de dos tiempos de un cilindro con una potencia de 15 CV (11 kW), que era capaz de arar algo más de una hectárea con una profundidad de 19 cm en una jornada de 10 horas.

Cuando en 1925 aparecieron los primeros tractores HSCS fabricados en serie no se parecían mucho al prototipo original. La transmisión de una sola velocidad fue sustituida por una caja de cambios de tres marchas, y la potencia de salida había aumentado hasta los 20 CV (14,9 kW), aunque seguían utilizando un motor de bulbo incandescente, que continuó siendo el estándar para los tractores HSCS durante más de 20 años.

CLETRAC
⚒ **1925   Cleveland, Ohio (EE. UU.)**

CLETRAC K-20

Pudo ser una coincidencia, pero el primer modelo de la gama Cletrac de tractores oruga de Cleveland Motor Co. se conoció como el modelo R, el segundo se identificó por la letra H y el tercero se llamó modelo W. Las letras RHW son las iniciales de Rollin H. White, principal accionista de esta compañía de Cleveland.

Arriba: El tractor Cletrac K-20 hizo su aparición en 1925 para desafiar a la recientemente creada compañía Caterpillar en el mercado de los tractores oruga.

Derecha: La adición de un eje de toma de fuerza al modelo Cletrac K-20 fue un avance significativo en el diseño de los tractores oruga.

Especificaciones

Fabricante: Cleveland Tractor Co.

Procedencia: Cleveland, Ohio (EE. UU.)

Modelo: K-20

Tipo: tractor oruga

Motor: cuatro cilindros con válvulas en la culata

Potencia: 24,5 CV (18 kW)

Transmisión: caja de cambios de tres velocidades

Peso: n. d.

Año de fabricación: 1925

Después, las letras utilizadas fueron aleatorias; al modelo F le siguió el K-20 y, luego, el 30A. El K-20 apareció en 1925, presentaba una dirección por diferencial de velocidad controlado tipo Cletrac, estaba basado en los modelos R, H y W y compartía su tamaño compacto.

Características de diseño
Estaba equipado con un motor Cleveland de cuatro cilindros y válvulas en culata con un diámetro de 10,1 cm, una carrera de 13,9 cm y una potencia nominal de 24,5 CV (18 kW), casi 5 CV

(3,7 kW) más que el anterior modelo W. Posiblemente debido a sus antecedentes en el sector del automóvil, Rollin White tenía preferencia por utilizar motores de altas revoluciones en sus tractores, y ésta era una característica del motor K-20, que tenía un régimen de giro de 1.350 r. p. m.

Entre las mejoras introducidas en el K-20 destacaba el desplazamiento hacia atrás de la polea de correa en lugar de estar en la parte delantera del tractor. También fue el primer Cletrac equipado con una toma de fuerza, lo que supuso un importante avance en el diseño de los tractores oruga.

VICKERS
🔧 **1925 Newcastle upon Tyne (Reino Unido)**

VICKERS-AUSSIE

Se decía que las ruedas motrices eran una innovación excelente cuando el tractor Vickers-Aussie de fabricación británica hizo su aparición en 1925, aunque quizá los conductores australianos sacaran más provecho de su elegante parasol.

Las ruedas habían sido desarrolladas por un inventor australiano y la principal ventaja era que podían funcionar eficazmente en una gran variedad de condiciones del terreno e incluso circulando sobre barro húmedo y pegajoso. La llanta de cada rueda trasera se componía de tres secciones con un espacio de 7,6 cm entre cada sección, y las barras de acero montadas sobre muelles que sobresalían en cada uno de los espacios proporcionaban un efecto de autolimpieza expulsando los terrones de tierra que se adherían a las llantas de las ruedas para impedir que se acumularan cuando el terreno estaba húmedo.

Menos daños en el terreno
Otra ventaja que se atribuía a las ruedas traseras de tres secciones era la disminución de los daños producidos en el terreno en condiciones húmedas,

Arriba: Las similitudes entre el tractor Vickers y el International Harvester 15-30 pueden haber sido el resultado de un acuerdo mediante el cual Vickers podía utilizar el diseño de IH.

debido a que las ruedas eran más anchas y, según se decía, tenían una mayor superficie de contacto con el suelo.

Probablemente las ruedas que se limpiaban por sí solas habrían sido especialmente bien recibidas en el Reino Unido, donde hay grandes superficies arcillosas que se convierten en un barrizal cuando llueve; sin embargo, el tractor Vickers se diseñó para el mercado australiano. En este país fue donde se concentraron las mayores campañas de comercialización y esto también explica por qué el nuevo tractor recibió el nombre de Aussie.

Vickers

Aparte de las ruedas antiadherentes, el Aussie tenía un diseño casi idéntico al tractor McCormick-Deering 15-30 de International Harvester. El diseño, desde luego, era similar, y el motor del Aussie tenía la misma potencia nominal que el motor de IH, 30 CV (22,2 kW) a 1.000 r. p. m.

Los motores de ambos modelos también compartían las mismas medidas, ya que tenían un diámetro de 11,4 cm y una carrera de 15,2 cm con un diseño de válvulas en culata y estaban conectados a una caja de cambios de tres velocidades.

Según una teoría, la similitud entre el tractor Vickers de fabricación británica y el IH 15-30 de Estados Unidos era algo más que una coincidencia. Se dice que IH firmó un contrato con Vickers mediante el cual le permitía fabricar una versión del 15-30 bajo licencia y, por este motivo, algunos de los componentes de ambos tractores son intercambiables.

Aunque el nombre Aussie sólo se utilizó brevemente al principio, Vickers siguió fabricando el tractor durante cinco años y la mayoría de ellos se exportaron a Australia y Nueva Zelanda. Dos de los tractores, uno con el nombre Vickers-Aussie y el otro una versión Vickers posterior, partieron con un billete de ida y vuelta, ya que regresaron al Reino Unido en los años setenta para ser restaurados en la fábrica de Vickers donde habían sido fabricados 50 años antes.

Abajo: Éste es uno de los dos tractores Vickers que regresaron al Reino Unido en los años setenta para ser restaurados y expuestos en la fábrica de Newcastle donde se fabricaron.

Especificaciones

Fabricante: Vickers Ltd.	**Potencia:** 30 CV (22,2 kW)
Procedencia: Newcastle upon Tyne (Reino Unido)	**Transmisión:** caja de cambios de tres velocidades
Modelo: Vickers-Aussie	**Peso:** n. d.
Tipo: uso general	**Año de fabricación:** 1925
Motor: cuatro cilindros	

RONALDSON-TIPPETT

⚒ **1926   Ballarat, Victoria (Australia)**

RONALDSON-TIPPETT

La compañía Ronaldson Bros. and Tippett comenzó a fabricar motores en 1903 en la ciudad de Ballarat (Victoria) y en unos años creció hasta convertirse en el fabricante de motores más importante de Australia.

Su primer tractor se fabricó en 1912 como un modelo experimental, pero el proyecto se abandonó y los trabajos de desarrollo del tractor no volvieron a reanudarse hasta 1924. El primer tractor Ronaldson-Tippett fabricado en serie que estuvo disponible en Australia data de 1926 y se vendió hasta 1938, siendo sus principales competidores en las ventas los tractores norteamericanos.

Motor americano

Para este tractor se eligió un motor Wisconsin fabricado en Estados Unidos. No se sabe por qué se decidió importar un motor en lugar de utilizar uno de la propia compañía, pero quizá fue una forma de reconocer que Wisconsin tenía una experiencia considerable en la fabricación de motores para tractores.

El motor elegido fue un diseño de cuatro cilindros dispuestos en pares con refrigeración líquida y una potencia de 30 CV (22,2 kW). Algunos de los tractores fabricados durante los primeros años presentaban problemas de sobrecalentamiento, probablemente debido a que trabajaban a temperaturas muy altas. El problema se

Superior: Aunque Ronaldson Bros. and Tippett era uno de los fabricantes de motores más importantes de Australia, los motores de sus tractores fueron importados de Estados Unidos.

Arriba: La bandera y el agricultor que fuma en pipa sugieren que esta fotografía se tomó durante una demostración de una de las últimas versiones del Ronaldson-Tippett.

resolvió aumentado la capacidad del sistema de refrigeración al colocar un depósito de agua más grande sobre el radiador, lo que explica el poco habitual diseño de la parte delantera de los modelos posteriores.

Velocidad y frenos

Una de las características poco convencionales de estos tractores era la transmisión. Se basaba en una sencilla caja de cambios de dos velocidades, pero los clientes también podían comprar otros engranajes selectivos externos que podían cambiarse manualmente para multiplicar las velocidades disponibles, y el número de velocidades podía doblarse de nuevo utilizando las ruedas motrices de gran tamaño con un diámetro de 135 cm en lugar de las estándares de 127 cm.

El uso de la caja de cambios de dos velocidades, los distintos engranajes selectivos externos y los dos tamaños de rueda proporcionaban 48 velocidades distintas sin tener que ajustar el acelerador. Esto tal vez pueda parecer una prestación sensacional, pero dado que la velocidad máxima a pleno gas sólo era de 10,6 km/h debía producirse un solapamiento considerable en la configuración de las relaciones adyacentes. Además, el cambio de los engranajes selectivos era engorroso y muchos conductores preferían evitarlo.

Otra característica poco común era el freno, que estaba controlado por un pedal y accionaba un tambor conectado al eje de la polea de correa. Esta configuración tenía serias limitaciones, ya que el freno sólo era eficaz si el tractor tenía puesta una marcha. El manual de instrucciones advertía de que podía ser peligroso cambiar de marcha en una colina que tuviera una pendiente pronunciada, ya que no había forma de detener el tractor si empezaba a descender al cambiar de una marcha a otra.

Especificaciones

Fabricante: Ronaldson Bros. and Tippett
Procedencia: Ballarat, Victoria (Australia)
Modelo: 30 CV
Tipo: uso general
Motor: Wisconsin de cuatro cilindros
Potencia: 30 CV (22,2 kW)
Transmisión: caja de cambios de dos velocidades más engranajes selectivos

Peso: n. d.
Año de fabricación: 1926

Abajo: *Disponía de diversos engranajes para conectar a la parte exterior de la caja de cambios y proporcionar una mayor variedad de relaciones de transmisión, aunque cambiarlos no era fácil.*

HART-PARR 18-36

A medidados de los años veinte, los ingenieros de Hart-Parr estaban muy ocupados fabricando nuevos modelos de tractores y actualizando las versiones anteriores para un mercado cada vez más competitivo. Entre las novedades se encontraba el tractor 18-36, que se presentó inicialmente en 1926 y reapareció como la versión H mejorada dos años después, en 1928.

Especificaciones

Fabricante: Hart-Parr Co.

Procedencia: Charles City, Iowa (EE. UU.)

Modelo: 18-36

Tipo: uso general

Motor: dos cilindros horizontales

Potencia: 42,9 CV (31,8 kW) (máxima)

Transmisión: caja de cambios de dos velocidades (primera versión)

Peso: 2.838 kg

Año de fabricación: 1926

La diferencia más importante entre las dos versiones del 18-36 era la caja de cambios de tres velocidades, que se incluía en el modelo H y sustituía a la transmisión de dos velocidades de la versión anterior.

La velocidad máxima del tractor con transmisión de dos marchas en la relación superior era de unos sosegados 4,8 km/h, una velocidad máxima bastante habitual para los tractores de mediados de los años veinte (bastante aceptable para quienes anteriormente trabajaban con caballos).

Características del motor

Hart-Parr utilizó su diseño habitual de dos cilindros horizontales para el 18-36. El cilindro tenía un diámetro de 17,1 cm y una carrera de 17,7 cm, y el motor giraba a un régimen de 800 r. p. m.

La potencia máxima registrada en Nebraska fue de 42,85 CV (31, 9 kW), superando holgadamente la indicada por el fabricante de 36 CV (26,8 kW), y la tracción máxima en la barra de enganche fue de 32 CV (23,8 kW), de modo que también estaba por encima de las cifras anunciadas.

Peso

El 18-36 pesaba 2.838 kg, por lo que no se podía considerar un modelo ligero, y se mantuvo en la gama de productos de Hart-Parr hasta después de la fusión de 1929 que dio origen a la compañía Oliver. Los cambios de diseño destinados a revivir el esplendor de los años veinte fueron pocos y llegaron tarde. La fusión puso un triste final a una compañía que había sido de las más importantes de la industria en Estados Unidos.

Arriba: Hart-Parr necesitaba urgentemente tener éxito en los años veinte, pero el nuevo modelo 18-36 que presentó en 1926 equipado con una caja de cambios de dos velocidades no hizo mucho por incrementar las ventas.

RUMELY
⚒ **1927 La Porte, Indiana (EE. UU.)**

RUMELY Y30-50

Cuando se buscó un sustituto para el modelo 25-45, los ingenieros de Rumely decidieron añadir otras 95 r. p. m. a su motor para aumentar la potencia nominal. El resultado fue una potencia de tracción suplementaria de 5 CV (3,7 kW) en la barra de enganche y de 5 CV (3,7 kW) en la polea.

Derecha: *Los neumáticos de caucho procedentes de un tractor moderno ayudan a proteger las llantas de las ruedas de este Y30-50 de propiedad canadiense.*

Especificaciones

Fabricante: Advance Rumely Thresher Co.

Procedencia: La Porte, Indiana (EE. UU.)

Modelo: Y30-50

Tipo: uso general

Motor: dos cilindros horizontales

Potencia: 63 CV (46,6 kW)

Transmisión: caja de cambios de tres velocidades

Peso: 5.913 kg

Año de fabricación: 1927

La nueva versión se llamó Y30-50. Disponible a partir de 1927, estaba pensada para granjas de Estados Unidos y Canadá con grandes cultivos. El nuevo modelo alcanzó fácilmente los 30 y 50 CV (22,3 y 37,2 kW) de potencia cuando se probó en Nebraska. Tras la publicación de los resultados de las pruebas realizadas con la polea de correa o la potencia al freno, la potencia máxima registrada fue de 63 CV (44,6 kW), superando la potencia nominal anunciada en casi un 25%, y los 47 CV (35 kW) obtenidos en la prueba de tracción en la barra de enganche superaron en un 50% la cifra indicada por el fabricante.

Un tractor muy potente

Éste no era el único ejemplo de un tractor Rumely con una potencia nominal por encima de lo indicado. Es posible que restar importancia a la potencia de sus modelos no fuera la mejor decisión desde el punto de vista comercial cuando la competencia era cada vez mayor.

El Rumely Y30-50 estaba equipado con un motor de dos cilindros horizontales con un diámetro de 19,7 cm y una carrera de 24,1 cm. La potencia nominal de la versión 25-45 anterior se medía a un cómodo régimen de 540 r. p. m., pero se aumentó a 635 r. p. m. para el modelo 30-50.

HART-PARR

1927 Charles City, Iowa (EE. UU.)

HART-PARR 28-50

Era evidente que Hart-Parr seguía prefiriendo los motores de dos cilindros tras presentar el modelo 28-50 en 1927, pero dado que el equipo de diseño de Hart-Parr no disponía de un motor que proporcionara la potencia necesaria, decidió utilizar dos de sus motores de dos cilindros estándar.

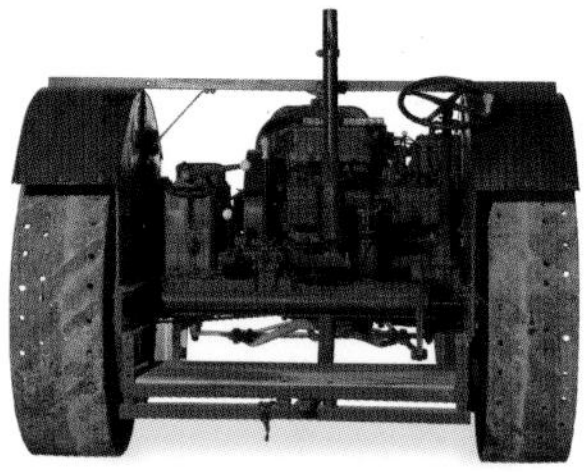

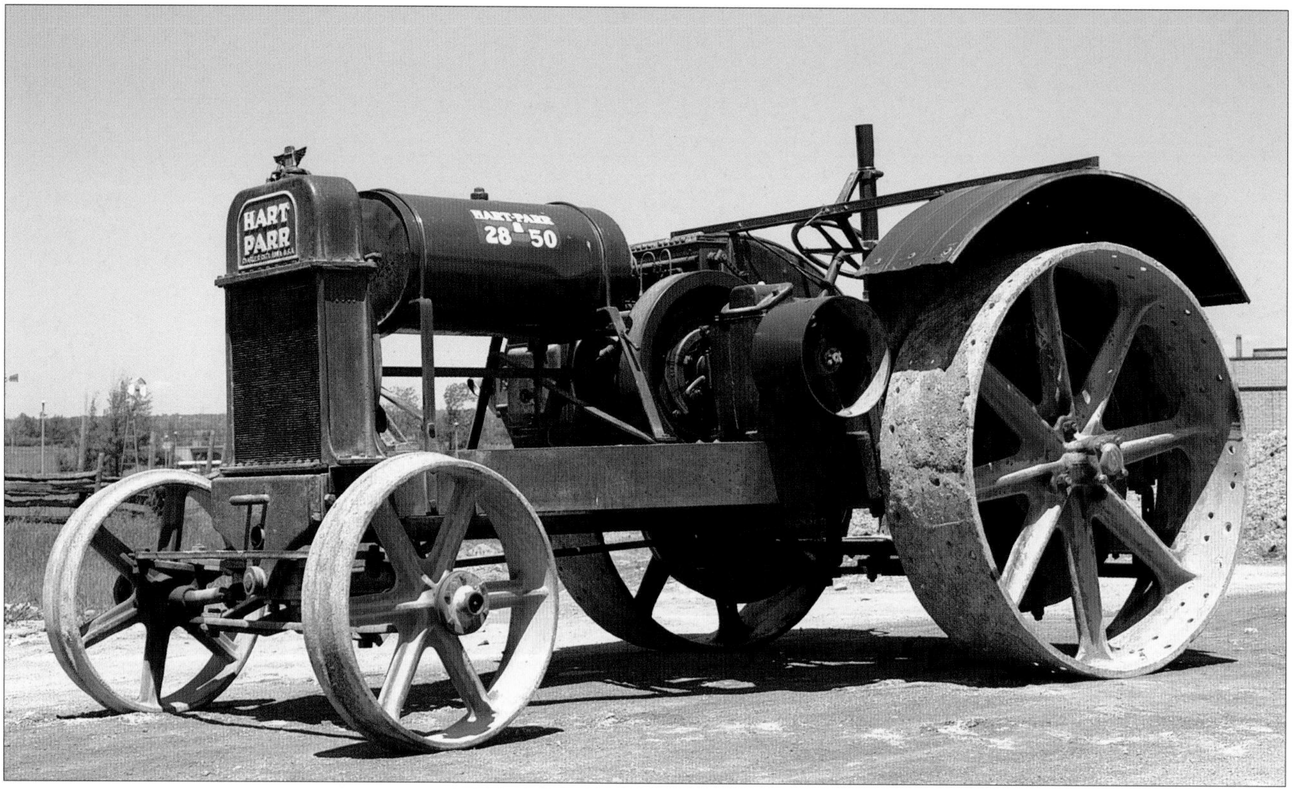

El 28-50 no fue el primer tractor Hart-Parr que presentaba una configuración de dos motores, ya que era una forma práctica de evitar el coste de desarrollar un nuevo motor de gran potencia que muy probablemente habría obtenido un volumen de ventas relativamente bajo.

Características del motor

En este caso, sin embargo, el modelo 28-50 se diseñó para sustituir al modelo 40 anterior y los dos motores del nuevo tractor eran básicamente los mismos que se utilizaron para el modelo 40.

Ambos motores compartían la misma carrera de 16,5 cm, pero el diámetro se aumentó en 6 mm pasando a ser de 14,6 cm para incrementar la potencia. Aunque Hart-Parr se había dedicado a desarrollar modelos más pequeños y ligeros durante los años veinte, el 28-50 era un tractor de gran tamaño. En aquella época era el modelo más potente de la gama Hart-Parr y con 4.719 kg de peso también el más pesado.

Caja de cambios

Entre sus prestaciones se incluía una caja de cambios de dos velocidades en una época en la que muchos fabricantes ofrecían tres o más velocidades, aunque el hecho de que se incluyera una cabina en la lista de prestaciones opcionales demuestra que la comodidad del conductor no se pasó completamente por alto.

Arriba: El uso de dos motores pequeños en lugar de tener que fabricar uno de gran tamaño fue una medida para ahorrar costes.

Especificaciones

Fabricante: Hart-Parr Co.

Procedencia: Charles City, Iowa (EE. UU.)

Modelo: 28-50

Tipo: uso general

Motor: dos cilindros horizontales

Potencia: 64,5 CV (47,7 kW) (máxima)

Transmisión: caja de cambios de dos velocidades

Peso: 4.719 kg

Año de fabricación: 1927

CASSANI

⚒ **1928 Treviglio, Milán (Italia)**

CASSANI 40 CV

Aunque Benz presentó el primer tractor equipado con un motor diésel en 1923, otros fabricantes no tuvieron prisa en seguir su ejemplo y el siguiente modelo que contó con un motor diésel no llegó hasta 1927, cuando un ingeniero italiano llamado Francesco Cassani fabricó su primer tractor.

Derecha: Uno de los primeros modelos de fabricación en serie del tractor diésel Cassani ocupa un lugar destacado en la sede principal del grupo SAME Deutz-Fahr en Italia.

Especificaciones

Fabricante: Francesco Cassani

Procedencia: Treviglio, Milán (Italia)

Modelo: 40 CV

Tipo: uso general

Motor: diésel de dos cilindros

Potencia: 40 CV (29,6 kW)

Transmisión: caja de cambios de tres velocidades

Peso: n. d.

Año de fabricación: 1928

Cassani era un ingeniero autodidacta que aprendió el oficio ayudando a su padre a fabricar y reparar herramientas y aparejos para los agricultores. Tenía 21 años cuando diseñó y fabricó el primer tractor Cassani, utilizando un motor diésel de dos cilindros con refrigeración por agua. Cuando se hizo una demostración del tractor a los agricultores de la zona, atrajo el suficiente interés para persuadir a Cassani de que tenía que fabricar más tractores y con este fin diseñó una versión de 40 CV (29,6 kW) de su motor diésel.

Sistema de arranque

Una característica especial era el sistema de aire comprimido que desarrolló para poner en marcha

el motor. El aire se almacenaba en un depósito colocado sobre el motor y una bomba accionada por el motor mantenía la presión de trabajo necesaria. Probablemente disponía de algún sistema de respaldo en caso de que el suministro de aire comprimido no pudiera poner en marcha el motor.

La fabricación de tractores finalizó a mediados de los años treinta, ya que Cassani se dedicó a fabricar motores para barcos y aviones para el gobierno italiano, pero al acabar la guerra en 1945 volvió a fabricar tractores. Fundó la compañía SAME, que posteriormente incluiría las marcas de tractores Lamborghini, Hurlimann y Deutz y está considerada como uno de los cuatro fabricantes de tractores más importantes del mundo.

RENAULT

1927 **Billancourt (Francia)**

RENAULT PE

El modelo PE se presentó como el sustituto del tractor H0 y también fue el primer modelo de Renault que se apartó del diseño basado en el tanque ligero Renault original.

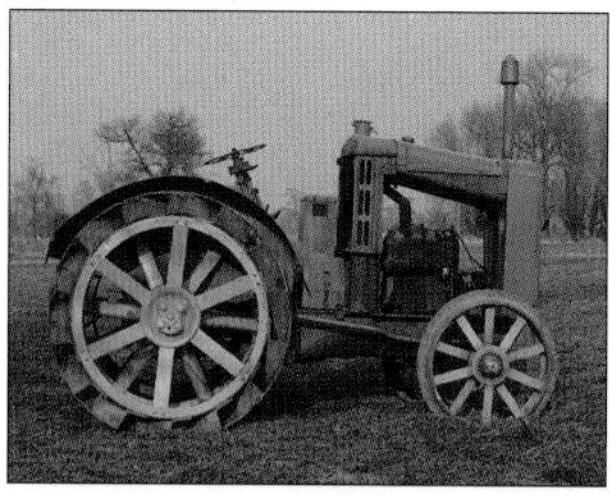

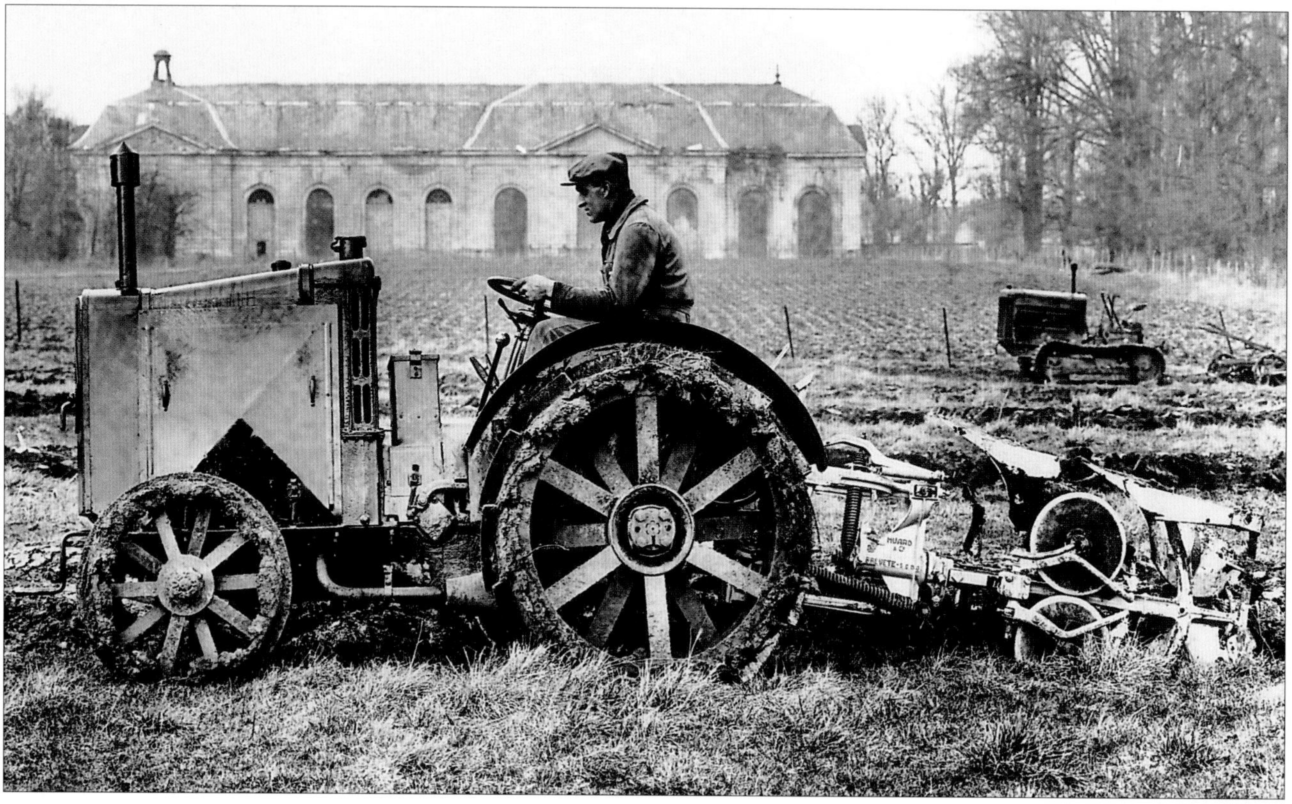

El tractor PE incorporaba un mecanismo de elevación de los aperos accionado manualmente. También disponía desde 1933 de un arranque eléctrico, y las prestaciones opcionales incluían neumáticos traseros de caucho macizos. Fue el primer tractor fabricado en serie que disponía de los nuevos neumáticos hinchables de baja presión presentados por Michelin en 1933.

Sistema de refrigeración

Aunque los modelos PE y H0 tienen un aspecto muy diferente, una de las características de diseño que se tomó del modelo anterior fue colocar el radiador detrás del motor. En el modelo PE el radiador está en posición vertical en lugar de inclinado en ángulo como en los tractores anteriores y la estructura vertical delante del motor es un filtro de aire de gran capacidad.

La posición poco convencional del radiador no era la única característica inusual del sistema de refrigeración del tractor PE. Su ventilador de refrigeración estaba diseñado para formar parte del conjunto del embrague en la base del compartimento del motor, donde hacía pasar el aire

Superior: *En esta fotografía se han retirado los paneles laterales del compartimento del motor, aunque su función era conducir el aire de refrigeración a través del radiador del tractor.*

Arriba: *Esta fotografía publicitaria de Renault muestra un tractor PE equipado con el mecanismo de elevación accionado manualmente en el que se ha montado un arado.*

caliente por la parte inferior del compartimento, extrayendo el aire frío para reemplazarlo. Los ajustados paneles de acero que envolvían ambos lados del compartimento garantizaban que la mayoría del aire entrante se extrajera a través del radiador para refrigerar el agua.

La ventaja obvia de colocar el radiador en la parte posterior del motor es que permite diseñar un capó de línea descendente que mejora la visibilidad delantera, como en los modelos Renault anteriores, aunque ésta no era una característica del PE.

Es posible que el equipo de diseño de Renault se diera cuenta de que el sistema de refrigeración era excesivamente complicado, ya que en versiones posteriores del PE se prescindió de la disposición inversa y se colocó el radiador en la parte delantera del motor, donde sustituyó el filtro de aire, que era innecesariamente grande. Además, se colocó un ventilador detrás del radiador para extraer el aire directamente a través de la rejilla del radiador de delante hacia atrás.

Ventas decepcionantes

Entre las modificaciones que se realizaron posteriormente en el modelo PE también se puede destacar una versión estrecha para trabajar en viñedos cuya anchura total se redujo a 1,14 m. A pesar de las opciones y las mejoras en el diseño, las ventas del PE siguieron siendo decepcionantes. Esto fue debido en parte a la situación económica general en aquel momento y en parte a la intensa competencia de los tractores importados de Estados Unidos y la versión fabricada en Francia del tractor Austin británico. Las ventas totales del modelo PE fueron de 1.771 unidades entre 1927 y 1936, año en que dejó de fabricarse, lo que suponía un modesto promedio de menos de 200 vehículos al año.

Especificaciones

Fabricante: Renault
Procedencia: Billancourt (Francia)
Modelo: PE
Tipo: uso general
Motor: cuatro cilindros de 2,1 litros

Potencia: 20 CV (14,8 kW)
Transmisión: caja de cambios de tres velocidades
Peso: 1.800 kg
Año de fabricación: 1927

Izquierda: *La estructura rectangular de gran tamaño en la parte delantera del compartimento del motor del PE es un enorme filtro de aire para el motor.*

FOWLER

⚒ 1927 Leeds, Yorkshire (Inglaterra)

FOWLER GYROTILLER

Los motores Fowler tuvieron éxito en todo el mundo mientras imperaba la energía producida por el vapor en la agricultura, aunque el paso de las máquinas de vapor a los tractores trajo problemas financieros y a mediados de los años veinte existía una imperiosa necesidad de encontrar nuevos productos.

Durante un tiempo parecía que el Gyrotiller sería un nuevo triunfo que recobraría la salud financiera de la compañía Fowler y llenaría la enorme fábrica que tenía en Leeds. El Gyrotiller era una máquina giratoria de cultivar inventada por Norman Storey, un norteamericano que dirigía una plantación de azúcar en Puerto Rico. Era una máquina grande y potente diseñada para hacer frente a condiciones extremas y, aunque estaba diseñada específicamente para la producción de caña de azúcar, ofrecía posibilidades para otros sistemas de cultivo.

John Fowler Ltd., una compañía de éxito dedicada a la fabricación de máquinas de gran tamaño que vendía en todo el mundo, firmó en 1924 un contrato que le proporcionaba derechos exclusivos para fabricar y comercializar el Gyrotiller. El primer Fowler Gyrotiller se fabricó en 1927.

Arriba: *El éxito inicial del gran Gyrotiller animó a la compañía Fowler a desarrollar una amplia gama de modelos más pequeños.*

Características del motor

El primer Gyrotiller tenía una longitud total de 7,9 m y un peso de 22,6 toneladas. Estaba equipado con un motor de gasolina Ricardo de 225 CV (166,5 kW), y el consumo podía llegar a alcanzar los 63,6 litros por hora. La máquina de cultivar motorizada montada en la parte trasera se componía de dos rotores horizontales que cubrían una anchura operativa de 3 m y que podían llegar a los 50,8 cm de profundidad. Se decía que podía convertir una tierra no labrada en terreno listo para plantar en una sola operación.

Los ingenieros de Fowler pasaron posteriormente a utilizar un motor MAN diésel más modesto de 150 CV (111,8 kW), al que siguió un motor Fowler diésel de 170 CV (126,7 kW), y existía un modelo autopropulsado más pequeño equipado con un motor Fowler diésel de 80 CV (59,6 kW). Fowler también diseñó máquinas de cultivo más pequeñas para los tractores oruga Fowler de 30 y 40 CV (22,3 y 29,8 kW).

Fracaso

Los primeros informes eran favorables y las ventas a las plantaciones de azúcar caribeñas aumentaron rápidamente, mientras que los agricultores y contratistas británicos recibieron con los brazos abiertos al Gyrotiller como una forma de reducir las operaciones de cultivo al mínimo. El Gyrotiller pronto generó casi el 50% de la producción de Fowler, con la perspectiva de seguir creciendo en el futuro; sin embargo, estas expectativas tan halagüeñas no se materializaron y dejó de fabricarse en 1937.

Uno de los problemas que presentaba este tractor eran los elevados costes de la garantía debido en parte a fallos en algunos de los motores diésel. Además, los problemas financieros obligaron a muchas plantaciones de azúcar a reducir sus inversiones en maquinaria, y algunos agricultores del Reino Unido se quejaban de que el uso excesivo del Gyrotiller podía dañar seriamente la estructura del terreno.

Especificaciones

Fabricante: John Fowler Ltd.

Procedencia: Leeds, Yorkshire (Reino Unido)

Modelo: Gyrotiller

Tipo: máquina de cultivar autopropulsada

Motor: Ricardo de gasolina

Potencia: 225 CV (166,5 kW)

Transmisión: n. d.

Peso: 23.491 kg

Año de fabricación: 1927

Abajo: Los elevados costes de la garantía del tractor acabaron siendo deficitarios para la compañía debido a las averías que se produjeron en algunos de los enormes motores diésel, y el proyecto Gyrotiller pasó de ser todo un éxito a convertirse en un fracaso financiero.

RUSHTON

El éxito del Fordson modelo F suscitó diversos intentos de producir un rival directo y uno de ellos fue el Rushton de fabricación británica. Se anunció en 1927 con el apoyo de AEC, la compañía que fabricó los famosos autobuses de dos pisos londinenses.

George Rushton persuadió a AEC de que apoyara el proyecto. El objetivo de Rushton era fabricar lo que básicamente era una copia del Fordson, pero con características adicionales para justificar un precio de venta más alto. La compañía inició la fabricación del tractor en su fábrica de Walthamstow en Londres. AEC también permitió utilizar su nombre de marca en los tractores; sin embargo, a este modelo posteriormente se le conocería con el nombre de Rushton.

Rushton y Fordson

Aunque el diseño de los dos modelos era diferente, eran tan similares mecánicamente que algunos componentes eran intercambiables. Seguramente esto permitía utilizar algunas piezas de los tractores Fordson en las primeras etapas de fabricación del Rushton antes de disponer de las piezas fabricadas especialmente para el Rushton.

Cuando los dos rivales compitieron durante las Pruebas Mundiales de Tractores celebradas en 1930 cerca de Oxford, el tractor Rushton se alzó con la victoria. Uno de los dos Fordson tuvo que retirarse de las pruebas, ya que se agrietó un bloque de cilindros y la versión con motor de parafina del Rushton generó 23,9 CV (17,7 kW) frente a los 20,8 CV (15,5 kW) del Fordson.

En la batalla por las ventas los resultados fueron muy distintos y los tractores Rushton dejaron de fabricarse en 1934 por problemas financieros.

Arriba: El tractor británico Rushton se fabricó en una fábrica de autobuses londinense y era una copia bastante evidente del Fordson modelo F.

Especificaciones

Fabricante: Rushton Tractor Co.

Procedencia: Walthamstow, Londres (Reino Unido)

Modelo: estándar

Tipo: uso general

Motor: cuatro cilindros

Potencia: 23,9 CV (17,7 kW) (versión de parafina)

Transmisión: caja de cambios de tres velocidades

Peso: 1.793 kg

Año de fabricación: 1928

OLIVER

🛠 **1930 Chicago, Illinois (EE. UU.)**

OLIVER 28-44

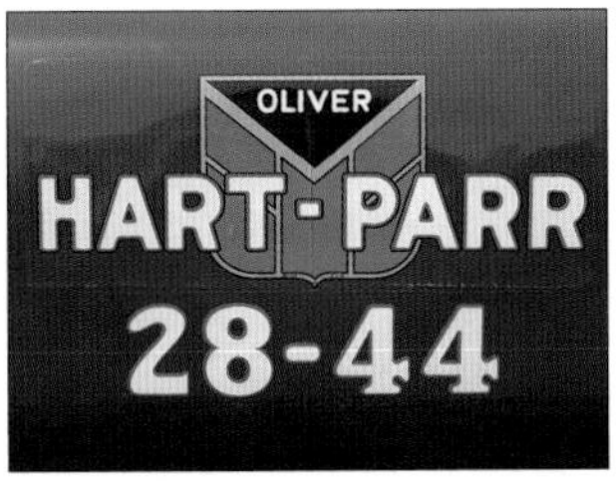

Arriba: *El nombre Hart-Parr se mantuvo momentáneamente tras la fusión que dio lugar a la compañía Oliver, pero al poco tiempo se cambió por el de Oliver.*

Las fusiones y compras de empresas han desempeñado siempre un papel importante en la evolución de la industria del tractor, y la compañía Oliver Corp. fue el resultado de la fusión, en 1929, de cuatro compañías norteamericanas de fabricación de equipos agrícolas de categoría media.

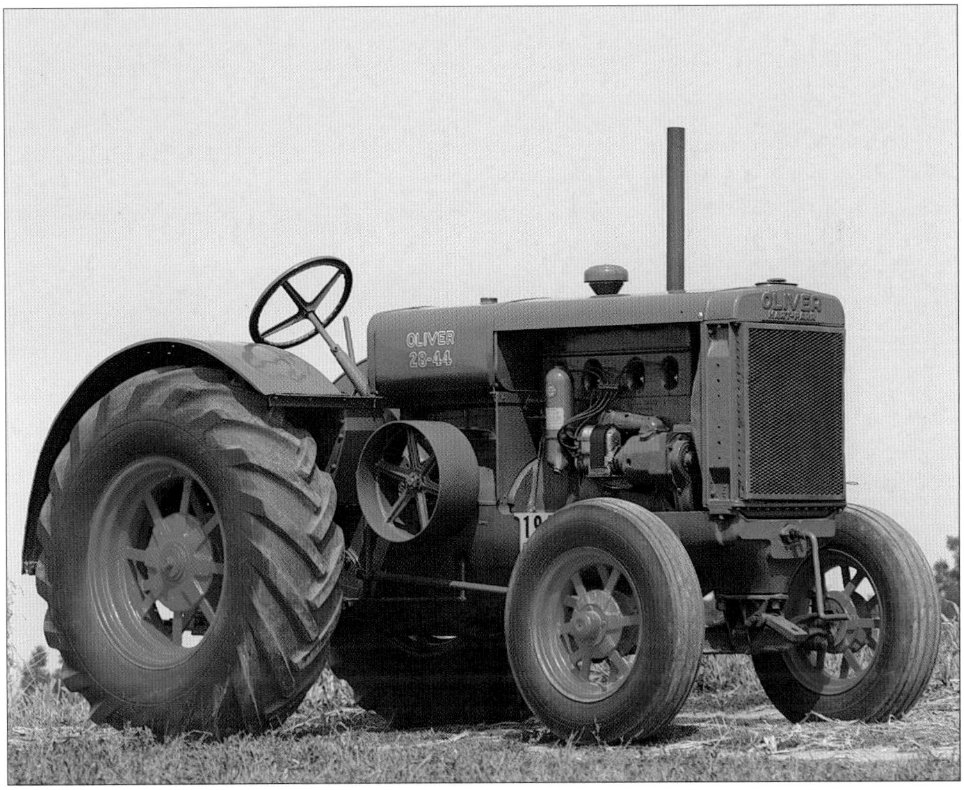

Derecha: *Entre los cambios de diseño introducidos en el nuevo Oliver 28-44 cabe destacar su nuevo motor de cuatro cilindros en lugar del habitual motor de dos cilindros utilizado por Hart-Parr.*

De las cuatro compañías, Hart-Parr fue la que aportó mayores conocimientos en el campo del diseño y la fabricación de tractores, y los primeros tractores fabricados tras la fusión se denominaron Oliver-Hart-Parr, aunque posteriormente se llamarían simplemente Oliver.

Nuevos avances

Uno de los avances más significativos tras la fusión fue la sustitución de los motores Hart-Parr de dos cilindros horizontales por una nueva gama de motores de cuatro y seis cilindros verticales.

El Oliver-Hart-Parr 28-44 fue uno de los primeros tractores con un motor de la nueva gama que presentaba una versión de cuatro cilindros y válvulas en culata con un diámetro de 12 cm y una carrera de 15,8 cm. El motor producía su potencia nominal a un régimen de 1.125 r. p. m., estaba disponible en versiones de gasolina y parafina e incluía un sistema de lubricación a presión. Cuando se probó en Nebraska alcanzó una potencia máxima de 49 CV (36,3 kW).

La producción del 28-44 empezó en 1930 y continuó hasta 1937. También se fabricó un modelo agrícola con llantas estándar y una versión industrial. Una caja de cambios de tres velocidades proporcionaba una velocidad máxima de 6,9 km/h para los modelos agrícolas, que se incrementaba a 11,3 km/h en la versión industrial con neumáticos de alta presión.

Especificaciones

Fabricante: Oliver Farm Equipment Co.
Procedencia: Chicago, Illinois (EE. UU.)
Modelo: 28-44
Tipo: uso general
Motor: cuatro cilindros
Potencia: 49 CV (36,3 kW) (máxima)
Transmisión: caja de cambios de tres velocidades
Peso: 2.912 kg
Año de fabricación: 1930

ALLIS-CHALMERS
⚒ 1929   Milwaukee, Wisconsin (EE. UU.)

ALLIS-CHALMERS MODELO U

El modelo U fue la estrella de la campaña de publicidad más ambiciosa que ha conocido la industria del tractor y sirvió para implantar definitivamente los nuevos neumáticos de caucho, que sustituyeron a las ruedas de acero tradicionales y revolucionaron el rendimiento de los tractores.

En 1929 Allis-Chalmers fabricó el tractor modelo U, pero su comercialización corrió a cargo de United Tractor and Equipment Co., una empresa con sede en Chicago de la que Allis-Chalmers formaba parte. Cuando las dificultades financieras del grupo United se agravaron, Allis-Chalmers dejó la empresa llevándose consigo el

tractor. El motor Continental con el que estaba equipado originalmente fue sustituido por un motor Allis-Chalmers de cuatro cilindros y el modelo U se convirtió en otro típico tractor americano de gama media.

Mientras tanto, algunos de los fabricantes de tractores y neumáticos más importantes estaban

Arriba: Esta fotografía publicitaria original muestra a Barney Oldfield, un famoso piloto de carreras, al volante de un tractor modelo U de alta velocidad.

buscando una alternativa a las ruedas de acero con tacos o listones. Aunque se adherían bastante bien al suelo, los tacos puntiagudos dañaban las superficies de las carreteras y los fabricantes restringieron la velocidad de los tractores debido al riesgo de que los saltos y las vibraciones de las ruedas de acero ocasionaran daños.

Las pruebas realizadas con el tractor modelo U equipado con los neumáticos de un viejo avión supusieron una gran innovación. Las ruedas tenían una presión de inflado baja, lo que permitía que la carcasa del neumático se amoldara a las irregularidades del terreno para una tracción eficaz, pero también evitaban que se produjeran daños en la carretera y permitían circular a velocidades más altas y una conducción más suave.

Tractores más rápidos

Pronto estuvieron disponibles neumáticos especiales para los tractores, y Allis-Chalmers los ofrecía como una prestación opcional del modelo U. Los resultados fueron decepcionantes, ya que los compradores temían sufrir pinchazos y tenían dudas sobre la resistencia de los nuevos neumáticos. Se necesitaba una campaña publicitaria y Allis-Chalmers decidió resaltar la velocidad. Llevó un tractor modelo U modificado al que se le habían colocado unos neumáticos de caucho a la

pista de carreras de la Feria de Milwaukee en 1933 y contrató a un piloto de carreras para que lo hiciera correr por el circuito a 56 km/h.

En una época en la que la velocidad máxima de un tractor era de 6,4 km/h, el modelo U causó sensación. El siguiente paso fue formar un equipo de carreras, en el que se incluyeron los mejores pilotos estadounidenses que participaron en multitud de eventos a lo largo de Estados Unidos durante 1933. Algunos de los tractores también se utilizaron para establecer récords de velocidad mundiales que culminaron cuando Ab Jenkins, un piloto de fama internacional, condujo un modelo U a 107,8 km/h en las salinas de Utah.

Se calcula que un millón de espectadores pudieron ver en 1933 a estos tractores que alcanzaban velocidades extraordinarias y en 1937 casi el 50% de los nuevos tractores que se vendieron en Estados Unidos tenían neumáticos de caucho.

Especificaciones

Fabricante: Allis-Chalmers
Procedencia: Milwaukee, Wisconsin (EE. UU.)
Modelo: U
Tipo: uso general
Motor: cuatro cilindros
Potencia: 33 CV (24,4 kW)

Transmisión: caja de cambios de cuatro velocidades
Peso: 2.334 kg (con neumáticos de caucho)
Año de fabricación: 1929

Enfrente, arriba: Una versión del tractor Allis-Chalmers modelo U de 1930 que contribuyó a implantar los nuevos neumáticos de caucho en los tractores.

Abajo: Vista en sección de un Allis-Chalmers modelo U donde se puede ver el motor de cuatro cilindros estándar y la caja de cambios de cuatro velocidades.

capítulo 4

El sistema Ferguson

Entre los avances más importantes en la década de 1930 destacan el primer modelo con tracción a las cuatro ruedas que tuvo repercusión comercial, el Massey-Harris GP, y la creciente implantación del diésel en los tractores oruga. Una serie de mejoras en el diseño renovaron por completo el tractor Fordson modelo F, que pasó a denominarse modelo N. Su producción se transfirió a Inglaterra tras un breve periodo de tiempo en Irlanda.

Arriba: *Una capa de pintura naranja brillante a petición de los concesionarios de Estados Unidos contribuyó a dar al veterano Fordson una nueva imagen.*

Izquierda: *Deere fue uno de los fabricantes que llamó a un estilista profesional para dar a sus tractores una nueva imagen con un aspecto más aerodinámico.*

El nombre más destacado en la industria del tractor de la década de 1930 fue Harry Ferguson, hijo de un agricultor de Irlanda del Norte, que revolucionó el rendimiento del tractor al desarrollar su sistema de enganche de aperos accionado hidráulicamente con regulación automática de la tracción. El desarrollo comercial del sistema Ferguson se inició en Inglaterra en virtud de un convenio de producción con David Brown, y más tarde se trasladó a Estados Unidos, donde fue respaldado por los recursos financieros y de fabricación de Henry Ford.

Otro avance importante fue la nueva generación de tractores diseñados para granjas familiares. Fue una tendencia que Henry Ford había iniciado con el Fordson modelo F y estuvo de nuevo en la vanguardia cuando una nueva generación de tractores de tamaño reducido hizo su aparición en la década de 1930. Su contribución fue el tractor Ford 9N con sistema Ferguson, aunque los clientes también podían elegir tractores de pequeño tamaño de otros fabricantes importantes. A finales de la década de 1930 el diseño también pasó a ser importante y los principales fabricantes norteamericanos contrataron a diseñadores profesionales para dar una nueva imagen a sus tractores. El resultado fue un aspecto más aerodinámico, con colores más brillantes y atractivos.

FORDSON

🔧 1929   Dagenham, Essex (Inglaterra)

FORDSON MODELO N

La explicación oficial a la decisión de dejar de fabricar los tractores Fordson modelo F en Estados Unidos en 1928 fue que era necesario destinar una parte del espacio de la fábrica al nuevo automóvil Ford modelo A; otras posibles razones serían el descenso en las ventas y una competencia cada vez mayor.

Otro factor de la ecuación es el orgullo de Henry Ford por su ascendencia irlandesa. La decisión de pasar la producción del modelo que lo sustituiría a una fábrica de Irlanda habría proporcionado a Ford una satisfacción considerable, ya que suponía una inversión y proporcionaba trabajo en una zona con altos niveles de desempleo. El cambio en la producción también supuso una oportunidad para actualizar el modelo F original, y el resultado fue el modelo N.

Avances en el diseño

Los cambios efectuados en el diseño durante la creación del nuevo tractor modelo N incluían un mayor diámetro de los cilindros del motor, que elevaba la potencia máxima de salida a 23,24 CV (17 kW) en los motores de parafina y a 29,09 CV (21,7 kW) en los de gasolina. El diseño de la rueda delantera del tractor se vio reforzado y se remodeló el eje delantero. Aunque el nuevo modelo se vendió bien, la decisión de fabricar

Superior: *El filtro de aire con limpieza mediante agua del motor Fordson se dejó de utilizar en 1937 y fue sustituido por una versión más eficaz por baño de aceite.*

Arriba: *Entre las nuevas prestaciones del tractor Fordson para 1937, además del color naranja, se incluía un mayor índice de compresión para aumentar la potencia del motor.*

tractores en Irlanda a finales de la década de 1920 se enfrentó a varios problemas, como la escasez de mano de obra cualificada y la necesidad de importar prácticamente todas las materias primas y de exportar la mayoría de los tractores.

En 1932 se trasladó de nuevo la línea de producción de tractores, esta vez al complejo de Ford en Dagenham (Inglaterra), y en febrero de 1933 aparecía el primer modelo N inglés, con acabado de pintura azul, un depósito de agua con un nuevo diseño y paneles laterales para el radiador.

En 1937 apareció el primer Fordson de serie con tres ruedas. Conocido como el All-Around ('tractor para todo'), se fabricó a petición de los concesionarios norteamericanos de Ford y la mayoría de los tractores se vendieron en Estados Unidos. Otros avances para el modelo N estándar en 1937 incluyeron el uso esta vez de pintura naranja y un filtro de aire por baño de aceite en lugar de la anterior versión con limpieza mediante agua, que corría el peligro de helarse cuando hacía mucho frío. El incremento del índice de compresión aumentó de nuevo la potencia, pero también trajo consigo problemas de fiabilidad.

Pintura de guerra

En 1939, con la Segunda Guerra Mundial a la vuelta de la esquina, la pintura del modelo N cambió una vez más y se utilizó el color verde; posiblemente porque los tractores verdes eran un blanco menos visible para los aviones enemigos, o también porque la fábrica de Ford disponía de una gran cantidad de pintura verde debido a los innumerables contratos que había firmado con el fin de fabricar equipamiento y vehículos para el ejército británico. Los tractores Fordson verdes, que supusieron más del 90% de los tractores fabricados en Gran Bretaña durante la guerra, fueron los últimos realizados como modelos N. El nuevo E27N Fordson Major hizo su aparición en 1945.

Especificaciones

Fabricante: Ford Motor Co.
Procedencia: Dagenham, Essex (Inglaterra)
Modelo: N
Tipo: uso general
Motor: Ford de cuatro cilindros
Potencia: 23,24 CV (17 kW) (parafina)

Transmisión: caja de cambios de tres velocidades
Peso: 2.374 kg
Año de fabricación: 1929

Izquierda: Durante la Segunda Guerra Mundial, la fábrica británica de Ford proporcionó una gran cantidad de unidades del modelo N a los servicios del ejército, como este vehículo con los colores de la Royal Air Force.

RUMELY

✖ **1930   La Porte, Indiana (EE. UU.)**

RUMELY 6A

Los tractores Rumely OilPull fueron unos de los que tuvieron mayor éxito en el periodo anterior a 1920, cuando los modelos pesados seguían siendo populares para labrar los campos, pero cuando se anunció su modelo 6A en 1930 la compañía se enfrentaba a problemas financieros.

Especificaciones

Fabricante: Advance Rumely Thresher Co.

Procedencia: La Porte, Indiana (EE. UU.)

Modelo: 6A

Tipo: uso general

Motor: Waukesha de seis cilindros

Potencia: 48,37 CV (35,8 kW) (máxima)

Transmisión: caja de cambios de tres velocidades

Peso: 2.892 kg

Año de fabricación: 1930

El 6A fue una ruptura total con el diseño tradicional de Rumely y, si hubiera estado disponible unos años antes, podría haber mejorado las expectativas de la compañía de mantenerse en el mercado. El motor bicilíndrico horizontal de pocas revoluciones con el que habían estado equipados miles de tractores OilPull fue reemplazado en el 6A por un motor de seis cilindros mucho más moderno fabricado por Waukesha.

Nuevo motor y nueva imagen

El nuevo motor desarrollaba su potencia nominal a 1.365 r. p. m. en lugar de las 470 r. p. m. del tractor OilPull Z 40-60 presentado el año anterior.

El nuevo modelo era más ligero que los modelos anteriores, ya que pesaba 2.892 kg en lugar de los 4.281 kg del modelo X 25-40, de potencia similar. El modelo 6A también resultaba diferente a las versiones anteriores, principalmente porque la anticuada torre rectangular del sistema de refrigeración OilPull había sido reemplazada por un radiador y un ventilador convencionales.

En 1931, un año después de iniciar la producción del tractor 6A, la compañía Advance Rumely fue absorbida por Allis-Chalmers, pero éste no fue el fin de la historia del tractor 6A. Durante su primer año de producción, el 6A había demostrado ser un tractor popular y Allis-Chalmers siguió vendiéndolo otros tres años.

Arriba: El 6A con su motor Waukesha de seis cilindros y su nuevo diseño actualizado fue un arriesgado intento de que Rumely se sobrepusiera a sus problemas financieros.

GARRETT
✖ **1930   Leiston, Suffolk (Inglaterra)**

GARRETT DIESEL

Abajo: Este tractor Garrett estableció un récord mundial de arado sin interrupciones y contribuyó a demostrar las ventajas de economía del diésel.

Las Pruebas Mundiales de Tractores celebradas en 1930 cerca de Oxford supusieron la primera oportunidad de comparar los nuevos tractores diésel con sus rivales equipados con motores de gasolina y parafina.

Especificaciones

Fabricante: Richard Garrett & Sons

Procedencia: Leiston, Suffolk (Inglaterra)

Modelo: diésel

Tipo: uso general

Motor: Aveling & Porter diésel de cuatro cilindros

Potencia: 38 CV (28 kW)

Transmisión: caja de cambios de tres velocidades

Peso: 3.314 kg

Año de fabricación: 1930

Participaron cinco tractores con motores diésel, entre ellos dos del grupo AGE (Agricultural and General Engineers). El grupo se formó cuando una gran cantidad de fabricantes de equipos agrícolas británicos se asociaron para tener la misma influencia en la comercialización de sus vehículos que las grandes compañías norteamericanas. Fue una idea imaginativa, pero acabó siendo un desastre financiero que perjudicó mucho a algunas de las compañías miembros.

Tractores diésel

Probablemente el mayor logro del grupo AGE fue fomentar el desarrollo de los dos tractores diésel más avanzados de su época. Fueron fabricados por Garrett de Leiston, un fabricante de máquinas de vapor, utilizando motores de cuatro cilindros diseñados por Blackstone y Aveling and Porter (A & P). El motor A & P se ponía en marcha mediante un motor eléctrico en una época en la que la mayoría de tractores diésel utilizaban aire comprimido o un pequeño motor de gasolina y también fue el motor diésel más potente en las pruebas, con una potencia de 38 CV (28 kW).

El tractor Garrett equipado con un motor diésel de A & P ganó una medalla de plata en la feria agrícola Royal Show de 1931 y estableció un nuevo récord al arar ininterrumpidamente durante 977 horas. A pesar de todo, las ventas fueron decepcionantes y dejó de fabricarse hacia 1933.

MASSEY-HARRIS

🛠 **1930 Racine, Wisconsin (EE. UU.)**

MASSEY-HARRIS GENERAL PURPOSE

El modelo GP fue el primer tractor diseñado y fabricado por Massey-Harris, además de uno de los primeros intentos por parte de un gran fabricante de dar a conocer las ventajas de la tracción a las cuatro ruedas.

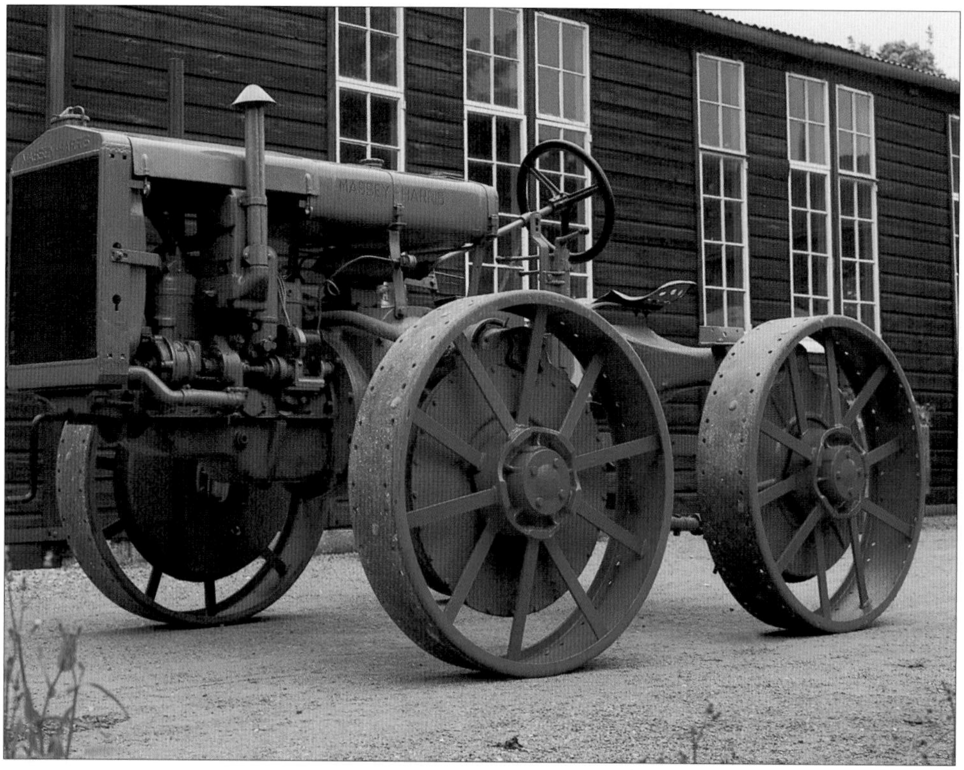

Especificaciones

Fabricante: Massey-Harris
Procedencia: Racine, Wisconsin (EE. UU.)
Modelo: de uso general
Tipo: tractor para cultivos en surcos con tracción a las cuatro ruedas
Motor: Hércules de cuatro cilindros
Potencia: 24,8 CV (18,4 kW) (máxima)
Transmisión: caja de cambios de tres velocidades
Peso: 1.789 kg
Año de fabricación: 1930

Arriba: *Este tractor Massey-Harris GP, que se adelantó a su tiempo, ofrecía a los agricultores las ventajas de una tracción mejorada mediante el empleo de la tracción a las cuatro ruedas.*

La tracción a dos ruedas, la configuración estándar en los años treinta, es la forma menos eficaz de convertir la potencia del motor en potencia de tracción en la barra de enganche. En términos de rendimiento, la tracción total se encuentra a medio camino entre la tracción a dos ruedas y las cadenas de los tractores oruga, pero aunque las cadenas son mejores para la tracción, la versión en acero disponible en la década de 1930 tenía una serie de desventajas.

Tracción a las cuatro ruedas

Massey-Harris presentó el tractor de uso general en 1930. Eligió un motor Hércules de cuatro cilindros con una potencia máxima de casi 25 CV (18,4 kW) y con arranque eléctrico opcional. Además de utilizar la tracción total con ruedas delanteras y traseras de igual diámetro, también diseñó su nuevo tractor para el cultivo en hileras, con una altura de 72 cm bajo los ejes y una selección de ajustes de las vías de 116 a 186 cm.

Las ventas fueron decepcionantes, probablemente debido a que pocos agricultores eran conscientes de las ventajas de la tracción a las cuatro ruedas. Una versión actualizada presentada en 1936 y conocida como Four-Wheel Drive, con un nuevo vaporizador para quemar parafina y neumáticos de caucho en la lista de prestaciones opcionales, no contribuyó demasiado a reanimar las cifras de ventas y dejó de fabricarse en 1936.

INTERNATIONAL HARVESTER

✗ **1932 Chicago, Illinois (EE. UU.)**

IH FARMALL F-20

Abajo: El éxito del diseño de
International Farmall prosiguió
durante la década de 1930 con
modelos mejorados, como el F-20,
que se vendió en grandes cantidades.

El Farmall Regular original había sido un éxito destacado para la compañía International Harvester y el modelo F-20 que lo reemplazó fue un éxito aún mayor. Los tractores vendidos durante los siete años que se mantuvo en fabricación desde su inicio en 1932 alcanzaron casi 150.000 unidades, volviendo a acentuar el éxito del diseño original de Bert Benjamin.

Abajo: El éxito del diseño de International Farmall prosiguió durante la década de 1930 con modelos mejorados, como el F-20, que se vendió en grandes cantidades.

Especificaciones

Fabricante: International Harvester

Procedencia: Chicago, Illinois (EE. UU.)

Modelo: Farmall F-20

Tipo: cultivo en hilera

Motor: IH de cuatro cilindros

Potencia: 23 CV (17 kW) (queroseno)

Transmisión: caja de cambios de cuatro velocidades

Peso: 2.063 kg

Año de fabricación: 1932

El F-20 estaba diseñado para reemplazar al Farmall original y estaba equipado básicamente con el mismo motor de cuatro cilindros, con un diámetro de 9,5 cm, una carrera de 12,7 cm y un régimen de 1.200 r. p. m. También se produjeron cambios en el diseño: se incrementó la potencia en más de un 10%, de modo que la cifra máxima del F-20 pasaba a ser de 23 CV (17 kW) cuando empleaba parafina o queroseno.

Nuevo modelo

Diez años después de la aparición del Farmall original, el nuevo modelo presentaba una caja de cambios de cuatro velocidades en lugar de la de tres y también había aumentado de peso, ya que ahora alcanzaba 2.063 kg en lugar de 1.859 kg.

También se incrementó la lista de prestaciones opcionales del F-20. Se añadieron neumáticos de caucho, disponibles desde aproximadamente 1934, y los clientes que eligieron esta opción podían elegir relaciones diferentes para obtener una velocidad máxima superior. Hubo además varias versiones con un eje delantero ancho, y se presentó un dispositivo automático opcional para levantar el arado en la parte trasera accionado mediante servomotor, por un precio adicional.

FERGUSON
✚ 1933 Belfast (Irlanda del Norte)

FERGUSON BLACK TRACTOR

Harry Ferguson pasó su infancia en la granja familiar de lo que hoy es Irlanda del Norte, pero no le gustaba el ritmo pausado del trabajo con caballos y se fue de casa para irse a vivir a Belfast.

Especificaciones

Fabricante: Harry Ferguson
Procedencia: Belfast (Irlanda del Norte)
Modelo: Black Tractor
Tipo: uso general
Motor: Hércules de gasolina de cuatro cilindros
Potencia: 18 CV (13,3 kW)
Transmisión: caja de cambios de tres velocidades
Peso: n. d.
Año de fabricación: 1933

En la ciudad, montó un taller donde reparaba y vendía automóviles con el que prosperó. Sin embargo, también estaba interesado en el diseño de tractores, así que incorporó una franquicia de tractores a su taller. Ferguson prefirió implicarse personalmente en las demostraciones a los potenciales compradores y esta experiencia le sirvió para darse cuenta de que la barra de enganche de un tractor podía ser un modo poco eficaz de arrastrar los aperos por el suelo.

El sistema Ferguson

Ferguson se pasó los 15 años siguientes desarrollando un nuevo sistema de fijación utilizando la potencia hidráulica y tres puntos de enganche. El resultado fue el sistema Ferguson, que todavía sigue siendo la base de los sistemas de control y

fijación de aperos en casi todos los tractores modernos. A principios de la década de 1930, el sistema de control y enganche de aperos Ferguson era todavía una novedad y para demostrar sus ventajas fabricó un tractor especial que se terminó en 1933. Fue el primer tractor del mundo que incorporaba el sistema Ferguson y se llamó Black Tractor porque estaba pintado de color negro.

Un nuevo consorcio

Harry Ferguson utilizó un motor Hércules y adquirió otros equipos a la compañía de David Brown. Éste se mostró cada vez más interesado en el nuevo tractor y finalmente formó un consorcio en el que su compañía fabricaría los tractores para que la compañía de Harry Ferguson los vendiera.

Arriba: *El modelo Black Tractor fue fabricado por Harry Ferguson y su equipo para mostrar las ventajas del sistema Ferguson. Ahora se encuentra en el Museo de la Ciencia de Londres.*

BRISTOL
✖ 1933 Bradford, Yorkshire (Inglaterra)

BRISTOL 10 CV

La compañía Bristol Tractor Co. se estableció en 1933 para fabricar un pequeño tractor oruga y se eligió ese mismo nombre para el modelo porque la compañía esperaba fabricar los tractores en Bristol.

Derecha: El pequeño tractor oruga Bristol se fabricó con diferentes tipos de motores con una potencia de 10 CV (7,4 kW), entre los que destacaba un pequeño motor diésel. Además, estaba equipado con un sistema de dirección que se manejaba mediante una palanca.

Especificaciones

Fabricante: Bristol Tractor Co.
Procedencia: Bradford, Yorkshire (Inglaterra)
Modelo: 10 CV
Tipo: tractor oruga
Motor: varios, entre ellos un motor diésel Coventry Victor de 10 CV (7,4 kW)
Potencia: 10 CV (7,4 kW)
Transmisión: caja de cambios de tres velocidades
Peso: 1.153 kg
Año de fabricación: 1933

De hecho, hubiera sido más apropiado utilizar el nombre de Londres o Bradford para designarlo porque, debido a un cambio de planes, los primeros tractores se fabricaron en Londres en 1933 y dos años después en Bradford (Yorkshire).

La descripción del modelo indicaba una potencia de 10 CV (7,4 kW), pero se utilizaron cuatro motores diferentes en la década de 1930. La fabricación se inició con un Anzani refrigerado por aire que fue sustituido más tarde por un motor de dos cilindros de la compañía automovilística Jowett. A partir de 1935 las opciones incluían un motor de automóvil Jowett de cuatro cilindros, y la compañía Bristol también ofrecía la opción de un pequeño motor Coventry Victor diésel.

Orugas

Bristol optó por utilizar orugas con articulaciones de caucho accionadas mediante una rueda dentada. La dirección se manejaba mediante frenos de diferencial controlados a través de una palanca que también albergaba el control del acelerador. El diseño incluía un dispositivo automático para levantar el arado posterior que se accionaba manualmente mediante un sistema de trinquete.

Al finalizar la guerra en 1945, los activos de la compañía Bristol fueron adquiridos por uno de los distribuidores más grandes de automóviles Austin. Renovaron por completo la compañía con su inversión y reemplazaron el motor Jowett por un motor Austin más potente.

FATE-ROOT-HEATH

✖ **1933 Plymouth, Ohio (EE. UU.)**

SILVER KING

La compañía Fate-Root-Heath de Plymouth optó por fabricar un modelo ligero cuando se incorporó al mercado de los tractores en 1933. Fue el primero de la compañía y se llamó Silver King. El motor elegido fue el popular Hércules IXA, un motor de cuatro cilindros con una potencia nominal de 20 CV (14,8 kW).

Izquierda: *El Silver King proporcionó a muchas granjas dedicadas al pequeño cultivo una oportunidad de realizar las tareas agrícolas con un tractor en lugar de con caballos o mulas.*

Especificaciones

Fabricante: Fate-Root-Heath Co.

Procedencia: Plymouth, Ohio (EE. UU.)

Modelo: Silver King

Tipo: uso general

Motor: Hércules de gasolina de cuatro cilindros

Potencia: 20 CV (14,8 kW)

Transmisión: caja de cambios de cuatro velocidades

Peso: n. d.

Año de fabricación: 1933

Muchas de las compañías que se incorporaron a la fabricación de tractores juzgaron erróneamente el mercado y se enfrentaron a serios problemas, pero el Silver King fue todo un éxito. A principios de los treinta, los modelos pequeños y económicos tenían mucha demanda por los miles de agricultores que compraban un tractor para reemplazar caballos o mulas, y el Silver King fue una opción popular en una época en la que algunos de los principales fabricantes no habían desarrollado aún sus propios tractores ligeros.

Versión de tres ruedas

La fabricación del Silver King se inició con el modelo estándar de cuatro ruedas y fue de los primeros tractores que se ofrecieron con neumáticos de caucho, desarrollados recientemente.

En 1936 se le dotó de un motor algo más grande y se presentó una nueva versión de tres ruedas. El tractor de tres ruedas se probó en Nebraska, donde desarrolló una potencia de 19,74 CV (14,7 kW) en la prueba de frenos y consiguió una velocidad máxima de 40 km/h en cuarta.

Las ventas de la compañía se vieron sacudidas por la competencia cada vez mayor, ya que un creciente número de fabricantes se incorporaba al mercado de los tractores ligeros, y los nuevos modelos anunciados por Silver King en 1940 no pudieron recuperar el éxito anterior de la compañía. Dejó de fabricarse en la década de 1950.

ALLIS-CHALMERS
✖ 1933   Milwaukee, Wisconsin (EE. UU.)

ALLIS-CHALMERS WC

Allis-Chalmers presentó el modelo WC, que fue un gran éxito, para hacerse con una parte del importantísimo mercado de tractores para cultivos en surcos de Estados Unidos y Canadá. Se anunció en 1933 y el total de ventas había pasado de las 170.000 unidades cuando dejó de fabricarse en 1948.

Arriba: *Vista de la posición desplazada de la dirección, las ruedas delanteras y el amplio espacio bajo el eje trasero.*

Derecha: *El perfil del modelo WC compartía algunas similitudes con el tractor para cultivos en surcos Allis-Chalmers modelo B.*

Especificaciones

Fabricante: Allis-Chalmers Manufacturing
Procedencia: Milwaukee, Wisconsin (EE. UU.)
Modelo: WC
Tipo: cultivo en hilera
Motor: Allis-Chalmers motor de cuatro cilindros
Potencia: 21 CV (15,5 kW)
Transmisión: caja de cambios de cuatro velocidades
Peso: 1.448 kg
Año de fabricación: 1933

Allis-Chalmers también ofreció una versión WF con un eje delantero de anchura completa y disposición de las ruedas estándar, pero el modelo WC para cultivo en hileras superó en ventas al WF en una proporción de 20 a 1, un ejemplo de la importancia del mercado de los tractores para cultivos en surcos en Norteamérica.

Tractor con dos arados

El modelo WC era un tractor con dos arados diseñado para labrar dos surcos e incorporaba un motor de cuatro cilindros fabricado por Allis-Chalmers. Era un diseño poco habitual, ya que el

diámetro y la carrera eran de 10,1 cm. Un motor de estas características a veces se describe, engañosamente, como cuadrado. La potencia estaba justo por debajo de los 21 CV (15,5 kW) y cuando el WC se probó en Nebraska alcanzó los 21,48 CV (16,2 kW) en la prueba de carga máxima.

Cuando el WC apareció por primera vez, el diseño de la parte delantera era plano, pero en 1938 los estilistas de Allis-Chalmers lo dotaron de un aspecto más moderno y aerodinámico con una rejilla redondeada delante del radiador. El tractor de la fotografía se fabricó después de que se llevara a cabo el cambio de imagen.

INTERNATIONAL HARVESTER

✖ **1934 Chicago, Illinois (EE. UU.)**

IH MCCORMICK W-30

El modelo W-30 era un McCormick con llantas estándar equivalente al modelo Farmall F-30 para cultivo en hileras. El mantenimiento de las líneas McCormick y Farmall, cada una con sus propios modelos, fue un éxito durante la década de 1930. Ambas líneas obtuvieron un gran volumen de ventas y contribuyeron a mantener a International Harvester entre las compañías con mayor éxito comercial en Estados Unidos y en todo el mundo.

Izquierda: *El modelo W-30 formaba parte de la gama de tractores McCormick-Deering de International Harvester y compartía el motor con el tractor Farmall de la serie F-30.*

Especificaciones

Fabricante: International Harvester
Procedencia: Chicago, Illinois (EE. UU.)
Modelo: W-30
Tipo: uso general
Motor: IH de gasolina/parafina de cuatro cilindros
Potencia: 33,26 CV (24,6 kW)
Transmisión: caja de cambios de tres velocidades
Peso: 2.531 kg
Año de fabricación: 1934

Aunque el W-30 se anunció en 1932, su producción se retrasó; no se empezó a fabricar hasta 1934 y llegó a su máximo en 1937 con 8.000 unidades. El motor que compartían los modelos W-30 y F-30 era de cuatro cilindros, con un diámetro de 10,8 cm y una carrera de 12,7 cm. La potencia máxima del modelo W-30 cuando se probó en Nebraska fue de 33,26 CV (24,6 kW).

Transmisión

Una importante diferencia mecánica era la transmisión, ya que los compradores del modelo W-30 tenían que conformarse con una caja de cambios de tres velocidades mientras que los que elegían el modelo Farmall contaban con la ventaja de una caja de cambios de cuatro. De hecho, es una configuración lógica, ya que es más importante un control preciso de las velocidades para el cultivo en hileras que para las tareas de arado habituales.

IH puso a la venta el modelo W-30 en una versión estándar y otra para huertos. En la lista de opciones con coste adicional estaban los neumáticos de caucho, las luces eléctricas y una toma de fuerza (por la que sólo se pagaban 14 dólares más).

CATERPILLAR
✖ 1934 Peoria, Illinois (EE. UU.)

CATERPILLAR DIESEL FORTY

Los motores diésel fueron un gran éxito para Caterpillar, que a mediados de los treinta ofrecía una amplia gama de tractores oruga diésel junto con los modelos de gasolina. La producción del Diesel Forty se prolongó de 1934 a 1936, lo que lo convirtió en un modelo raro y uno de los favoritos entre los aficionados.

Arriba: Los motores diésel consiguieron su mayor éxito con los tractores oruga y Caterpillar ofreció la gama más amplia de modelos a mediados de la década de 1930.

Derecha: El consumo de combustible del modelo Diesel Forty de Caterpillar mostró un mayor rendimiento comparado con la versión equipada con un motor de gasolina estándar.

Especificaciones

Fabricante: Caterpillar Tractor Co.

Procedencia: Peoria, Illinois (EE. UU.)

Modelo: Forty Diesel

Tipo: tractor oruga

Motor: diésel de tres cilindros

Potencia: 56 CV (41,44 kW)

Transmisión: caja de cambios de cuatro velocidades

Peso: 7.100 kg

Año de fabricación: 1934

Las cifras de rendimiento de los diversos tipos de motores del Forty ofrecían un buen ejemplo del ahorro que proporcionaba el gasóleo. El modelo Forty de gasolina produjo una potencia de 48,57 CV (36,2 kW) a 1.000 r. p. m. en la prueba de carga máxima de una hora de duración realizada en Nebraska, utilizando 22,6 litros de combustible. La potencia máxima del Diesel Forty en la misma prueba fue de 56,05 CV (41,8 kW), pero el consumo de carburante descendió a 14,4 litros. Los datos obtenidos con los modelos diésel que se probaron en Nebraska parecen haber contribuido poco a estimular el interés por los motores diésel en los tractores con ruedas.

Peso

Los resultados de las pruebas de Nebraska con la serie Forty también destacan otra característica de los motores diésel. El peso del Forty equipado con un motor de gasolina era elevado, 6.180 kg, aunque esta cifra aumentaba a 7.100 kg para la versión con motor diésel, por el peso adicional del motor más el motor de arranque accionado mediante gasolina.

Los modelos Forty y Diesel Forty estaban equipados con una caja de cambios de cuatro velocidades y el motor de ambos era un motor de cuatro cilindros que, en la versión diésel, tenía un diámetro de 14,6 cm y una carrera de 20,3 cm.

SUPERLANDINI
🔧 **1934 Fabbrico (Italia)**

SUPERLANDINI

Los motores de bulbo incandescente normalmente tienen un solo cilindro horizontal con un índice de compresión bajo. Funcionan en un ciclo de dos tiempos y el proceso habitual para arrancarlos es calentar la culata con un soplete lo suficiente como para inflamar el combustible. Esta acción es seguida por la puesta en marcha del motor haciendo girar el volante de inercia.

Arriba: El SuperLandini, uno de los tractores con motor semidiésel más potentes de Italia, llevaba grabado su nombre en la parte delantera del depósito de agua del radiador.

Especificaciones

Fabricante:	Giovanni Landini & Figli
Procedencia:	Fabbrico (Italia)
Modelo:	SuperLandini
Tipo:	uso general
Motor:	de bulbo incandescente
Potencia:	48 CV (35,52 kW)
Transmisión:	caja de cambios de tres velocidades
Peso:	3.650 kg
Año de fabricación:	1934

El complicado proceso de arranque, junto con los altos niveles de vibración y la baja potencia de salida, eran sus puntos débiles, pero los motores de bulbo incandescente también tienen una serie de ventajas que los han convertido en los favoritos de algunos países europeos. Queman prácticamente cualquier tipo de combustible líquido, y su fiabilidad suele ser buena al tener pocas piezas móviles y no disponer de sistemas eléctricos que puedan causar problemas.

Potencia

Landini era el fabricante de este tipo de tractores más importante de Italia y su modelo estrella era el SuperLandini. Empezó a fabricarse en 1934, y su máxima potencia de 48 CV (35,52 kW) lo convirtió en uno de los tractores más potentes de Europa. Cuando se fabricó el último SuperLandini, en 1951, se habían producido 3.400 vehículos.

Debido al bajo rendimiento de los motores de bulbo incandescente o semidiésel, el SuperLandini precisaba de un solo cilindro con una capacidad enorme de 12,2 litros para conseguir una potencia de 48 CV (35,52 kW) a 620 r. p. m. Esto puede compararse con los 270 CV (201 kW) del motor diésel de seis cilindros con capacidad de 7,5 litros con el que está equipado el tractor Landini Starland más reciente fabricado en Canadá.

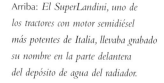

Arriba, izquierda: Con un solo cilindro y una capacidad de 12,2 litros, el motor semidiésel del SuperLandini era uno de los más grandes de su tipo.

INTERNATIONAL HARVESTER
✹ 1934   Chicago, Illinois (EE. UU.)

IH MCCORMICK W-12

La demanda de pequeños tractores creció rápidamente a finales de los treinta, pero la competencia también aumentó, y el modelo W-12 de la gama McCormick de International Harvester fue uno de los que salió perdiendo en las ventas.

Derecha: Ésta es la versión estándar del modelo W-12 ligero de International Harvester, pero también estaba disponible en versiones para trabajar en huertos, campos de golf o complejos recreativos.

Especificaciones

Fabricante: International Harvester
Procedencia: Chicago, Illinois (EE. UU.)
Modelo: W-12
Tipo: uso general
Motor: IH de cuatro cilindros
Potencia: 17,65 CV (13 kW) (gasolina)
Transmisión: caja de cambios de tres velocidades
Peso: 1.525 kg
Año de fabricación: 1934

El primer W-12 hizo su aparición en 1934, y dejó de fabricarse cuatro años después cuando sólo se habían fabricado 3.617 tractores de la versión estándar. Además, el modelo para trabajar en huertos, conocido como el 0-12, había vendido casi 2.400 unidades entre 1935 y 1938, y el modelo Fairway-12 diseñado para campos de golf y otros complejos recreativos había vendido 600 durante el mismo periodo.

Según los estándares de International Harvester, las cifras del W-12 eran bajas y se vieron eclipsadas por las 120.000 unidades vendidas del IH Farmall F-12, equipado con el mismo motor.

El motor de cuatro cilindros, disponible en versiones para gasolina y parafina, tenía un diámetro de 7,6 cm y una carrera de 10,1 cm. La potencia máxima cuando se probó en Nebraska fue de 17,65 CV (13 kW) para la versión en gasolina y de 15,28 CV (11,4 kW) para la de parafina.

Velocidad

El W-12, equipado con una caja de cambios de tres velocidades, es otro ejemplo de cómo los fabricantes permitieron que los tractores con neumáticos de caucho pudieran correr más. La velocidad máxima para el modelo estándar, disponible en versiones con ruedas de acero y neumáticos de caucho, era de unos 6,8 km/h, pero se incrementó a 12 km/h en el modelo para huertos, que no estaba disponible con ruedas de acero.

JOHN DEERE
1934 Waterloo, Iowa (EE. UU.)

JOHN DEERE MODELO A

El John Deere modelo A era un pequeño tractor diseñado para el cultivo en hileras que rápidamente se convirtió en uno de los modelos John Deere de dos cilindros más populares. El tractor estaba disponible en una amplia gama de versiones para adaptarse a los distintos requisitos de cultivo.

Empezó a fabricarse en 1934 e incluía una serie de características que pusieron al modelo A por delante de la mayoría de sus competidores. Fue el primer tractor fabricado en serie con un elevador hidráulico para levantar y bajar los aperos, superando por muy poco margen al Ferguson modelo A, aunque la versión del John Deere carecía del importante enganche articulado con tres puntos y la regulación de la tracción incluidos en el sistema de Harry Ferguson.

Disposición de las ruedas

Otra característica del modelo A era el eje trasero estriado para simplificar el cambio de la disposición de las ruedas, una mejora importante para los agricultores que cultivaban varios tipos de cosechas con distintos centros de hileras. Se mejoró el diseño de la cubierta de la transmisión para darle un mayor espacio al trabajar con equipos montados en la parte central, y entre sus prestaciones también se incluía una caja de cambios

Superior: *El pequeño depósito de combustible en el extremo del depósito principal era para la gasolina. Dado que el queroseno no ardía con el motor frío, el tractor se ponía en marcha con gasolina.*
Arriba: *Los tractores del modelo A, como este AR, o modelo estándar, estaban disponibles con neumáticos de caucho, los primeros tractores John Deere que incluyeron esta opción.*

de cuatro velocidades en lugar de la de tres marchas del anterior modelo, el tractor de uso general John Deere GP. El modelo A también fue el primer tractor John Deere disponible en versiones con ruedas de acero o neumáticos de caucho.

Los primeros modelos A fabricados en serie estaban equipados con ruedas delanteras dobles, pero la versión AN con una sola rueda delantera y la AW con un amplio eje delantero ajustable estuvieron disponibles durante el segundo año.

Les siguieron más modelos especiales, como las versiones ANH y AWH sobreelevadas, con ruedas de mayor diámetro para aumentar la altura del eje.

La versión AR del modelo A, con un diseño estándar de cuatro ruedas, se presentó en 1935 y también se fabricó en una versión industrial, o AI, y con prestaciones para trabajar en huertos, o AO.

Potencia de salida

El modelo A apareció por primera vez en las pruebas de Nebraska en 1934 y las cifras relativas a la potencia de salida que obtuvo eran de 24,71 CV (18,4 kW) en la prueba de correa de una hora y de 16,31 CV (12,2 kW) desarrollados en la barra de enganche en la prueba de carga nominal de 10 horas. El diámetro y la carrera de los dos cilindros del motor de la serie A eran de 13,9 cm y 16,5 cm, aunque la cilindrada se aumentó más tarde añadiendo 6 mm a la carrera.

El primer gran cambio exterior del modelo A fue una mejora del diseño en 1938, a la que siguió la incorporación de una nueva transmisión de seis velocidades que utilizaba una caja de cambios de tres velocidades con relaciones largas y cortas. El último tractor del modelo A se fabricó en 1952.

Especificaciones

Fabricante: Deere & Co.

Procedencia: Waterloo, Iowa (EE. UU.)

Modelo: A

Tipo: cultivo en hilera

Motor: John Deere de dos cilindros horizontales

Potencia: 25 CV (18,5 kW)

Transmisión: caja de cambios de cuatro velocidades

Peso: 1.843 kg

Año de fabricación: 1934

Izquierda: *La forma angular de la versión original del modelo A fue posteriormente sustituida por una nueva imagen con líneas más redondeadas.*

ALLIS-CHALMERS
⚒ **1935 Milwaukee, Wisconsin (EE. UU.)**

ALLIS-CHALMERS M

El mercado americano para los tractores oruga de pequeño y mediano tamaño durante las décadas de 1920 y 1930 estuvo dominado por Caterpillar y Cletrac, pero había también algunos fabricantes medianos que consiguieron triunfar a escala menor, entre ellos Monarch Tractor Co., de Watertown (Wisconsin).

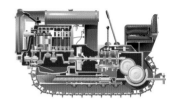

Arriba: El motor en esta vista en sección del tractor oruga modelo M es el mismo de cuatro cilindros con el que estaba equipado el tractor modelo U.

Especificaciones

Fabricante: Allis-Chalmers

Procedencia: Milwaukee, Wisconsin (EE. UU.)

Modelo: M

Tipo: tractor oruga

Motor: A-C de cuatro cilindros

Potencia: 31,8 CV (23,5 kW)

Transmisión: caja de cambios de cuatro velocidades

Peso: 3.108 kg

Año de fabricación: 1935

A pesar de contar con algunos éxitos y una buena reputación en el mercado de los tractores oruga, Monarch se encontró con problemas financieros a finales de la década de 1920, debido en parte a las dificultades económicas generales y a un descenso en las ventas de tractores. Así, en 1928, la compañía fue adquirida por Allis-Chalmers. La línea Monarch pronto perdió su identidad y el nombre grabado sobre la rejilla del radiador fue sustituido por el de Allis-Chalmers.

Además de compartir el nombre Allis-Chalmers, algunos de los tractores oruga presentados en la década de 1930 también utilizaron motores Allis-Chalmers y el nuevo modelo anunciado en 1935 estaba equipado con el mismo motor tetracilíndrico que también incorporaban los tractores Allis-Chalmers modelo U.

La potencia nominal del motor para el modelo oruga era de 31,8 CV (23,5 kW) y la caja de cambios de cuatro velocidades del modelo M ofrecía una velocidad máxima de 6,7 km/h.

Peso

El modelo M pesaba 3.108 kg, en comparación con los 2.281 kg del modelo U, que estaba equipado de forma similar y tenía ruedas de acero, y fue el tren de rodadura del modelo oruga el principal motivo de la diferencia de peso.

Arriba, izquierda: La compra de la compañía Monarch Tractor Co. en 1928 fue una oportunidad para Allis-Chalmers de entrar en el lucrativo mercado de los tractores oruga.

JOHN DEERE
✖ **1936 Waterloo, Iowa (EE. UU.)**

JOHN DEERE MODELO AO AERODINÁMICO

Los tractores John Deere fabricados especialmente para huertos se modificaron para conseguir un perfil más suave y evitar que las ramas se enredaran en los árboles, pero la mejor de todas fue la versión aerodinámica del modelo A.

Derecha: *La versión aerodinámica que fabricó John Deere del tractor para trabajar en huertos modelo A es una de las que cuenta con uno de los diseños más característicos de la década de 1930 y sigue siendo una de las favoritas entre los amantes de los tractores John Deere.*

Especificaciones

Fabricante: Deere & Co.

Procedencia: Waterloo, Iowa (EE. UU.)

Modelo: AO aerodinámico

Tipo: tractor para huertos

Motor: John Deere de dos cilindros horizontales

Potencia: 25 CV (18,5 kW)

Transmisión: caja de cambios de cuatro velocidades

Peso: n. d.

Año de fabricación: 1936

La producción del AO aerodinámico se inició en 1936 y duró sólo cuatro años. Debido a que se fabricaron muy pocos vehículos, y a su atractivo y singular diseño, es un modelo popular entre los aficionados a los tractores John Deere.

Diseño aerodinámico
Una memorable campaña publicitaria mostraba al tractor aerodinámico para trabajar en huertos como un coche de carreras. El nuevo diseño tenía una altura general máxima de 1,35 m y eliminaba el tubo de escape recto y las tomas de admisión de aire sobre el compartimento del motor. La anchura total era inferior a 1,42 m, lo que

convertía al aerodinámico AO en un tractor lo suficientemente estrecho para trabajar en un viñedo, según los fabricantes.

Las especificaciones mecánicas eran similares a las de anteriores versiones del modelo A estándar, pero éste fue el único motor utilizado en el tractor, ya que la producción del modelo aerodinámico finalizó antes de que el motor de mayor capacidad del tractor estándar estuviera disponible en 1941. El tractor aerodinámico tampoco disponía de la caja de cambios de seis velocidades de la gama A de 1940, pero los clientes podían elegir entre neumáticos de caucho o ruedas de acero en los tractores destinados a trabajar en huertos.

FERGUSON

⚒ **1936   Huddersfield, Yorkshire (Inglaterra)**

FERGUSON MODELO A

Éste era el tractor que se fabricó tras el acuerdo entre Harry Ferguson y David Brown. Aunque su nombre correcto es Ferguson modelo A, a menudo se le conoce como Ferguson-Brown.

Diseño

Bajo los términos del acuerdo entre los dos, Harry Ferguson mantuvo un control estricto del diseño del nuevo tractor y la campaña de comercialización, mientras que la compañía de David Brown se encargaba de fabricarlo. Ferguson se basó en el diseño del Black Tractor, pero se cambió el color a gris plomo y éste fue el color que se continuó utilizando en todos los tractores de fabricación en serie en los que mantuvo dicho control.

El diseño de Harry Ferguson incluía, obviamente, su sistema de fijación mediante una conexión articulada de tres enganches para los equipos montados. El nombre Ferguson aparecía grabado sobre la rejilla del radiador, mientras que el nombre de la compañía David Brown quedaba relegado a una pequeña placa fijada en la base de la rejilla. Empezó a fabricarse en 1936 utilizando un motor Coventry Climax E que generaba una

Arriba: Basado en un diseño muy similar al del Black Tractor, el Ferguson modelo A fue el primer tractor fabricado en serie que incluyó el sistema Ferguson hidráulico y una conexión articulada trasera.

potencia máxima de 20 CV (14,8 kW) en lugar del motor Hércules que se había utilizado anteriormente. Después de que se fabricaran los primeros 500 tractores, el motor Coventry Climax se reemplazó por un motor de 2.010 cm³ diseñado y fabricado por la compañía David Brown.

A pesar de su tamaño compacto y su modesta potencia, el funcionamiento del nuevo tractor era bueno, a lo que contribuía la conexión articulada de tres enganches que mejoraba la eficacia de la tracción, ya que cargaba sobre las ruedas traseras una mayor cantidad del peso del apero montado.

Problemas de ventas

Desgraciadamente, las ventas no se equipararon al rendimiento del modelo A en el campo y quedaron una gran cantidad de tractores sin vender.

El precio fue uno de los problemas. Un Ferguson en 1936 costaba 224 libras esterlinas y el Fordson modelo N, que era más grande y más potente, 140. Los agricultores que escogieron un Ferguson tenían que comprar aperos especiales que se adaptaran a la conexión articulada de tres enganches, que costaban 28 libras esterlinas cada uno, mientras que el Fordson se podía utilizar con equipos estándar disponibles en muchas granjas.

El peso ligero del nuevo tractor también era un problema, ya que algunos agricultores eran escépticos ante el hecho de que el modelo A pudiera ser tan resistente como un tractor convencional.

David Brown quería mejorar el diseño y dotar al tractor de una mayor potencia y una caja de cambios de cuatro velocidades, pero Harry Ferguson rechazó la propuesta. La situación sólo se resolvió cuando Harry Ferguson dio por finalizado el acuerdo y se asoció con Henry Ford, dejando a David Brown con una partida de modelos A que quedaron sin vender.

Especificaciones

Fabricante: David Brown Tractors
Procedencia: Huddersfield, Yorkshire (Inglaterra)
Modelo: Ferguson tipo A
Tipo: uso general
Motor: Coventry Climax de cuatro cilindros
Potencia: 20 CV (14,8 kW)
Transmisión: caja de cambios de tres velocidades
Peso: 839 kg
Año de fabricación: 1936

Abajo: *El modelo A que se muestra en esta página y en la anterior se encuentra actualmente en el Massey Ferguson Heritage Centre situado en la antigua fábrica Banner Lane.*

CASE
⚒ **1936 Racine, Wisconsin (EE. UU.)**

CASE MODELO R

La compañía Case no tardó en darse cuenta de la importancia de un buen diseño y el modelo R es un excelente ejemplo. Su imagen, muy cuidada y bien equilibrada, contaba con un diseño singular y llamativo de la rejilla del radiador que, según se dice, estaba inspirado en la forma de una espiga de trigo.

Arriba: *Se dice que el característico diseño de la rejilla del radiador del modelo R estaba basado en la forma de una espiga de trigo.*

Arriba, izquierda: *Una versión con llantas estándar del modelo R con el acabado en rojo llameante que adoptó Case en 1939 para que sus tractores fueran más atractivos.*

Especificaciones

Fabricante: J. I. Case
Procedencia: Racine, Wisconsin (EE. UU.)
Modelo: R
Tipo: uso general
Motor: Waukesha con la culata en forma de L
Potencia: 20 CV (14,8 kW)
Transmisión: caja de cambios de tres velocidades
Peso: 1.880 kg
Año de fabricación: 1936

Las versiones posteriores del modelo R también se beneficiaron del nuevo color rojo llameante que presentó Case en 1939 para hacer que su gama de tractores fuera más llamativa.

Case anunció el modelo R en 1936 para llenar un vacío en la gama de baja potencia. Puesto que no tenía un motor propio, Case eligió para el modelo R un motor de gasolina de Waukesha que desarrollaba aproximadamente una potencia de 20 CV (14,8 kW) a 1.400 r. p. m. a través de una caja de cambios de tres velocidades. Las prestaciones opcionales para el modelo R también incluían los neumáticos de caucho.

Versiones

El modelo R estaba disponible en tres versiones: el modelo R de llantas estándar, el RC con un diseño de tres ruedas y un modelo industrial llamado RI. Estos tractores hicieron su aparición en el momento en el que la compañía Case empezaba a recuperarse de las dificultades financieras y los problemas administrativos que había tenido, de modo que los pequeños tractores de la serie R contribuyeron a dicha recuperación.

El modelo R se siguió fabricando hasta 1940, cuando se retiró para dar paso a la nueva serie V de tractores.

RANSOMES

⚒ **1936 Ipswich, Suffolk (Inglaterra)**

TRACTORES ORUGA RANSOMES MG

Ransomes fue uno de los principales fabricantes de máquinas de vapor agrícolas durante el siglo XIX, pero su éxito más notable en el mercado del tractor alcanzó un nivel mucho más modesto.

Derecha: El pequeño tractor oruga Ransomes MG proporcionaba potencia a pequeña escala y estuvo disponible durante 30 años en diversas versiones.

Arriba: El emblema de Ransomes en la parte delantera del depósito de combustible de este motocultor o tractor para huertas de la serie MG.

Especificaciones

Fabricante: Ransomes Sims & Jefferies

Procedencia: Ipswich, Suffolk (Inglaterra)

Modelo: MG

Tipo: tractor oruga

Motor: Sturmey-Archer de un cilindro

Potencia: 4,25 CV (3,3 kW)

Transmisión: marcha adelante y marcha atrás

Peso: n. d.

Año de fabricación: 1936

El Ransomes MG era un pequeño tractor oruga diseñado principalmente para huertas. La primera versión fabricada en serie, denominada MG2, estuvo disponible en 1936 y estaba equipada con un motor Sturmey-Archer de un cilindro y 600 cm³. Incluía un embrague centrífugo que transmitía la potencia a través de engranajes reductores y un par de coronas dentadas, una para la marcha adelante y otra para la marcha atrás.

Bandas de rodadura

Las bandas de rodadura fueron diseñadas por la compañía Roadless con articulaciones de caucho y se podía ajustar el ancho entre los centros de las bandas de rodadura. Las prestaciones opcionales incluían un juego de separadores para el cultivo en hileras que evitaba que las plantas tocaran las bandas de rodadura. Ransomes también fabricó una amplia gama de aperos especiales para el MG.

El MG2 se fabricó hasta 1949, cuando apareció la versión MG5. El nuevo modelo estaba equipado con un motor Ransomes de válvula lateral de 600 cm³ con una potencia de 4 CV (2,98 kW), y a éste le siguió el MG40 equipado con un motor diésel. Se fabricaron unos 15.000 tractores MG en los 30 años que duró su producción y, aunque la mayoría se utilizaron en cosechas a pequeña escala, algunos se usaron para una amplia variedad de trabajos, como la recogida de sal en África oriental, y otros se exportaron a Holanda, donde su pequeño tamaño les permitía ser transportados a través de diques de drenaje en botes pequeños.

HSCS
✖ **1936   Budapest (Hungría)**

HSCS R-30-35

El principal fabricante de tractores de Hungría durante las décadas de 1920 y 1930 fue la compañía Hofherr-Schrantz Clayton-Shuttleworth, que tenía su sede en Budapest. Afortunadamente el nombre se abrevió a HSCS.

Especificaciones

Fabricante: Hofherr-Schrantz Clayton-Shuttleworth

Procedencia: Budapest (Hungría)

Modelo: R-30-35

Tipo: uso general

Motor: de bulbo incandescente

Potencia: 35 CV (26 kW)

Transmisión: caja de cambios de tres velocidades

Peso: n. d.

Año de fabricación: 1936

La compañía, fundada en 1912, además de fabricar maquinaria agrícola general pasó también a producir maquinaria fija. Fabricó su primer prototipo de tractor en 1923, y en 1924 fabricó el primero de una larga serie de tractores con un motor semidiésel.

Motor semidiésel

El motor semidiésel de un cilindro con arranque por soplete era el tipo de motor con el que estaban equipados los tractores de la serie K-35. Estos tractores aparecieron en 1930 en una versión de 35 CV (26 kW) que se actualizó para producir el modelo R-30-35, perteneciente a una serie de nuevos modelos que HSCS presentó en 1936. El R-30-35 se fabricó en versiones con ruedas y tipo oruga, y su potencia de 35 CV (26 kW) lo convirtió en un modelo de gama media popular. HSCS, además de vender sus tractores en Hungría y Europa central, tuvo cierto éxito en otros mercados y exportó sus vehículos incluso a Australia.

Los tractores de la serie R-30-35 estuvieron disponibles hasta que la fabricación de tractores se vio interrumpida por la guerra a principios de la década de 1940. Bajo el régimen comunista en Hungría, el nombre de la compañía se cambió a Red Star Tractor ('Tractor Estrella Roja'), quizá porque se consideraba que el nombre original se asociaba con el capitalismo. A finales de la década de 1950, se volvió a cambiar el nombre. Esta vez se llamó Dutra, una abreviación más bien poco imaginativa de los términos *dumper* y *tractor*.

Arriba: La compañía HSCS de Hungría, al igual que muchas de sus rivales alemanas e italianas, se especializó en la fabricación de tractores semidiésel durante la década de 1930.

MINNEAPOLIS-MOLINE

✹ **1937   Minneapolis, Minnesota (EE. UU.)**

MINNEAPOLIS-MOLINE SERIE Z

Minneapolis-Moline se incorporó a la moda de los colores brillantes que imperó en la década de 1930 con un llamativo tractor de color amarillo al que llamó «dorado pradera» y rojo brillante en las ruedas y la rejilla del radiador.

Derecha: El nuevo tono dorado pradera del Minneapolis-Moline era el más llamativo de los nuevos colores que utilizaron los fabricantes de tractores en sus vehículos durante la década de 1930.

Especificaciones

Fabricante: Minneapolis-Moline

Procedencia: Minneapolis, Minnesota (EE. UU.)

Modelo: serie Z

Tipos: uso general y cultivo en hilera

Motor: MM de cuatro cilindros

Potencia: 31 CV (22,9 kW)

Transmisión: caja de cambios de cinco velocidades

Peso: n. d.

Año de fabricación: 1937

Los tractores de la serie Z que se anunciaron en 1937 presentaban los nuevos colores de Minneapolis-Moline y utilizaban un motor poco habitual diseñado por la compañía. Se trataba de un motor de cuatro cilindros con los cilindros dispuestos por pares, y parte de la culata se podía ajustar para variar el índice de compresión.

Al modificar el índice de compresión, era posible ajustar el motor para que quemara combustibles que tuvieran distintos octanajes de un modo más eficaz, proporcionando una ingeniosa solución a las diferentes calidades de combustible que estaban produciendo problemas a los agricultores, especialmente en Estados Unidos.

Prestaciones poco habituales

Otra prestación poco habitual del motor era la ubicación de las válvulas de admisión y escape, ya que estaban colocadas horizontalmente en el bloque donde eran accionadas por balancines.

La caja de cambios era otra característica poco habitual, ya que era posible elegir entre cinco velocidades en una época en la que otros todavía ofrecían una caja de cambios con tres marchas. La quinta velocidad de la serie Z producía una velocidad de 23 km/h, muy rápida para la época, aunque se advertía de que sólo se podía alcanzar con los tractores con neumáticos de caucho y no debería utilizarse en tractores con ruedas de acero.

ALLIS-CHALMERS
✖ 1937   Milwaukee, Wisconsin (EE. UU.)

ALLIS-CHALMERS MODELO B

A finales de los años treinta, Allis-Chalmers creó el popular modelo B para hacerse con parte del mercado de tractores de gama pequeña. Fue un gran éxito y desde que empezó su producción en 1937 hasta que dejó de fabricarse 20 años después se vendieron más de 127.000 tractores.

Parte del éxito del modelo B fue debido a su versátil diseño. Se trataba de un popular tractor de uso general en explotaciones ganaderas, con un radio de giro de 2,3 m que le proporcionaba una buena maniobrabilidad, pero también estaba diseñado para el cultivo en hileras, lo que contribuyó a su éxito de ventas.

El diseño incluía un amplio espacio en la parte inferior para poder fijar equipos montados en la parte central como azadones entre hileras, y sus líneas esbeltas permitían que el conductor tuviera una buena visión al conducir entre los surcos. También ofrecía una amplia variedad de ajustes en la distancia entre las ruedas, con configuraciones que iban de los 102 a los 132 cm para adaptarse a los diferentes tipos de surcos.

Características del motor

Allis-Chalmers fabricó un motor de cuatro cilindros para el modelo B, con un diámetro

Superior: *La manivela de arranque del Allis-Chalmers B estaba montada debajo de la parte trasera del depósito de combustible, donde era fácilmente accesible.*

Arriba: *Por su diseño y sus excelentes prestaciones para el cultivo en hileras, el Allis-Chalmers modelo B se hizo popular en la década de 1940.*

de 8,3 cm y una carrera de 8,9 cm para los tractores fabricados antes de 1944. La cilindrada se incrementó ligeramente utilizando un diámetro más ancho para los tractores fabricados de 1944 hasta que terminó la producción del modelo B en 1957. La potencia del motor más pequeño era de 14 CV (10 kW) a un régimen de giro de 1.400 r. p. m., aunque se aumentó a 16 CV (12 kW) para la versión posterior.

Una caja de cambios de tres velocidades proporcionaba una velocidad máxima de 12,5 km/h a las revoluciones por minuto nominales del motor y se mejoró la comodidad del conductor en versiones posteriores con un asiento con respaldo totalmente acolchado en lugar del asiento básico de metal montado sobre un muelle con el que estaban equipadas las versiones anteriores. Además de ofrecer más potencia, las versiones posteriores del modelo B también estaban equipadas con prestaciones adicionales, como un dispositivo automático para levantar el arado accionado hidráulicamente en lugar de la versión mecánica estándar, y se añadieron luces eléctricas a la lista de prestaciones opcionales.

Fabricación en el Reino Unido

La popularidad del modelo B se extendió a las granjas británicas, donde se vendió tan bien que la compañía Allis-Chalmers estableció una planta de montaje en el Reino Unido. Se puso en marcha en 1947 y a partir de 1953 estuvo disponible una versión diésel equipada con un motor Perkins P3.

Además de la opción diésel, los modelos fabricados en el Reino Unido estuvieron disponibles en versiones con ruedas de acero o neumáticos de caucho y la lista de prestaciones opcionales también incluía una polea de correa de tres velocidades y una toma de fuerza.

Especificaciones

Fabricante: Allis-Chalmers

Procedencia: Milwaukee, Wisconsin (EE. UU.)

Modelo: B

Tipo: cultivo en hilera

Motor: Allis-Chalmers de cuatro cilindros

Potencia: 14 CV (10 kW) (primera versión)

Transmisión: caja de cambios de tres velocidades

Peso: 1.189 kg

Año de fabricación: 1937

Abajo: *Una importante característica del diseño del modelo B era el espacio que había debajo del motor y la transmisión para llevar azadones montados en la parte central y otros equipos para trabajar entre hileras.*

JOHN DEERE

🔧 1937   Moline, Illinois (EE. UU.)

JOHN DEERE MODELO L

Casi todos los tractores John Deere fabricados antes de 1960 estaban equipados con motores de dos cilindros horizontales, aunque hubo algunas excepciones.

Especificaciones

Fabricante: Deere & Co.

Procedencia: Moline, Illinois (EE. UU.)

Modelo: L

Tipo: uso general

Motor: Hércules de dos cilindros verticales

Potencia: 9 CV (6,7 kW)

Transmisión: caja de cambios de tres velocidades

Peso: 990 kg

Año de fabricación: 1937

El motor del minitractor modelo L anunciado en 1937 tenía un diseño de dos cilindros, aunque esta vez los cilindros estaban dispuestos en vertical en lugar de horizontalmente y, cuando se inició la fabricación del modelo L, el motor no era un John Deere sino que se compró a la compañía Hércules. Los cilindros tenían un diámetro de 8,25 cm y una carrera de 10,1 cm. La potencia era de 9 CV (6,7 kW) con aproximadamente 7 CV (5,2 kW) disponibles en la barra de enganche. El motor refrigerado por agua desarrollaba una potencia de 1.550 r. p. m., aunque podía

incrementarse hasta 2.400 r. p. m. para proporcionar una velocidad en carretera de 19,3 km/h.

Los tractores del modelo L, fabricados entre 1941 y 1946, estaban equipados con un motor John Deere que compartía el mismo tamaño de cilindro que el motor Hércules original.

En 1938 otras novedades del modelo incluyeron un diseño más redondeado y la aparición de un modelo LI industrial. El LI, con un acabado en color amarillo, se vendió principalmente para cortar la hierba que crece a los bordes de la carretera o el césped de complejos recreativos.

Arriba: Las primeras versiones del tractor John Deere modelo L estaban equipadas con un motor Hércules de dos cilindros verticales en lugar del habitual diseño horizontal utilizado por John Deere.

OLIVER

✖ 1937   Charles City, Iowa (EE. UU.)

OLIVER 80 ESTÁNDAR

Las versiones estándar y para cultivo en hileras del tractor de la serie 80 se añadieron a la gama Oliver en 1937 y ambas estaban basadas en los modelos industriales y para trabajar en huertas que aparecieron originalmente en 1930.

Arriba: En 1938 los modelos estándar y para trabajar en huertos del tractor Oliver 80 estaban disponibles en versiones con ruedas de acero y neumáticos de caucho.

Derecha: Una versión estándar del tractor Oliver 80 equipada con un motor de gasolina de cuatro cilindros. La versión diésel hizo su aparición en 1940.

Especificaciones

Fabricante: Oliver Farm Equipment Co.

Procedencia: Charles City, Iowa (EE. UU.)

Modelo: 80 estándar

Tipo: uso general

Motor: Oliver de cuatro cilindros

Potencia: 35 CV (26 kW)

Transmisión: caja de cambios de cuatro velocidades

Peso: 3.698 kg

Año de fabricación: 1937

El motor de la serie 80 era un Oliver de cuatro cilindros con un diseño de válvulas en la culata con un diámetro de 11,4 cm y una carrera de 13,3 cm.

La potencia registrada a la velocidad nominal del motor de 1.200 r. p. m. en las pruebas realizadas en Nebraska en 1938 fue de 35,2 CV (26,2 kW) para ambas versiones, disponibles con ruedas de acero o neumáticos de caucho.

Versión diésel

En 1940 se presentó una versión diésel del tractor Oliver 80 para cultivos en surcos. Ésta seguía siendo una opción no muy utilizada en un tractor de gama media con ruedas y los ingenieros de Oliver optaron por un motor diésel Buda-Lanova, un diseño muy poco habitual basado en el sistema de inyección Acro. Este motor fue reemplazado posteriormente en el modelo 80 por un motor diésel diseñado y fabricado por Oliver.

Además de ser los primeros en ofrecer la opción de un motor diésel, Oliver también añadió a la lista de mejoras implementadas en la versión para 1940 de los modelos 80 estándar y para cultivo en hileras una cuarta velocidad que incrementó la velocidad máxima de 6,9 a 10,4 km/h. También se aumentó la potencia del motor hasta los 36 CV (26,8 kW).

JOHN DEERE
⚒ **1938   Waterloo, Iowa (EE. UU.)**

JOHN DEERE MODELO B ESTILIZADO

Durante la segunda mitad de la década de 1930 la mayoría de fabricantes de Estados Unidos optaron por los diseños redondeados provenientes de la industria del automóvil, y eligieron colores más brillantes y llamativos.

Especificaciones

Fabricante: Deere & Co.

Procedencia: Waterloo, Iowa (EE. UU.)

Modelo: B estilizado

Tipo: uso general

Motor: John Deere de dos cilindros horizontales

Potencia: 15,92 CV (11,8 kW) (máxima)

Transmisión: caja de cambios de cuatro velocidades

Peso: n. d.

Año de fabricación: 1938

El acabado en verde y amarillo de los tractores John Deere no necesitaba mejoras, pero la compañía contrató a uno de los asesores de diseño más importantes, Henry Dreyfuss, para que modernizara sus tractores.

Un cambio de imagen
La nueva imagen de líneas redondeadas apareció en 1938, y los primeros tractores que presentaron el nuevo diseño fueron los de la serie A, además de los modelos para cultivo en hileras de la serie B. La imagen siguió ejerciendo influencia en el diseño de los tractores John Deere más de 20 años.

El modelo B había aparecido primero en 1934 con otro diseño, equipado con el típico motor de John Deere de dos cilindros horizontales. La potencia de las primeras versiones era de unos 14 CV (10 kW) en la correa y 9 CV (6,7 kW) en la barra de enganche, y esto se conseguía a 1.150 r. p. m., lo que convertía al modelo B en el primer tractor John Deere que tenía un motor con un régimen de más de 1.000 r. p. m.

Nuevas prestaciones
Se añadieron 6 mm en el diámetro y la carrera de los cilindros en 1938, un bastidor más largo que permitía disponer de más espacio para equipos montados en la parte central en 1937, y se sustituyó la caja de cambios de cuatro velocidades por una versión de seis velocidades en 1940.

Arriba: Henry Dreyfuss, uno de los principales estilistas industriales, proporcionó a la gama de tractores John Deere una nueva imagen y el modelo B fue uno de los primeros tractores que presentó el nuevo diseño.

MASSEY-HARRIS
✸ **1938   Racine, Wisconsin (EE. UU.)**

MASSEY-HARRIS 101

Con el modelo 101, que hizo su aparición en 1938, el equipo de diseño de Massey-Harris dejó de tomar como referente el anterior tractor inspirado en el Wallis, y también optó por un motor de seis cilindros con arranque eléctrico.

Arriba: La función de doble potencia disponible en algunos tractores Massey-Harris a finales de los años treinta proporcionaba un aumento de las revoluciones del motor para incrementar la potencia.

Derecha: El motor Chrysler de seis cilindros con el que estaba equipado el nuevo tractor 101 de Massey-Harris era una de sus muchas prestaciones de alto nivel.

Especificaciones

Fabricante: Massey-Harris

Procedencia: Racine, Wisconsin (EE. UU.)

Modelo: 101

Tipo: uso general

Motor: Chrysler de seis cilindros

Potencia: 36 CV (26 kW)

Transmisión: caja de cambios de cuatro velocidades

Peso: 2.599 kg (neumáticos de caucho)

Año de fabricación: 1938

Se eliminó el anterior bastidor en forma de U que conectaba la parte inferior del motor y la transmisión. Además, el nuevo diseño redondeado del Massey-Harris 101 estaba muy alejado de las líneas angulares del Wallis. Los fabricantes también rompieron con la tradición al equiparlo con un motor Chrysler de la serie T57-503 en lugar de utilizar un motor Massey-Harris.

Prestaciones de alto nivel

El motor Chrysler tenía un diseño de seis cilindros, lo que diferenciaba el modelo 101 de sus rivales, equipados principalmente con motores de dos y cuatro cilindros, ya que ofrecía un funcionamiento más suave. La oportunidad de conducir un tractor equipado con un motor Chrysler de seis cilindros hubiera sido un incentivo importante para las ventas, aunque no era la única prestación de alto nivel del modelo 101: también se

incluía de serie un motor de arranque eléctrico en una época en la que era una opción complementaria por un precio adicional o no estaba disponible en la mayoría de tractores de gama media.

Un motor muy potente

La potencia nominal del motor de gasolina era de 31,5 CV (23,5 kW) a 1.500 r. p. m., pero para el trabajo de la correa las revoluciones podían subir hasta 1.800 r. p. m., utilizando la función de doble potencia ya presentada en el Pacemaker.

Esto reforzaba la potencia máxima del Massey-Harris 101 hasta 36,15 CV (26,9 kW) para el modelo estándar y hasta 38,65 CV (28,8 kW) para la versión destinada al cultivo en hileras. Se trataba de un sencillo dispositivo; algunos tractores modernos presentan una configuración similar, en la que el motor dispone de potencia adicional cuando se acciona la toma de fuerza.

CATERPILLAR

1938 Peoria, Illinois (EE. UU.)

CATERPILLAR D2

Caterpillar fue el primer fabricante de Estados Unidos en equipar con motores diésel a sus tractores en serie, y el éxito que obtuvo resultó importante en la consolidación de los motores diésel para la ejecución de las tareas agrícolas.

Una de las ventajas de los motores diésel respecto a los de gasolina y parafina era su mayor ahorro de combustible, y el pequeño tractor oruga D2 de 1938 fue un buen ejemplo.

El Caterpillar D2 estaba equipado con un motor diésel de cuatro cilindros y también había un modelo similar, conocido como R2, que estaba disponible en versiones con motor de gasolina o parafina. Los tractores D2 y R2 estaban basados en el mismo diseño y lo mismo ocurría con las versiones con motores de gasolina o diésel diseñados por Caterpillar.

Ahorro de combustible

Los motores estaban basados en un bloque del mismo tamaño con las mismas dimensiones y volumen de los cilindros y también compartían el mismo régimen de giro de 1.525 r. p. m., aunque las cifras de rendimiento de los tractores mostraban diferencias significativas.

Arriba: *Algunos tractores D2 se exportaron a Gran Bretaña con el fin de fomentar la campaña de producción agrícola durante la guerra y fueron la primera toma de contacto de muchos agricultores británicos con los motores diésel.*

Las tres versiones se probaron en el centro de Nebraska sucesivamente. En las pruebas de correa para medir la potencia del motor, la cifra máxima del motor diésel fue de 29,9 CV (22 kW), ligeramente por delante de los 28,95 CV (21,5 kW) de la versión con motor de gasolina y los 27,78 CV (20,7 kW) desarrollados por la versión con motor de parafina. Las grandes diferencias que presentaban consistían en la cantidad de combustible empleado para generar la potencia, y aquí es donde el motor diésel los aventajaba.

El motor de parafina utilizaba 11,7 litros de combustible para proporcionar su potencia máxima durante una hora, el motor de gasolina consumía aún más combustible, 13,5 litros en la misma prueba, mientras que el motor diésel los superaba a todos en la prueba de ahorro de combustible al quemar tan sólo 8,6 litros.

Otros factores

Obviamente el rendimiento del combustible es sólo un factor cuando se comparan diferentes tipos de motor. Los motores diésel tienen un mejor par motor para trabajar con un tractor y la ausencia de bujías y otros componentes eléctricos proporciona a los motores diésel mayor fiabilidad. Por otra parte, los motores de gasolina con encendido por chispa son más ligeros, tienen un menor costo de fabricación y, antes de que existieran los diésel de arranque fácil en la década de 1940, no presentaban un coste adicional ni las complicaciones derivadas de tener un motor independiente que pusiera en marcha el motor diésel.

El motor del tractor oruga D2 es un ejemplo. Estaba equipado con un motor de arranque de gasolina de 587 cm³ con dos cilindros horizontales y su propio arranque mediante cuerda. Esto debió incrementar significativamente el coste de fabricación del tractor y también complicó la gestión del combustible, ya que era necesario disponer de gasóleo y gasolina.

Especificaciones

Fabricante: Caterpillar Tractor Co.
Procedencia: Peoria, Illinois (EE. UU.)
Modelo: D2
Tipo: tractor oruga
Motor: diésel de cuatro cilindros

Potencia: 29,9 CV (22 kW)
Transmisión: caja de cambios de cinco velocidades
Peso: 3.369 kg
Año de fabricación: 1938

Izquierda: *El motor de arranque de gasolina del tractor oruga D2 tenía dos cilindros horizontales y se arrancaba manualmente tirando de una cuerda.*

MASSEY-HARRIS

⚒ **1938 Racine, Wisconsin (EE. UU.)**

MASSEY-HARRIS TWIN POWER PACEMAKER

La brillante pintura roja y su forma curvada en la parte delantera eran algunas de las nuevas características que Massey-Harris introdujo cuando fabricó la versión actualizada del modelo Pacemaker en 1938.

El Pacemaker original, así como un nuevo modelo para el cultivo en hileras llamado Challenger, aparecieron en 1936. Ambos estaban basados en el modelo MH 12-20 y heredaron las líneas más angulares de los tractores Wallis que pasaron a ser de Massey-Harris tras adquirir la compañía J. I. Case Plow Works Co. en 1927. Las líneas y el acabado en gris poco llamativo desaparecieron con el nuevo diseño del Massey.

Características de diseño

El Pacemaker y el Challenger también heredaron el bastidor en forma de U que había contribuido al éxito del tractor Wallis desde su presentación original en 1913, pero fueron los últimos modelos M-H que lo utilizaron.

El motor de cuatro cilindros del Pacemaker estaba fabricado por Massey-Harris y era una versión mejorada del motor utilizado en el anterior

Arriba: *Massey-Harris mantuvo el anterior diseño del bastidor Wallis en forma de U cuando presentó los modelos de tractor Pacemaker y de tractor para cultivo en hileras Challenger en 1936.*

modelo 12-20. Las mejoras incrementaban la potencia a más de 27 CV (20 kW) en la polea de correa con un régimen de giro de 1.200 r. p. m.; sin embargo, la potencia aumentaría todavía más en años posteriores.

A partir de 1938, el motor también estuvo disponible en una versión con doble potencia. Esta opción estaba controlada por una palanca colocada en la base del control del cambio de marchas y permitía al conductor seleccionar entre dos tipos de potencia. Con la palanca en la posición baja o estándar, el régimen máximo de giro del motor era de 1.200 r. p. m. que proporcionaban 36,8 CV (27,4 kW) en la polea de correa, pero si se colocaba la palanca en la posición alta, las revoluciones máximas del motor pasaban a ser 1.400 r. p. m. y la potencia aumentaba a 42 CV (31,3 kW). El régimen más rápido del motor sólo se recomendaba para los trabajos con correa, por lo que el Pacemaker con doble potencia se describía en los folletos publicitarios como un tractor de tres arados con el rendimiento de cuatro arados en la correa.

Nuevos avances posteriores

Otros avances presentados en 1938 en el Pacemaker mejorado incluían un dispositivo automático para levantar el arado opcional, y los clientes también podían especificar engranajes de relación extralarga que proporcionaban al tractor una velocidad máxima de 13,7 km/h en lugar de los 12 km/h disponibles con la transmisión de cuatro velocidades estándar.

El nuevo Pacemaker disfrutó de una vida comercial breve. La fabricación del modelo 101 Senior se inició en la fábrica que Massey-Harris tenía en Racine en 1938 y este modelo fue el que reemplazó al Pacemaker. También fue el primer modelo de una nueva gama de tractores diseñados sin el bastidor Wallis en forma de U.

Especificaciones

Fabricante: Massey-Harris
Procedencia: Racine, Wisconsin (EE. UU.)
Modelo: Twin Power Pacemaker
Tipo: uso general
Motor: cuatro cilindros

Potencia: 42 CV (31 kW) (máxima)
Transmisión: caja de cambios de cuatro velocidades
Peso: n. d.
Año de fabricación: 1938

Izquierda: El Pacemaker con su nueva imagen y la función de doble potencia que incrementaba las revoluciones al accionar la polea de correa pronto sería reemplazado por el modelo 101 Senior.

CLETRAC
1938   Cleveland, Ohio (EE. UU.)

CLETRAC GENERAL

La Cleveland Tractor Company fue una de las principales compañías especializadas en la fabricación de tractores oruga y no se incorporó al mercado de los tractores con ruedas hasta 1938, cuando anunció el modelo General.

Éste fue el tractor más pequeño que llevó el nombre de Cletrac y estuvo disponible en versiones con ruedas y de tipo oruga. La versión con ruedas se llamó Cletrac General GG y el modelo de tipo oruga, Cletrac HG.

Ambas versiones estaban equipadas con un motor Hércules IXA de cuatro cilindros de una potencia de 19 CV (14 kW) en la correa, aunque luego se incrementó a 22 CV (16,4 kW) al añadir 1,27 cm al diámetro de los cilindros. Una caja de cambios de tres velocidades proporcionaba una velocidad máxima de 9,7 km/h para el tractor GG y de 8 km/h para el modelo de tipo oruga.

El diseño de tres ruedas para el tractor GG y el amplio espacio en la parte inferior del que

disponían ambas versiones hicieron que los pequeños tractores Cletrac fueran adecuados para el cultivo en hileras. Y para aumentar su atractivo original, Cletrac acordó con la compañía B F Avery Co. de Louisville (Kentucky) fabricar una amplia gama de aperos diseñados específicamente para los nuevos tractores.

Trabajo durante la guerra
A este acuerdo le siguió en 1941 la noticia de que Avery pasaría a encargarse de la fabricación del tractor GG y la compañía de Cleveland se concentraría en los tractores oruga que precisaban las fuerzas aéreas de Estados Unidos y el ejército para los trabajos de construcción durante la guerra.

Arriba: *La única incursión de la compañía Cleveland Tractor Co. en el mercado de los tractores con ruedas fue el modelo General.*

Especificaciones

Fabricante: Cleveland Tractor Co.
Procedencia: Cleveland, Ohio (EE. UU.)
Modelo: General GG
Tipo: cultivo en hilera
Motor: Hércules de cuatro cilindros
Potencia: 19 CV (14 kW)
Transmisión: caja de cambios de tres velocidades
Peso: 1.414 kg
Año de fabricación: 1938

JOHN DEERE
✖ **1938 Waterloo, Iowa (EE. UU.)**

JOHN DEERE MODELO H

A diferencia del modelo L, el nuevo tractor de la serie H era un «verdadero» modelo de dos cilindros, ya que estaba equipado con un motor John Deere de dos cilindros horizontales. Era el motor más pequeño de su clase en la gama John Deere, con casi 15 CV (11 kW) disponibles en la polea de correa.

Derecha: John Deere compitió en el mercado de los tractores para cultivos en surcos con el tractor modelo H equipado con un motor de dos cilindros y una potencia de 15 CV (11 kW).

Especificaciones

Fabricante: Deere & Co.

Procedencia: Waterloo, Iowa (EE. UU.)

Modelo: H

Tipo: cultivo en hilera

Motor: dos cilindros horizontales

Potencia: 15 CV (11 kW)

Transmisión: caja de cambios de tres velocidades

Peso: 1.378 kg

Año de fabricación: 1938

Otra característica era que, a diferencia del modelo L, el modelo H era un tractor dedicado al cultivo en hileras que se encontraba en la gama John Deere por debajo del B y el A.

Otras versiones

El modelo H fue el primero que se presentó con la nueva imagen diseñada por Dreyfuss. Estuvo disponible inicialmente como un tractor estándar de cuatro ruedas, aunque en 1940 le siguió una versión estrecha denominada HN con una sola rueda delantera. Los modelos HWH y HNH, equipados con ruedas traseras de mayor diámetro y diseñados con un amplio eje delantero y una sola rueda delantera respectivamente, se fabricaron durante poco tiempo y ahora son cotizados por los coleccionistas.

Prestaciones especiales

Entre las prestaciones del modelo H estándar se incluía una caja de cambios de tres velocidades con un embrague accionado manualmente. También tenía un pedal de acelerador que permitía sobrepasar la velocidad del motor controlada e incrementar la velocidad de marcha, pero sólo se recomendaba al utilizar el modelo H en carretera.

FORD
1939 **Dearborn, Michigan (EE. UU.)**

FORD MODELO 9N

Cuando la relación empresarial entre Harry Ferguson y David Brown empezó a ir mal, Ferguson partió hacia Estados Unidos para buscar un nuevo socio y la persona en la que pensó fue Henry Ford.

Arriba: *El Moto-Tug fue una versión especial del tractor 9N diseñada para trabajar en aeródromos durante la guerra, aunque posteriormente se utilizó como un tractor industrial de uso general de pequeño tamaño.*

Fue una decisión muy astuta. La sociedad Ferguson-Brown había presentado el sistema Ferguson de conexión articulada de tres enganches y demostrado sus grandes ventajas, pero no se vendía con la rapidez esperada y Ferguson precisaba de mayores recursos para conseguir el impacto internacional que necesitaba su equipo.

Ferguson y Ford

Nadie en la industria del tractor de la década de 1930 tenía más recursos que Henry Ford, quien estaba buscando enérgicamente un nuevo diseño de tractor que reemplazara a su ya anticuado Fordson modelo N de Inglaterra. Henry Ford había pasado muchas horas diseñando tractores experimentales en el taller de Fair Lane, la mansion que había hecho construir en Dearborn; sin embargo, cuando llegó Harry Ferguson en 1938, Ford todavía estaba buscando la idea adecuada.

La reunión, celebrada en los jardines de Fair Lane, se había concertado para que Ford tuviera la oportunidad de ver el sistema Ferguson en acción. Harry Ferguson había traído uno de sus tractores modelo A y algunos aperos de Inglaterra y Ford mandó traer un Fordson modelo N y un Allis-Chalmers modelo B de su propia granja para realizar la comparación.

El modelo A superó fácilmente a sus rivales y Henry Ford, hijo de agricultores, supo apreciar rápidamente sus ventajas. Al final de la demostración él y Ferguson habían acordado asociarse para diseñar, fabricar y comercializar un nuevo tractor con el sistema Ferguson. Ford proporcionaría la mayor parte de la financiación y las fábricas mientras que la responsabilidad de Ferguson sería establecer una red de distribuidores que vendieran los tractores en Estados Unidos.

Nuevos tractores

El talonario de Henry Ford garantizaba que el proyecto se completaría de forma rápida y eficiente. El nuevo tractor, denominado Ford 9N o tractor Ford con sistema Ferguson, estuvo listo para ser fabricado tan sólo ocho meses después de la demostración original y se presentó en una lujosa fiesta celebrada en la granja de Ford a la que asistieron 500 invitados de honor.

El nuevo tractor estaba equipado con un motor Ford con culata en forma de L y la potencia se transmitía a través de una caja de cambios de tres velocidades con una velocidad máxima de 9,6 km/h en carretera. Los neumáticos de caucho venían de serie y entre la lista de prestaciones opcionales se incluían ruedas de acero, luces de carretera y una polea de correa. Se sugirió, aunque quizá no en serio, que dado que el motor hacía tan poco ruido, el tractor 9N se podría equipar con una radio.

Especificaciones

Fabricante: Ford Motor Co.
Procedencia: Dearborn, Michigan (EE. UU.)
Modelo: 9N
Tipo: uso general
Motor: Ford de cuatro cilindros
Potencia: 23 CV (17 kW) (máximo)
Transmisión: caja de cambios de tres velocidades

Peso: 1.532 kg
Año de fabricación: 1939

Abajo: Cuando Harry Ferguson y Henry Ford se asociaron para desarrollar un nuevo tractor, el resultado fue el Ford 9N, el tractor de pequeño tamaño más avanzado de su época.

JOHN DEERE

🔧 **1939   Waterloo, Iowa (EE. UU.)**

TRACTOR ORUGA JOHN DEERE LINDEMAN

El modelo B fue un tractor popular que estuvo disponible en una amplia gama de versiones especiales, como el modelo BO destinado a trabajar en huertos.

Algunos fruticultores cuyos huertos estaban en terrenos escarpados preferían las bandas de rodadura de los tractores oruga por su mayor estabilidad y esto hizo que el distribuidor de John Deere de una zona de cultivos frutícolas de Washington produjera versiones especiales de tipo oruga de algunos de los tractores John Deere destinados a trabajar en huertos que se adaptaran a las necesidades de los clientes locales.

La compañía que se encargó de realizar la conversión fue Lindeman Brothers de Yakima, que empezó con un pequeño número de tractores John Deere GP para huertos. La demanda creció cuando Lindeman ofreció una versión oruga del pequeño tractor BO. Deere suministró

unas 2.000 plataformas BO para que se montaran en orugas Lindeman entre 1939 y 1947.

Otros usos

La mayoría de la demanda procedía de fruticultores que trabajaban en terrenos con pendientes pronunciadas, pero también se solicitó que algunos tractores oruga Lindeman estuvieran equipados con una pala accionada hidráulicamente para nivelar caminos y para trabajos de tipo general.

En 1947 la compañía Lindeman fue adquirida por John Deere, y se convirtió en la principal fuente de experiencia técnica para desarrollar y fabricar una gama de tractores oruga John Deere nueva y mucho más amplia.

Arriba: *La mayoría de los tractores oruga basados en el modelo B se utilizaron en granjas.*

Especificaciones

Fabricante: Deere & Co.

Procedencia: Waterloo, Iowa (EE. UU.)

Modelo: B Lindeman

Tipo: tractor oruga

Motor: John Deere de dos cilindros horizontales

Potencia: 15,9 CV (11,8 kW)

Transmisión: caja de cambios de cuatro velocidades

Peso: n. d.

Año de fabricación: 1939

INTERNATIONAL HARVESTER

1939 **Chicago, Illinois (EE. UU.)**

IH FARMALL MODELO A

El Farmall modelo A fue el competidor de International Harvester en el mercado cada vez mayor de los tractores de pequeño tamaño durante la década de 1930. Estaba diseñado, según describen los norteamericanos, como un tractor de un solo arado, es decir, sólo araba una hilera en la mayoría de casos.

Derecha: *La experiencia de International Harvester en los tractores para cultivo en hileras produjo el Farmall modelo A con Culti-Vision.*

Arriba: *El pequeño tractor modelo A de un arado llevaba los nombres de McCormick y Farmall de International Harvester.*

Especificaciones

Fabricante: International Harvester
Procedencia: Chicago, Illinois (EE. UU.)
Modelo: A
Tipo: cultivo en hilera
Motor: IH de cuatro cilindros
Potencia: 16,86 CV (12,5 kW) (gasolina)
Transmisión: caja de cambios de cuatro velocidades
Peso: 1.621 kg
Año de fabricación: 1939

Empezó a fabricarse en 1939, cuando el nuevo diseño redondeado con acabado en rojo de International Harvester ya llevaba tiempo utilizándose, aunque el modelo A fue el primer tractor fabricado en serie con Culti-Vision. Éste fue el nombre elegido por la posición considerablemente desplazada del asiento del conductor y los controles, diseñados para proporcionar una buena visibilidad delantera con el fin de realizar tareas de cultivo en hileras de un modo más preciso.

Variantes

El Culti-Vision seguía la tradición de Farmall de satisfacer las necesidades de las granjas dedicadas al cultivo, como el amplio espacio en la parte inferior para pasar por encima de las plantas, aunque otra prestación del modelo A para satisfacer a clientes con requisitos especiales fue la versión AV con un gran espacio inferior, ruedas más grandes y un eje delantero modificado que le proporcionaba una altura adicional de 15,2 cm sobre el suelo. IH también presentó un modelo B, que era básicamente un tractor modelo A con tres ruedas.

Ambos estaban equipados con un motor International Harvester de cuatro cilindros con un diámetro de 7,6 cm y una carrera de 10,1 cm que produjo algo más de 18 CV (13 kW) durante las pruebas realizadas con el modelo A en Nebraska.

capítulo 5

La implantación del motor diésel

El desarrollo de los tractores se detuvo por completo a principios de la década de 1940 debido a la guerra. Muchas fábricas se dedicaron a producir armamento y algunas fábricas europeas quedaron destruidas por los bombardeos aéreos. Sin embargo, el final de la Segunda Guerra Mundial produjo un aumento de la demanda de tractores y atrajo nuevas compañías a este mercado.

Arriba: *Como alternativa al motor de gasolina estándar, el tractor W-6 de International Harvester también estaba disponible con un motor diésel que se ponía en marcha con gasolina.*

Izquierda: *Los tractores portaherramientas, como este Allis-Chalmers modelo G, proporcionaban una visibilidad excelente para los cultivos entre hileras de hortalizas y legumbres.*

A medida que la producción de tractores volvía a aumentar, el mayor avance técnico fue una nueva generación de motores diésel que hicieron su aparición a finales de los cuarenta y principios de los cincuenta. Las companías a la vanguardia de este desarrollo eran británicas, como David Brown, la fábrica de Ford en Essex y Perkins. Los motores que fabricaban eran más fáciles de arrancar, tenían un funcionamiento más uniforme y ofrecían mejoras en el par motor.

Los avances pioneros que realizó International Harvester con el tractor Farmall en los años veinte habían proporcionado grandes mejoras en la mecanización de los cultivos en hileras y, a finales de la década de 1940, aparecieron los primeros tractores que transportaban herramientas. Se componían de un bastidor abierto sobre ruedas, con el motor y el conductor en la parte posterior, y enganches de sujeción para el equipo, que iba colgado o montado en la parte posterior.

Otro acontecimiento importante fue el repentino fin de la sociedad Ferguson-Ford, que acabó en los tribunales. Mientras, algunas de las compañías estadounidenses más importantes establecieron fábricas de producción o montaje en Europa.

La mayoría de estas nuevas fábricas estaban en el Reino Unido, de modo que Allis-Chalmers, International Harvester, Massey-Harris y, durante un tiempo, Minneapolis-Moline siguieron los pasos de la fábrica Ford.

INTERNATIONAL HARVESTER
1939   Chicago, Illinois (EE. UU.)

INTERNATIONAL HARVESTER T-6

Los modelos TracTracTors T-6, equipados con un motor de gasolina y queroseno, y los TD-6, equipados con un motor diésel, estuvieron disponibles en 1939 y, cuando se dejaron de fabricar 17 años después, las ventas de ambos se acercaban a las 40.000 unidades, una cifra muy elevada para un tractor oruga.

Especificaciones

Fabricante: International Harvester
Procedencia: Chicago, Illinois (EE. UU.)
Modelo: TracTracTor T-6
Tipo: tractor oruga
Motor: cuatro cilindros
Potencia: 36 CV (26,6 kW) (máxima)
Transmisión: caja de cambios de cinco velocidades
Peso: 3.369 kg
Año de fabricación: 1939

Parte de su éxito se debía al modo en el que encajaron en el sector de gama media del mercado, al atraer una clientela de agricultores y pequeñas empresas dedicadas a la construcción. También era una época en la que International Harvester era una de las compañías más importantes en el mercado de los tractores oruga y ofrecía una amplia gama de modelos entre los que se incluía el modelo TD-18 de gran tamaño, que proporcionaba casi 100 CV (74,5 kW).

Características de diseño
El T-6 y TD-6 compartían el mismo bastidor, transmisión y orugas, e incluso las versiones de gasolina y diésel tenían el mismo régimen de giro

de 1.450 r. p. m. y el mismo diámetro y carrera, aunque presentaban diferencias de rendimiento. Se realizaron pruebas con los tres modelos en Nebraska, en las que el motor de gasolina generó una potencia máxima de 36,06 CV (26,8 kW) en comparación con los 34,22 CV (25,5 kW) del motor de combustible destilado o parafina y los 34,54 CV (25,7 kW) del diésel. Sin embargo, las cifras de consumo claramente favorecían al diésel.

Entre las prestaciones de la familia T-6 se incluía una caja de cambios de cinco velocidades y vías de distintas anchuras. La lista de prestaciones opcionales incluía unos protectores de cultivo para cubrir la mitad superior de cada oruga como medida de protección al trabajar en huertos.

Arriba: El tractor oruga T-6 de International Harvester y el TD-6, equipado con un motor diésel, fueron los tractores oruga más vendidos durante la Segunda Guerra Mundial.

MINNEAPOLIS-MOLINE

⚒ **1939 Minneapolis, Minnesota (EE. UU.)**

MINNEAPOLIS-MOLINE GT

Minneapolis-Moline anunció una serie de nuevos modelos a finales de la década de 1930. El más grande de todos ellos era el tractor GT, que estuvo disponible a partir de 1939.

Derecha: El Minneapolis-Moline GT gracias a su caja de cambios de cuatro velocidades alcanzaba una velocidad máxima de 15,1 km/h, aunque sólo en los tractores equipados con neumáticos de caucho.

Especificaciones

Fabricante: Minneapolis-Moline

Procedencia: Minneapolis, Minnesota (EE. UU.)

Modelo: GT

Tipo: uso general

Motor: cuatro cilindros

Potencia: 54 CV (40 kW) (máximo)

Transmisión: caja de cambios de cuatro velocidades

Peso: 4.288 kg

Año de fabricación: 1939

El GT dio un peso de 4.283,4 kg en las pruebas de Nebraska, lo que lo convierte en uno de los tractores con ruedas más pesados disponibles a principios de la década de 1940. También era el tractor más potente de la gama Minneapolis-Moline, ya que en dichas pruebas registró casi 40 CV (29,8 kW) de tracción en la barra de enganche y generó un máximo de 54 CV (40 kW) en la correa.

Características del motor

Aunque el GT compartía la nueva imagen de Minneapolis-Moline con líneas más redondeadas y un brillante color dorado pradera, el motor no era tan moderno. Durante varios años sólo estuvo disponible en gasolina y los cuatro cilindros estaban dispuestos en dos bloques independientes. El diámetro y la carrera de los cilindros eran de 11,7 y 15,2 cm respectivamente, y el régimen de giro, de 1.075 r. p. m. La caja de cambios de cuatro velocidades del GT estaba montada transversalmente y proporcionaba una velocidad máxima de 15,1 km/h, aunque el manual de instrucciones advertía de que esta cifra sólo era posible en tractores equipados con neumáticos de caucho.

El GT se siguió fabricando durante la guerra. Algunos se exportaron a Gran Bretaña, donde los agricultores quedaron sin duda impresionados por su tamaño y potencia. El sustituto del gran GT fue el nuevo modelo G que apareció en 1947.

CASE

🛠 **1939 Racine, Wisconsin (EE. UU.)**

CASE LA

Cuando Case presentó el nuevo tractor LA en 1939 fue un acontecimiento importante para la compañía. El Case L, el tractor al que sustituía, se consideraba uno de los mejores tractores en su gama de potencia y el equipo de diseño del nuevo modelo LA debió comprender que era difícil de igualar.

Hasta cierto punto, los diseñadores de Case prefirieron no arriesgarse y simplemente mantuvieron la mayoría de componentes mecánicos del modelo L, como el motor de cuatro cilindros y un diseño de válvulas en culata con una capacidad de 6,6 litros. Cuando el motor apareció por primera vez en este modelo, la potencia era de unos 40 CV (29,8 kW), aunque se aumentó a casi 50 CV (37,2 kW) para el nuevo tractor LA.

Transmisión y cambio

La transmisión también estaba basada en el modelo L y era poco convencional para lo que se estilaba en la década de 1940. El embrague estaba controlado por una palanca que se accionaba manualmente en lugar de mediante un pedal, y cuando la palanca se colocaba en la posición *Drive* hacía que se juntaran un par de placas de metal, que aprisionaban el disco del embrague entre ellas. A diferencia de un embrague convencional,

Arriba: *El motor de cuatro cilindros del tractor Case LA generaba un máximo de 48 CV (35,5 kW) y era una versión más potente del motor del anterior modelo L.*

la acción excéntrica de la palanca sujetaba las placas sin utilizar muelles de compresión, aunque había un juego de muelles para separar las placas del disco al desembragar la transmisión.

La transmisión final también era poco común. Se componía de un par de cadenas y ruedas dentadas que transferían la potencia desde la caja de cambios al eje trasero. Aunque era un método anticuado cuando apareció el tractor LA, también se trataba de una configuración sencilla y segura que era fácil de mantener, y muchos agricultores ya la conocían.

Diseño

Aunque los tractores L y LA –exceptuando algunas mejoras puntuales– compartían básicamente los mismos componentes mecánicos, donde mostraban las diferencias más notables era en el diseño. A finales de la década de 1930, los diseñadores de tractores, especialmente en Estados Unidos, empezaron a utilizar colores más brillantes y llamativos y, tomando el ejemplo de la industria del automóvil, carrocerías más redondeadas. El tractor LA fue uno de los primeros ejemplos de la nueva imagen adoptada por la compañía Case, que lo dotó de un brillante color naranja.

El diseño es obviamente una cuestión de gustos y las líneas redondeadas del LA sin duda atrajeron a los clientes y siguieron estando de moda a lo largo de la década de 1940. También hay quien piensa que los diseñadores de las líneas sencillas y limpias del anterior tractor L habían creado uno de los diseños clásicos de la década de 1930 y la nueva imagen del LA quizá no suponía ninguna mejora.

Arriba: *Una característica del diseño poco habitual del tractor LA era la palanca que se accionaba manualmente para controlar el embrague.*

Especificaciones

Fabricante: J. I. Case
Procedencia: Racine, Wisconsin (EE. UU.)
Modelo: LA
Tipo: uso general
Motor: Case de cuatro cilindros

Potencia: 48 CV (35,5 kW)
Transmisión: caja de cambios de cuatro velocidades
Peso: 2.700 kg
Año de fabricación: 1939

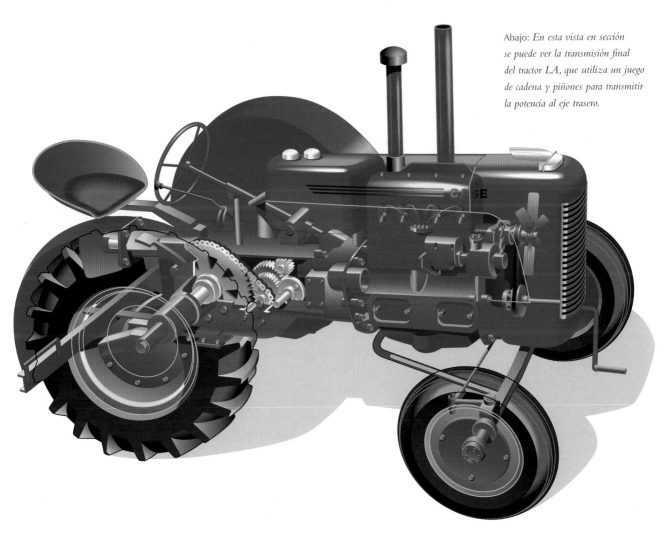

Abajo: *En esta vista en sección se puede ver la transmisión final del tractor LA, que utiliza un juego de cadena y piñones para transmitir la potencia al eje trasero.*

DAVID BROWN
⚒ **1939 Meltham, Yorkshire (Inglaterra)**

DAVID BROWN VAK 1

Después de que Harry Ferguson se asociara con Henry Ford, David Brown, su anterior socio, se vio libre del control sobre el diseño y el desarrollo de los tractores que imponía la compañía Fergurson y con un gran *stock* de tractores Ferguson del modelo A, que tuvo que vender a un precio inferior al original.

Había varias características de diseño del tractor modelo A que David Brown había querido cambiar, pero sus sugerencias habían sido vetadas por Ferguson. Al terminar su asociación, Brown pudo diseñar un tractor completamente nuevo basado en sus propias ideas. No pudo utilizar el sistema Ferguson integral para el control y enganche de aperos debido a restricciones de la patente, aunque los ingenieros de David Brown diseñaron su propia conexión articulada de tres puntos con control hidráulico, que proporcionaba muchas de las ventajas de utilizar aperos montados sin infringir las patentes de Ferguson.

Potencia adicional

El nuevo tractor de David Brown se llamó VAK 1 y empezó a fabricarse en 1939. El diseño incluía potencia adicional y la caja de cambios de cuatro

Superior: *Debido a restricciones en la patente, el primer tractor fabricado en serie diseñado por David Brown no utilizó un enganche posterior equipado con un sistema Ferguson integral.*

Arriba: *El VAK 1 se diseñó con algunas mejoras que Harry Ferguson había desestimado para el Ferguson A.*

velocidades que David Brown había querido que utilizara el tractor Ferguson modelo A, y estaba pintado con un color rojo brillante. El diseño presentaba unos contornos más redondeados que la publicidad describía como «aerodinámicos» y una característica poco habitual era que el asiento del conductor disponía de sitio para un pasajero.

El nuevo VAK 1 suscitó un considerable interés en el Royal Show de 1939, y se recibieron pedidos que ascendían a 3.000 tractores. Fue un inicio alentador, ya que esto significaba que el libro de pedidos excedía a la producción total de los tractores Ferguson del modelo A; sin embargo, tras estallar la Segunda Guerra Mundial hubo restricciones gubernamentales y escasez de materias primas. Finalmente, la producción total del tractor ascendió a 5.350 vehículos en 1945, cuando el VAK 1 fue sustituido por una versión actualizada conocida como el VAK 1A.

Mejoras

Aunque el VAK 1A y su predecesor eran similares y compartían básicamente el mismo motor de 35 CV (26 kW), seguía habiendo diferencias importantes entre ambos.

Entre las muchas mejoras que incluía, se pueden destacar una zona caliente patentada en el motor, que se calentaba más rápido para quemar queroseno, y también se mejoró la lubricación del motor. Se incluyó una toma de fuerza entre las prestaciones de serie de ambos tractores y se añadió una polea de correa que mejoraba el rendimiento. El VAK 1 contaba además entre sus prestaciones básicas con ruedas de acero y neumáticos de caucho opcionales por un coste adicional.

El VAK 1A se fabricó durante cuatro años con una media de producción de más de 1.000 tractores al año. Fue sustituido en 1947 por el primero de los tractores de la serie Cropmaster.

Especificaciones

Fabricante: David Brown Tractors
Procedencia: Meltham, Yorkshire (Inglaterra)
Modelo: VAK 1
Tipo: uso general
Motor: cuatro cilindros
Potencia: 35 CV (26 kW)
Transmisión: caja de cambios de cuatro velocidades
Peso: 1.625 kg
Año de fabricación: 1939

Abajo: *El asiento acolchado del VAK 1 era lo suficientemente amplio para que se pudieran sentar dos personas, siempre que no fueran excesivamente corpulentas.*

INTERNATIONAL HARVESTER

1940 Chicago, Illinois (EE. UU.)

INTERNATIONAL HARVESTER W-4

Las diversas familias dentro de la gama International Harvester pueden llevar a confusión y el McCormick-Deering W-4 es un ejemplo. De hecho, es un modelo equivalente al Farmall H, pero el W-4 tiene un diseño estándar de cuatro ruedas en lugar del diseño de tipo cultivo en hileras del Farmall.

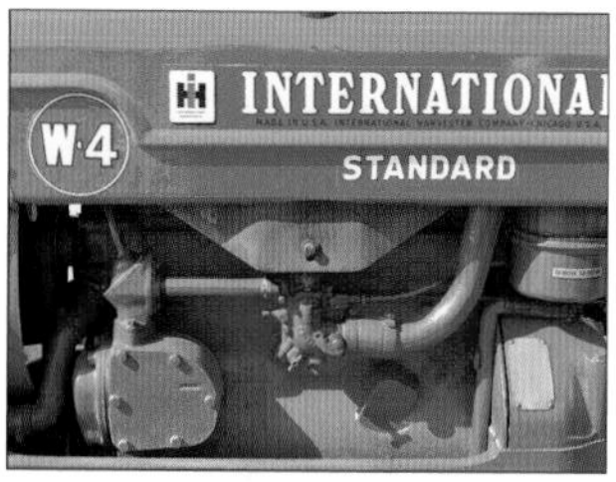

Arriba: *El W-4 se fabricó únicamente con un motor de gasolina y no disponía de una versión diésel; por otra parte, el modelo W-6, que era más grande, estaba disponible en ambas versiones.*

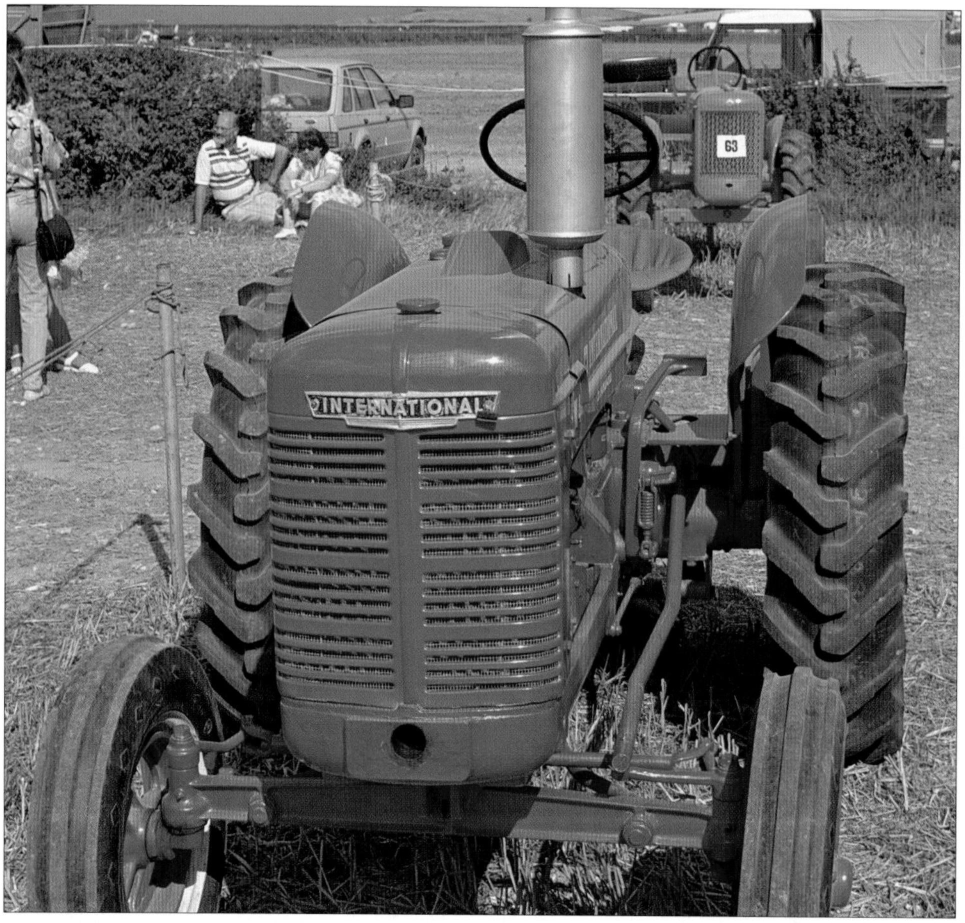

Especificaciones

Fabricante: International Harvester Co.	
Procedencia: Chicago, Illinois (EE. UU.)	
Modelo: W-4	
Tipo: uso general	
Motor: cuatro cilindros	
Potencia: 22 CV (16,3 kW)	
Transmisión: caja de cambios de cuatro velocidades	
Peso: 2.583 kg	
Año de fabricación: 1940	

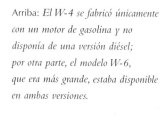

Arriba, izquierda: *International Harvester presentó el McCormick W-4 en 1940 y lo reemplazó 13 años después por el Super W-4 con una nueva caja de cambios de cinco velocidades.*

International Harvester presentó el modelo W-4 en 1940 y continuó fabricándose hasta 1953. Estaba equipado con un motor de cuatro cilindros disponible en gasolina/parafina o sólo gasolina. Ambos se probaron en Nebraska y la potencia máxima fue de 22 CV (16,3 kW) para la versión de parafina o combustible destilado y 24 CV (17,8 kW) para la de gasolina. Sus prestaciones incluían una caja de cambios de cuatro velocidades y opcionalmente la iluminación y un arranque eléctrico. También disponía de neumáticos de caucho por un coste adicional.

Aunque dejó de fabricarse oficialmente en 1953, el modelo que lo reemplazó era básicamente una continuación del W-4 mejorado. Conocido como Super W-4, su mayor novedad con respecto al anterior modelo era una nueva caja de cambios de cinco velocidades.

INTERNATIONAL HARVESTER
✖ **1940 Chicago, Illinois (EE. UU.)**

INTERNATIONAL HARVESTER W-6

El W-6 era una versión más grande del McCormick-Deering W-4 y ambos modelos hicieron su aparición el mismo año. La diferencia más significativa entre los dos era que el W-6 disponía de una versión con motor diésel.

Derecha: El modelo W-6 de International Harvester fue un tractor de gama media popular fabricado en versiones con motor de gasolina y diésel que generaban unos 35 CV (26 kW).

Especificaciones

Fabricante: International Harvester Co.

Procedencia: Chicago, Illinois (EE. UU.)

Modelo: W-6

Tipo: uso general

Motor: cuatro cilindros

Potencia: 36 CV (26,6 kW) (máxima)

Transmisión: caja de cambios de cuatro velocidades

Peso: 3.455 kg

Año de fabricación: 1940

Fue uno de los primeros ejemplos de tractor de gama media con ruedas equipado con un motor diésel. La versión diésel del W-6 se conoció con el nombre de WD-6, y los motores de gasolina y diésel eran los mismos que se utilizaban en los tractores oruga T-6 y TD-6 de International Harvester y los tractores Farmall modelo M. Ambos motores estaban basados en el mismo bloque de cuatro cilindros con un diámetro de 9,8 cm y una carrera de 13,3 cm respectivamente. La potencia máxima que alcanzaba la versión del W-6 con motor de gasolina era de 36,15 CV (26,9 kW) y la versión diésel del WD-6 ofrecía 34,75 CV (25,9 kW). Unas cifras casi idénticas a las que proporcionaban los

motores con los que estaban equipados los modelos T-6 y TD-6.

Sistema de arranque

Una característica especial del motor diésel era el sistema de arranque de gasolina. Estaba equipado con un carburador y un magneto que quemaba gasolina cuando se arrancaba en frío. Una vez que se alcanzaba la temperatura adecuada, el combustible pasaba a ser diésel y el equipo de gasolina quedaba desactivado.

La caja de cambios de cuatro velocidades del W-6 producía una velocidad de 8 km/h. Las ruedas de acero venían de serie, pero se podían obtener neumáticos de caucho por un coste adicional.

MASSEY-HARRIS

1941 Racine, Wisconsin (EE. UU.)

MASSEY-HARRIS 81

Los tractores 81 y 82 formaban parte de la línea de productos fabricados durante la guerra por Massey-Harris y, debido a la guerra, la Real Fuerza Aérea Canadiense (RCAF) hizo un pedido considerable de tractores del modelo 81 para utilizarlos como vehículo de remolque en aeropuertos militares.

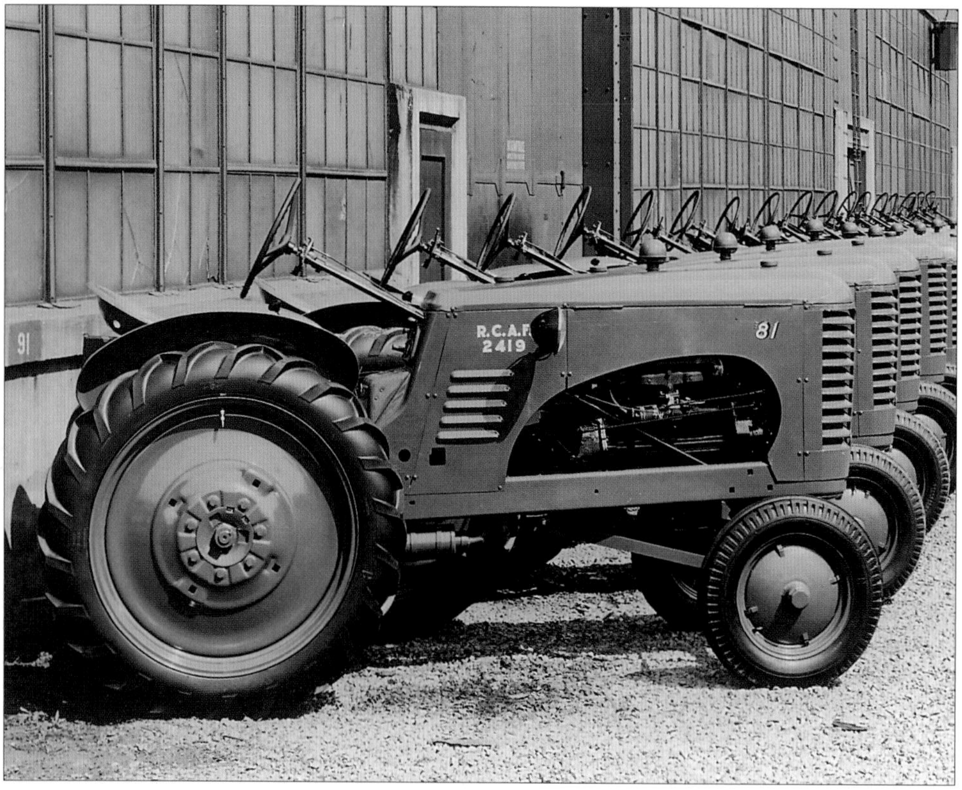

Especificaciones

Fabricante: Massey-Harris Co.
Procedencia: Racine, Wisconsin (EE. UU.)
Modelo: 81
Tipo: uso general
Motor: cuatro cilindros
Potencia: 26 CV (19,24 kW) (máxima)
Transmisión: caja de cambios de cuatro velocidades
Peso: 1.314 kg
Año de fabricación: 1941

Arriba: *En esta imagen publicitaria de Massey-Harris publicada durante la guerra se muestra una hilera de tractores del modelo 81 esperando a ser entregados a la Real Fuerza Aérea Canadiense.*

La fabricación del modelo 81 se inició en 1941, y fueron tiempos difíciles para Massey-Harris, al igual que para otras compañías de América del Norte y Europa. Además de intentar mantener los niveles de producción para los tractores y los equipos agrícolas, las fábricas Massey-Harris estaban fabricando una amplia gama de equipos para el ejército, como tanques, fusiles, alas para los aviones Mosquito y 50.000 carrocerías de vehículos blindados que el ejército británico utilizaría en la campaña en África del Norte.

Características de diseño

El 81 estaba disponible con ruedas normales y con ruedas especiales para el cultivo en hileras. Massey-Harris decidió utilizar un motor Continental de cuatro cilindros con un diámetro de 7,62 cm y una carrera de 11,1 cm que generó 26 CV (19,4 kW) en la prueba de carga máxima que se realizó en Nebraska utilizando gasolina como combustible. La tracción máxima en la barra de enganche, un factor importante para el trabajo en el ejército del aire, era de 1.314,3 kg en primera. La velocidad máxima en cuarta era de 25,7 km/h y entre las prestaciones de serie del tractor 81 se incluían los neumáticos de caucho.

La fabricación de este tractor continuó a lo largo de la guerra y terminó en 1948, cuando Massey-Harris se encontraba en proceso de presentar una nueva gama de tractores.

OLIVER

⚒ **1944 Cleveland, Ohio (EE. UU.)**

OLIVER HG

La compañía Oliver adquirió en 1944 la Cleveland Tractor Co., que pasaba por problemas económicos, y también se quedó con la gama Cletrac de tractores oruga, además del pequeño tractor General. El General GG fue el primer tractor Cletrac con ruedas, pero también estaba disponible como tractor oruga con el sello HG, y fue esta versión la que pareció interesar a los nuevos propietarios.

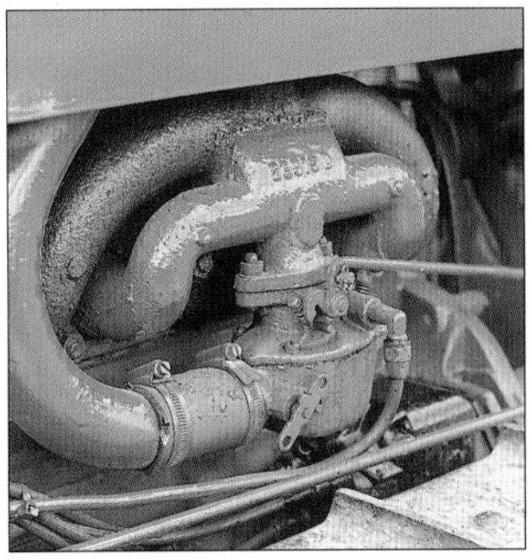

Arriba: *La compañía Oliver siguió utilizando un motor Hércules en el tractor oruga HG al adquirir la Cleveland Tractor Co. y hacerse cargo de la empresa.*

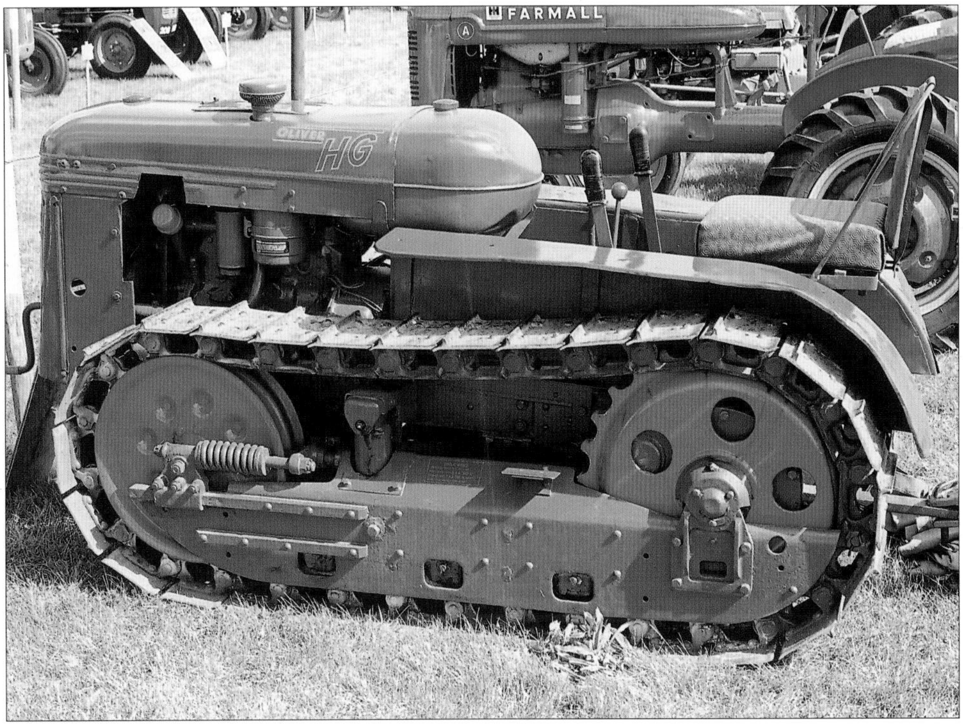

Derecha: *El tractor oruga HG realzó su imagen cuando pasó a formar parte de la gama de tractores de Oliver.*

Especificaciones

Fabricante: Oliver Corporation
Procedencia: Cleveland, Ohio (EE. UU.)
Modelo: HG
Tipo: tractor oruga
Motor: Hércules de cuatro cilindros
Potencia: 24,7 CV (18 kW) (máxima)
Transmisión: caja de cambios de tres velocidades
Peso: 1.899 kg
Año de fabricación: 1944

La fabricación del Cletrac General y el HG se había iniciado en 1939, de modo que ambos modelos estaban relativamente actualizados cuando Oliver se hizo cargo de la empresa en 1944.

Nuevo modelo

Los nuevos propietarios dotaron al tractor oruga de un nuevo color más elegante y lo comercializaron con el nombre de Oliver HG, aunque mecánicamente seguía siendo similar a las últimas versiones del Cletrac HG, ya que contaba con el mismo motor Hércules de cuatro cilindros y culata en forma de L. El diámetro interior era de 8,2 cm y la carrera, de 10,1 cm y alcanzaba una potencia máxima de 24,7 CV (18 kW).

Peso

También heredó de la versión Cletrac una caja de cambios de tres velocidades con una velocidad máxima de 8 km/h, aunque en algún momento durante la transición de Cletrac a Oliver el tractor HG aumentó de peso y pasó de los 1.592 kg de la versión anterior a 1.899 kg cuando hizo su aparición como tractor de la compañía Oliver.

No se sabe con exactitud cuándo dejó Oliver de fabricar el HG, aunque probablemente fue tres años después. A pesar de la compra de Cletrac, los tractores oruga nunca fueron uno de los principales productos de la gama de vehículos de Oliver y la compañía fue absorbida en 1960, cuando pasó a formar parte de White Motors.

FORDSON

✕ 1945   Dagenham, Essex (Inglaterra)

FORDSON E27N MAJOR

Considerando que el E27N fue sólo un modelo provisional con un motor que tenía casi 30 años, tuvo un éxito extraordinario. Los ingenieros de la fábrica Ford en Dagenham ya estaban trabajando en un proyecto mucho más ambicioso y todavía pasarían varios años hasta que empezara a fabricarse. Mientras tanto, la compañía necesitaba un nuevo modelo para colocar en la cadena de montaje.

La respuesta fue el Fordson Major, con un nuevo diseño y ruedas de mayor diámetro, que contribuían a hacerlo más grande e imponente que los tractores Fordson anteriores. También se cambió el color; esta vez se pasó del verde del modelo N que se utilizó durante la guerra a un color azul oscuro. Sin embargo, bajo esta nueva imagen había una estrecha relación entre el nuevo tractor y los más de 750.000 modelos Fordson F y N que se habían fabricado en Estados Unidos, Irlanda e Inglaterra desde 1917.

Características del motor

Aunque el motor estaba basado en el del modelo F, de 1917, el aumento del régimen de giro a 1.450 r. p. m. contribuía a incrementar la potencia hasta 28,5 CV (21 kW) para la versión de gasolina/parafina. El principal cambio mecánico del Major fue la supresión de la transmisión final de engranaje helicoidal, una mejora importante, ya que la transmisión anterior era costosa de fabricar, y el nuevo engranaje de dientes rectos era más eficaz y absorbía menos potencia.

Arriba: *La mayoría de los componentes principales del Fordson E27N Major procedían del modelo N y también del modelo F.*

El Major también incluía un nuevo embrague de disco único y el filtro de aire anterior fue reemplazado por un diseño cilíndrico más eficaz. Mediante una taza de vidrio para sedimentos se podía comprobar si había entrado suciedad en el combustible y el motor estaba equipado con una corona dentada que permitía incoporar un motor de arranque. Los frenos de dirección venían de serie, excepto en las versiones más económicas.

Otros avances

Otros avances importantes del periodo de fabricación del Major fueron la incorporación de una conexión articulada de tres puntos accionada hidráulicamente. El Major también fue el primer tractor Fordson equipado con un motor diésel de fábrica. Ya se estaba trabajando en un motor diésel Ford, pero no estuvo listo para el Major, de modo que Ford utilizó un motor Perkins P6 con una potencia de 45 CV (33,5 kW).

El nuevo Fordson hizo su aparición cuando la demanda de tractores era cada vez mayor, tanto en el Reino Unido como en otros países, y el Major obtuvo rápidamente fama de ser un tractor fiable.

En 1948 se obtuvo un récord de producción con más de 50.000 tractores Fordson Major fabricados. Este modelo se siguió fabricando hasta el lanzamiento del nuevo modelo a finales de 1951.

Especificaciones

Fabricante: Ford Motor Co.
Procedencia: Dagenham, Essex (Inglaterra)
Modelo: Fordson E27N Major
Tipo: uso general
Motor: cuatro cilindros
Potencia: 28,5 CV (21 kW)
Transmisión: caja de cambios de tres velocidades
Peso: 2.085 kg (con ruedas de acero)
Año de fabricación: 1945

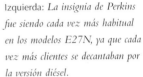

Izquierda: *La insignia de Perkins fue siendo cada vez más habitual en los modelos E27N, ya que cada vez más clientes se decantaban por la versión diésel.*

Arriba: *La atractiva ilustración que aparecía en la portada del catálogo comercial del Fordson E27N Major.*

OPPERMAN
1946   Borehamwood, Hertfordshire (Inglaterra)

MOTOCARRO OPPERMAN

El motocarro fue diseñado en 1945 por un agricultor. Decidió que un pequeño vehículo para transportar cargas por terrenos abruptos superaría en rendimiento al carro tirado por caballos que utilizaba.

Un prototipo fabricado en el taller de la granja tuvo tanto éxito que llevó la idea a S E Opperman, una compañía de ingeniería que estaba fabricando garras o mordazas especiales para los neumáticos con el fin de mejorar la tracción de los tractores en condiciones difíciles. Opperman perfeccionó el diseño, lo denominó motocarro y empezó a fabricarlo en 1946.

Diseño

El diseño era ingenioso, con una única rueda de gran diámetro en la parte delantera que proporcionaba la tracción y la dirección necesarias, además de un pequeño motor refrigerado por aire en el lado exterior de la rueda delantera. Las pequeñas ruedas traseras llevaban frenos de tambor, y el conductor se colocaba cerca de la parte delantera del vehículo, entre la rueda delantera y el compartimento de carga trasero.

Un motor de cuatro tiempos de un cilindro proporcionaba unos 8 CV (6 kW) para impulsar la rueda delantera. La potencia se transmitía mediante un juego de cadena y piñón a un embrague de disco único y una compacta caja de cambios de cuatro velocidades proporcionaba una velocidad máxima de 17,7 km/h en carretera.

Tenía una capacidad de carga de 1,52 toneladas y se presentaba en una variedad de carrocerías. El ritmo de transporte era tres veces más rápido que el que se obtenía con un carro tirado por caballos.

Arriba: *La compañía Opperman adoptó la idea inicial de diseñar un tractor para el transporte en las granjas y fabricó el motocarro.*

Especificaciones

Fabricante: S E Opperman
Procedencia: Borehamwood, Hertfordshire (Inglaterra)
Modelo: motocarro
Tipo: tractor de transporte
Motor: un cilindro refrigerado por aire
Potencia: 8 CV (6 kW)
Transmisión: caja de cambios de cuatro velocidades
Peso: 1.500 kg
Año de fabricación: 1946

BEAN

1946 **Brough, Yorkshire (Inglaterra)**

PORTAHERRAMIENTAS BEAN

Abajo: *Un agricultor de Yorkshire diseñó el portaherramientas Bean, con una amplia gama de aperos especiales para el cultivo en hileras.*

Fue diseñado por el señor Bean, un agricultor de Yorkshire. Construyó el primero para su propio uso hacia 1945, y cuando suscitó el interés de otros agricultores, fabricó más portaherramientas para venderlos en la localidad.

Especificaciones

Fabricante: Humberside Agricultural Products
Procedencia: Brough, Yorkshire (Inglaterra)
Modelo: Bean
Tipo: portaherramientas
Motor: Ford de cuatro cilindros
Potencia: 8 CV (6 kW)
Transmisión: caja de cambios de tres velocidades
Peso: 610 kg
Año de fabricación: 1946

Cuando aumentó la demanda, el señor Bean dispuso que la compañía Humberside Agricultural Products se encargara de la producción en 1946, que continuó fabricándolo unos 10 años.

Dos versiones

El portaherramientas estaba disponible en versiones de tres y cuatro ruedas, pero el modelo de tres ruedas fue el más popular. Ambas versiones estaban basadas en un bastidor de acero rectangular con dos grandes ruedas motrices en la parte posterior; la versión de tres ruedas tenía una sola rueda en la parte delantera con dirección por palanca de mano. Un motor Ford industrial de 8 CV (6 kW) montado sobre las ruedas traseras estaba conectado a una caja de cambios Ford de tres velocidades. El asiento del conductor ofrecía una visión casi ininterrumpida del terreno y de los aperos y se podían fijar azadones o rastrillos ligeros en la parte trasera del bastidor.

Los portaherramientas Bean se utilizaron para cultivos de hortalizas en grandes extensiones de terreno, aunque también eran populares para controlar las malas hierbas en la remolacha azucarera. Además de máquinas cultivadoras entre hileras y azadones, podían acoplarse un fumigador, una sembradora de seis surcos para plantar semillas de legumbres y un distribuidor de fertilizante.

ALLIS-CHALMERS
✖ **1947   Milwaukee, Wisconsin (EE. UU.)**

ALLIS-CHALMERS MODELO G

El objetivo de la mayoría de fabricantes es que sus tractores sean lo más versátiles posible para tener las máximas posibilidades de venta. Sin embargo, cuando Allis-Chalmers estaba desarrollando el modelo G, su objetivo era producir una máquina diseñada para una gama de trabajos muy específica.

Especificaciones

Fabricante: Allis-Chalmers

Procedencia: Milwaukee, Wisconsin (EE. UU.)

Modelo: G

Tipo: portaherramientas

Motor: cuatro cilindros

Potencia: 8 CV (6 kW)

Transmisión: caja de cambios de cuatro velocidades

Peso: 636 kg

Año de fabricación: 1947

El modelo G era un tractor portaherramientas, diseñado para trabajar con azadones y otros aperos montados en la parte central o posterior, normalmente en tareas relacionadas con el cultivo en hileras. Para este tipo de trabajo se requería un amplio espacio para los equipos montados en la parte central y una visibilidad excelente que permitiera una dirección precisa entre las hileras de plantas, además de un peso ligero que minimizara el riesgo de causar la compactación del terreno.

Buena visibilidad
El modelo G cumplía con estos requisitos, especialmente en lo que se refiere a la visibilidad desde el asiento del conductor. El motor, montado en la parte posterior del tractor, contribuía a una mejor

visibilidad delantera e incluso el volante tenía forma de círculo incompleto, ya que tenía un espacio que evitaba que se creara un punto ciego. Con sólo 636 kg de peso, era un tractor ligero, aunque también estaba bien equipado. La potencia generada por un motor Continental refrigerado por agua era de sólo 8 CV (6 kW), la caja de cambios de cuatro velocidades incluía una marcha en primera especialmente baja de 2,5 km/h que se utilizaba con equipos de precisión que circulaban a poca velocidad, como los transplantadores.

Otra importante característica para los trabajos de cultivo en hileras era una amplia selección de ajustes de las vías de las ruedas, y el tractor modelo G disponía de ocho anchuras distintas, de 1,21 a 1,62 m, para las ruedas delanteras y traseras.

Arriba: *Allis-Chalmers se incorporó al mercado de los vehículos portaherramientas con el modelo G equipado con un motor de 8 CV (6 kW) que se fabricó en Estados Unidos y Francia.*

DAVID BROWN

✖ **1947   Meltham, Yorkshire (Inglaterra)**

DAVID BROWN CROPMASTER

Aunque el Cropmaster parecía básicamente similar al modelo VAK 1A al que reemplazaba, había importantes diferencias entre los dos tractores, como el total de vehículos producidos, que se reducía a 3.500 en el caso del VAK 1A en comparación con los casi 60.000 del Cropmaster.

Derecha: David Brown presentó su primer motor diésel en 1949 y lo utilizó para dotar al Cropmaster de una potencia de 34 CV (25,3 kW).

Arriba: El primero de la nueva serie de tractores Cropmaster fue un gran avance en la gama de tractores David Brown y reemplazó al anterior modelo VAK 1A.

Especificaciones

Fabricante: David Brown Tractors

Procedencia: Meltham, Yorkshire (Inglaterra)

Modelo: Cropmaster

Tipo: uso general

Motor: cuatro cilindros

Potencia: 35 CV (26 kW) (máximo)

Transmisión: caja de cambios de seis velocidades

Peso: 1.500 kg

Año de fabricación: 1947

David Brown empezó a fabricar la serie Cropmaster en 1947 ofreciendo un modelo de prestaciones estándar y una versión de gama alta denominada 4S. Los primeros modelos de producción estaban equipados con un motor David Brown de gasolina/parafina que desarrollaba un máximo de 35 CV (26 kW), aunque en 1949 el nuevo motor diésel David Brown se incorporó a la lista de prestaciones opcionales, lo que incrementó la popularidad del tractor.

Nuevo motor

El motor diésel pertenecía a la nueva generación de arranque fácil y alta velocidad que estaba revolucionando la mecanización agrícola en el Reino Unido. Tenía una potencia de 34 CV (25,3 kW) a 1.800 r. p. m. y, al igual que los motores de Perkins y Ford, ofrecía nuevos estándares de reserva de par y economía de combustible.

Principales atractivos de venta

Otra importante prestación de los nuevos Cropmasters era la caja de cambios de doble relación que proporcionaba seis velocidades hacia delante y dos hacia atrás. Inicialmente era una prestación opcional, aunque en menos de dos años se había convertido en una prestación de serie, al igual que el asiento para dos personas. Entre las versiones posteriores se incluyen los modelos 25 y 25D disponibles a partir de 1953.

FERGUSON

⚒ **1946   Coventry, Warwickshire (Inglaterra)**

FERGUSON TE-20

Cuando el tractor Ford 9N, fabricado en Estados Unidos con sistema Ferguson hidráulico y enganche posterior, demostró ser un éxito total, Harry Ferguson esperaba que Ford ampliase la producción a la fábrica de Dagenham, Inglaterra.

No se sabe exactamente por qué no sucedió. Es probable que fuera debido a problemas de tipo práctico derivados de cambiar la producción en plena guerra, aunque otra posibilidad es que los directores de Ford en Dagenham fueran reacios a implicar a Ferguson, que –para bien o para mal– tenía fama de ser una persona con la que era difícil trabajar, de modo que al terminar la Segunda Guerra Mundial el tractor modelo N fue sustituido por el Fordson E27N Major.

Ferguson y Standard

Harry Ferguson se dio cuenta de que tendría que hacer sus propios arreglos para fabricar un tractor con el sistema Ferguson en Inglaterra y, posteriormente, firmó un contrato con la Standard Motor Company, una de las compañías de fabricación de automóviles más importantes. Standard era una buena elección, ya que disponía de espacio libre en su fábrica de Banner Lane en Coventry y también tenía una buena reputación

Superior: El sistema Ferguson de conexión articulada de tres puntos en la parte posterior de un tractor de la serie TE de la fábrica de Banner Lane.

Arriba: Los tractores Ferguson se produjeron en la fábrica de Banner Lane, cerca de Coventry, bajo un convenio con Standard Motor Co., que se encargó de fabricarlos.

por su calidad. El convenio fue básicamente similar a los acuerdos que Ferguson había establecido anteriormente con David Brown y Henry Ford. Ferguson controlaba el diseño y la comercialización, mientras que su socio proporcionaba la fábrica y se encargaba de la producción.

Producción

La producción a pequeña escala se inició a finales de 1946 con el Ferguson TE-20, que tenía un gran parecido con el tractor Ford 9N fabricado en Estados Unidos; ambos compartían el color gris plomo y un diseño similar. Las principales diferencias eran una caja de cambios de cuatro velocidades y el motor de válvulas en culata, que durante los primeros dos años de fabricación del TE fue suministrado por Continental. Este motor tenía una capacidad de 1.966 cm³ y una potencia máxima de 24 CV (17,8 kW).

Para sustituir al motor Continental se utilizó otro motor de tamaño y potencia similares fabricado por Standard y que también fue adoptado para equipar a los automóviles, furgonetas y camionetas de reparto Standard Vanguard. Cuando se añadió un modelo diésel a la serie TE en 1951, Ferguson optó por un nuevo motor diseñado por Standard al que llamó TE-F20.

Nuevos avances

Se firmó un acuerdo para fabricar tractores Ferguson en Francia, donde el Ferguson de fabricación nacional superó rápidamente al Renault como el tractor más vendido. El mayor proyecto en el extranjero se llevó a cabo en Estados Unidos, donde la decisión de Ford de dejar de suministrar tractores a la compañía de comercialización norteamericana de Harry Ferguson lo dejó con una gran red de distribución pero sin tractores que vender. Ferguson pudo suministrar tractores de la serie TE fabricados en Inglaterra mientras establecía una nueva fábrica en Detroit.

El tractor Ferguson fabricado en Estados Unidos se denominó TO-20. Aunque estaba basado en el diseño del TE, el TO-20 estaba equipado con un motor Continental y una serie de componentes fabricados en Estados Unidos.

Especificaciones

Fabricante: Standard Motor Co.
Procedencia: Coventry, Warwickshire (Inglaterra)
Modelo: Ferguson TE-20
Tipo: uso general
Motor: cuatro cilindros
Potencia: 24 CV (17,8 kw) (máxima)
Transmisión: caja de cambios de cuatro velocidades
Peso: 1.117 kg
Año de fabricación: 1946

Abajo: *Éste fue el primer tractor de la serie TE que se fabricó en Banner Lane. Se utilizó como medio de transporte en la fábrica, aunque posteriormente fue restaurado y se exhibió en el museo.*

FERGUSON

1946 Coventry, Warwickshire (Inglaterra)

ANTARCTIC FERGUSONS

La mayoría de tractores se utilizaban para trabajar en granjas familiares. Sin embargo, tres tractores Ferguson formaban parte de una serie de 12 tractores Ferguson que se enviaron a la Antártida para ser utilizados en tareas de transporte en las bases británicas y de Nueva Zelanda en la década de 1950.

Izquierda: Las cabinas de los tractores Ferguson de la serie TE que se enviaron a la Antártida se fabricaron en el campamento base británico para proteger a los conductores de las temperaturas extremadamente bajas. Uno de los tractores de la expedición polar regresó más tarde al Reino Unido y ahora se exhibe en la fábrica Banner Lane, donde se fabricó.

Especificaciones

Fabricante: Standard Motor Co.
Procedencia: Coventry, Warwickshire (Inglaterra)
Modelo: Ferguson TE-20
Tipo: uso general
Motor: cuatro cilindros
Potencia: 28 CV (20,7 kW)
Transmisión: caja de cambios de cuatro velocidades
Peso: 1.144 kg
Año de fabricación: 1946

Parte del programa de investigación y exploración correspondiente a 1957/58 incluía que un equipo dirigido por sir Edmund Hillary realizara un viaje de 1.931 km al Polo Sur. Además de los tres tractores Ferguson, el equipo también utilizó vehículos diseñados para viajar sobre el hielo y la nieve, aunque tuvieron que ser abandonados por problemas mecánicos y fueron los tres tractores los que completaron el viaje a pesar de hacer frente a durísimas condiciones climatológicas.

Soportaron temperaturas bajísimas de -55 °C y capas de nieve con una profundidad de 60 cm. También cruzaron una meseta de 3.048 m donde la altitud redujo la potencia del motor en más de un 40%. Durante un tramo del viaje, los tractores se ataron unos a otros para evitar que alguno cayera por alguna grieta profunda.

Los Ferguson que viajaron a la Antártida eran modelos con motores de gasolina estándar y entre las modificaciones que se incorporaron destacan el cableado eléctrico con un aislamiento especial para el frío, baterías diseñadas para resistir las bajas temperaturas y frenos impermeabilizados, así como orugas y semiorugas. Las cabinas para resguardarse de las inclemencias del tiempo se colocaron una vez que llegaron a la Antártida.

JOHN DEERE
1947   Dubuque, Iowa (EE. UU.)

JOHN DEERE MODELO M

El primer modelo completamente nuevo que fabricó John Deere tras la guerra fue el M, que se presentó en 1947 y que sustituía a los modelos L, LA y H. Fue el primer tractor que se fabricó en la nueva fábrica de Dubuque (Iowa).

Derecha: Éste es el modelo M de cuatro ruedas, aunque también se fabricaba en versiones de tipo oruga, industrial y para cultivo en hileras.

Arriba: *Este tractor pertenece a una serie de modelos M de tipo industrial que se pintaron con un color especial en la fábrica de John Deere para que cumplieran con los requisitos específicos de un cliente.*

Especificaciones

Fabricante: Deere & Co.

Procedencia: Dubuque, Iowa (EE. UU.)

Modelo: M

Tipo: uso general

Motor: dos cilindros verticales

Potencia: 18,2 CV (13,5 kW)

Transmisión: caja de cambios de cuatro velocidades

Peso: 1.223 kg

Año de fabricación: 1947

El M continuó con la tradición de John Deere de equipar a sus tractores con motores de dos cilindros, aunque esta vez los cilindros estaban colocados verticalmente, como en los modelos L y LA. El cilindro tenía un diámetro y una carrera de 10,1 cm, lo que convertía al modelo M en uno de los pocos tractores John Deere equipados con un motor bicilíndrico de tipo cuadrado. Tenía una potencia de 13,5 kW y un régimen de giro de 1.650 r. p. m.

Equipamiento

Para ser un tractor pequeño fabricado a mediados de la década de 1940, el modelo M estaba bien equipado. Incluía una toma de fuerza y un arranque eléctrico, y la caja de cambios disponía de cuatro velocidades hacia delante. El modelo M también fue el primer tractor John Deere que utilizó el nuevo sistema hidráulico Touch-O-Matic que controlaba los aperos montados. Una versión posterior, conocida como Dual Touch-O-Matic, también incluía un control adicional para nivelar el equipo montado.

Los tractores M estaban disponibles en diferentes versiones, como el modelo industrial MI y el MT, que disponía de ruedas delanteras individuales, dobles o ajustables. También había un modelo oruga, denominado MC, que se fabricó en la anterior fábrica Lindeman y se ofrecía con vías de 25,4; 30,4 o 35,5 cm de ancho.

FORD

1947 **Dearborn, Michigan (EE. UU.)**

FORD 8N

Henry Ford siguió dirigiendo el enorme imperio que había creado hasta 1945, cuando, a la edad de 82, entregó el mando a su nieto, Henry Ford II. A medida que la influencia de Henry Ford declinaba, su asociación con Harry Ferguson también entró en su fase final.

En 1945 Ford estaba sufriendo pérdidas y era necesario tomar decisiones drásticas para ponerles freno. Una de las decisiones que se tomaron fue dar por terminado el acuerdo entre Henry Ford y Harry Ferguson. El acuerdo había producido los tractores 9N y 2N, fabricados por Ford, que incorporaban los componentes hidráulicos del sistema Ferguson, pero comercializados por una compañía controlada por Ferguson.

Acciones legales

Las operaciones con tractores realizadas por Ford en Estados Unidos eran un área problemática identificada durante la revisión financiera del periodo 1945-1946, y a finales de 1946 Henry Ford II anunció que Ford dejaría de proporcionar tractores a la compañía de comercialización de Ferguson seis meses después de notificarles dicha decisión y que los tractores 9N/2N serían reemplazados por un nuevo modelo.

Esta decisión hizo que Harry Ferguson emprendiera acciones legales y demandara a la compañía Ford por daños y perjuicios y violación de la patente en una demanda en la que participaron 200 abogados y se utilizaron más de un millón de documentos. El resultado favoreció a

Superior: *El nuevo tractor 8N tenía un ligero parecido con el anterior modelo 9N y también incluía todas las conexiones y mecanismos hidráulicos del sistema Ferguson.*

Arriba: *El lanzamiento del Ford 8N hizo que la asociación entre Ford y Ferguson tuviera un amargo final y se emprendieran unas costosas acciones legales.*

Ferguson, aunque obtuvo menos de 10 millones de dólares, en lugar de los 340 que reclamaba.

Otro resultado de las acciones legales fue un acuerdo para realizar cambios de diseño en el nuevo tractor Ford y no infringir las patentes de Ferguson. El nuevo tractor fue el Ford 8N, presentado en julio de 1947 para sustituir al 9N/2N y que ofrecía más de 20 mejoras en el diseño.

El 8N se empezó a fabricar con el sistema Ferguson hidráulico de enganche posterior, que luego se modificó tras el fallo del tribunal. Sin embargo, el acabado en gris fue reemplazado por los colores gris pálido y rojo. Además, la caja de cambios de tres velocidades especificada por Harry Ferguson para el modelo anterior se sustituyó por una versión de cuatro velocidades.

Éxito

A pesar de las acciones legales y las modificaciones, el 8N fue uno de los mayores éxitos en la industria del tractor. Su producción alcanzó un máximo de más de 100.000 tractores al año en 1948 y 1949. El único tractor que ha superado la barrera de 100.000 vehículos fabricados en un año ha sido el Fordson modelo F de Henry Ford; sin embargo, Harry Ferguson también consiguió la misma distinción al combinar las cifras totales de producción de los tractores de la serie TE fabricados en Gran Bretaña y los modelos TO equivalentes fabricados en Estados Unidos.

El Ford 8N se fabricó hasta 1953, cuando apareció el nuevo tractor NAA como parte de las celebraciones del 50 aniversario de Ford.

Especificaciones

Fabricante: Ford Motor Co.	**Potencia:** 21 CV (15,5 kW) (máxima)
Procedencia: Dearborn, Michigan (EE. UU.)	**Transmisión:** caja de cambios de cuatro velocidades
Modelo: 8N	**Peso:** 1.230 kg
Tipo: uso general	**Año de fabricación:** 1947
Motor: cuatro cilindros	

Izquierda: *Esta fotografía publicitaria de los archivos de Ford muestra los tractores Ford 8N en la etapa final de la cadena de montaje en la fábrica que Ford tenía en Dearborn (Michigan).*

MARSHALL
✂ **1947   Gainsborough, Lincolnshire (Inglaterra)**

FIELD MARSHALL SERIE II

Hace 50 años, el singular sonido del tubo de escape de un tractor Field Marshall equipado con un motor de un cilindro era habitual en muchas granjas británicas y los tractores fueron todo un éxito para la compañía Marshall.

Especificaciones

Fabricante: Marshall Sons & Co.
Procedencia: Gainsborough, Lincolnshire (Inglaterra)
Modelo: Field Marshall serie II
Tipo: uso general
Motor: diésel de dos tiempos y un cilindro
Potencia: 40 CV (30 kW)
Transmisión: caja de cambios de tres velocidades
Peso: 5.550 kg
Año de fabricación: 1947

La primera versión del Marshall con su motor de un cilindro formaba parte de un grupo de tractores diésel que participaron en las Pruebas Mundiales que se celebraron cerca de Oxford en 1930. Aunque participaron cinco tractores en la categoría diésel, el Marshall fue uno de los que se mantuvo en producción durante la década de 1930 y aún estaba disponible al acabar la guerra.

Serie I y II
El interés por los tractores diésel aumentó durante la guerra, y esto ayudó a incrementar la demanda del tractor Marshall, ahora conocido como Field Marshall. El nuevo modelo de la serie I anunciado en 1945 mantuvo el mismo motor diésel horizontal de dos tiempos, como el modelo M fabricado antes de la guerra, y presentaba un pesado volante de inercia externo para regular el el motor de un cilindro. La potencia era de 40 CV (30 kW) con un régimen de giro de 750 r. p. m., mientras que el del modelo M era de 700 r. p. m.

Los Field Marshall de la serie II estuvieron disponibles a partir de 1947 con una transmisión más potente, mejoras en los frenos y un embrague más grande. La nueva versión también estaba equipada con neumáticos traseros más grandes y un asiento más cómodo. También había un modelo de altas prestaciones para contratistas que ofrecía una mayor velocidad en carretera y que incluía luces entre sus prestaciones de serie.

Arriba: El motor de un cilindro de los tractores Field Marshall desempeñó un papel significativo en el aumento de la popularidad de los motores diésel en las granjas del Reino Unido.

MASSEY-HARRIS
1948 Manchester (Inglaterra)

MASSEY-HARRIS 744D

El tractor 44K fabricado en Estados Unidos fue el modelo elegido por Massey-Harris cuando empezó a fabricar en el Reino Unido, donde se conoció en un principio como el 744PD. Todos los productos Massey-Harris fabricados en Gran Bretaña en aquella época se identificaban por un 7 que se añadía delante del número del modelo. Las letras PD eran la abreviatura de Perkins diésel.

Derecha: Massey-Harris eligió un motor Perkins diésel para la versión fabricada en Gran Bretaña de su modelo 44, antes 744PD.

Arriba: Esta vista frontal del Massey-Harris 744PD muestra la característica insignia Perkins que indica que está equipado con un motor diésel P6.

Especificaciones

Fabricante: Massey-Harris
Procedencia: Manchester (Inglaterra)
Modelo: 744PD
Tipo: uso general
Motor: diésel de seis cilindros
Potencia: 46 CV (34 kW)
Transmisión: caja de cambios de cinco velocidades
Peso: 2.339 kg
Año de fabricación: 1948

Massey-Harris decidió estandarizar los motores diésel en su tractor fabricado en Gran Bretaña y, dado que su propio motor diésel todavía no estaba disponible cuando se inició la producción en la fábrica de Manchester en 1948, eligió el motor Perkins P6 de seis cilindros con una potencia de 46 CV (34 kW).

Ventas decepcionantes

La combinación del tractor MH 44 con una magnífica caja de cambios de cinco velocidades, además de un excelente motor P6, debería haber sido un éxito, pero las ventas fueron decepcionantes.

Después de que la primera serie piloto de 16 tractores se hubiera ensamblado en la fábrica de Manchester, Massey-Harris transfirió la producción a su nueva planta de tractores y maquinaria en Kilmarnock (Escocia), y en esta etapa parece que el número del modelo se simplificó a 744D.

En 1954, un año después de que Massey-Harris comprara la empresa de tractores de Harry Ferguson, el 744D dejó de fabricarse tras haber producido 17.000 tractores en seis años. Fue sustituido por el nuevo modelo 745 equipado con un motor Perkins L4, que ofrecía más potencia y utilizaba menos combustible que el P6.

URSUS

1947   Ursus, Varsovia (Polonia)

URSUS C45

Los tractores Ursus hicieron su aparición a principios de la década de 1920 y el primer modelo era una copia del tractor Titan 10-20 de International Harvester fabricado bajo un convenio de licencia. La producción de tractores era una de las prioridades en la reconstrucción de la industria polaca tras la guerra y la fábrica Ursus empezó a fabricar tractores de nuevo en 1947.

Arriba: *Una de las prestaciones destinadas a proporcionar una mayor comodidad al conductor que ofrecía el Ursus C45 fabricado en Polonia era un asiento completamente acolchado montado sobre un muelle helicoidal.*

El tractor de 1947 fue el C45 y, como puede verse en las fotografías, era idéntico al Lanz Bulldog. De hecho, los dos tractores son tan similares que las piezas de repuesto del Bulldog se pueden utilizar en un tractor Ursus.

Motor de bulbo incandescente

El C45 fue el resultado de otro convenio de licencia y el anticuado diseño del Bulldog fue una visión habitual en las granjas polacas. Presentaba el habitual motor de bulbo incandescente Lanz o semidiésel y la versión estándar disponía del habitual soplete para calentar la culata del cilindro, mientras que el volante con montura de madera hacía la doble función de manivela de arranque para hacer funcionar el motor del tractor.

Los clientes que no deseaban esperar 20 minutos para poner en marcha el motor en frío disponían de un arranque eléctrico opcional. Este sistema utilizaba una bobina ruptor que generaba

Arriba, izquierda: *Esta fotografía del tractor Ursus C45 equipado con un motor semidiésel muestra el gran parecido que tenía con un tractor Lanz.*

la chispa que encendía la gasolina, y el motor funcionaba con gasolina hasta que la culata del cilindro estaba suficientemente caliente para seguir funcionando con gasóleo o parafina.

El sistema de gasolina/eléctrico aceleraba el proceso de arranque pero no evitaba la posibilidad de que el motor funcionara marcha atrás, una característica de los motores semidiésel. En el caso del C45 significaba que las cuatro velocidades hacia delante y la marcha atrás se convertían en cuatro velocidades hacia atrás y una hacia delante.

Comodidad del conductor

El C45 muestra algunos indicios de que la comodidad del conductor estaba empezando a tenerse en cuenta en el de diseño de los tractores. El asiento del tractor C45 estaba colocado sobre un muelle helicoidal que permitía realizar movimientos verticales y estaba acolchado, aunque el acolchado que se muestra en la fotografía no es el original. El puesto de conducción también se había desplazado, lo que permitía una mejor visibilidad delantera y además dejaba más espacio para subir al tractor; la prestación más sorprendente para la comodidad del conductor era la suspensión de ballesta bajo el eje delantero para una conducción más suave.

El Ursus C45 siguió fabricándose hasta bien entrada la década de 1950, cuando hicieron su aparición diseños más modernos; sin embargo, se mantuvo la política de basar los nuevos modelos en la tecnología de importación que se había iniciado con el Titan y el Bulldog. La compañía Ursus y la compañía de tractores Zetor de Checoslovaquia estuvieron muy relacionadas y durante los años ochenta Massey Ferguson proporcionó los conocimientos técnicos necesarios para construir una nueva fábrica de Ursus, donde se fabricaron algunos modelos MF y motores Perkins bajo licencia.

Abajo: Una enorme ballesta montada transversalmente bajo el eje delantero del Ursus C45 contribuía a proporcionar una mayor comodidad al conductor.

Especificaciones

Fabricante: Ursus

Procedencia: Ursus, Varsovia (Polonia)

Modelo: C45

Tipo: uso general

Motor: semidiésel

Potencia: 45 CV (33,3 kW)

Transmisión: caja de cambios de cuatro velocidades

Peso: n. d.

Año de fabricación: 1947

COUNTY

1948 **Fleet, Hampshire (Inglaterra)**

COUNTY FULL TRACK

La estrecha relación entre County Commercial Cars y la Ford Motor Company se inició en 1929, cuando County produjo su primera conversión de un camión. Era una versión de seis ruedas del chasis de la serie AA de Ford.

Especificaciones

Fabricante: County Commercial Cars

Procedencia: Fleet, Hampshire (Inglaterra)

Modelo: CFT

Tipo: tractor oruga

Motor: cuatro cilindros

Potencia: 45 CV (33,3 kW) (versión diésel)

Transmisión: caja de cambios de tres velocidades

Peso: n. d.

Año de fabricación: 1948

Arriba: *Se recuerda a la compañía County por sus conversiones de tractores Ford en vehículos con tracción a las cuatro ruedas, aunque el tractor oruga CFT fue su primer éxito de ventas.*

La primera incursión de County en el mercado del tractor se produjo en 1948 cuando utilizó un tractor Fordson Major como base del County Full Track, que después se abrevió a CFT. Combinaba las ventajas de los tractores oruga con la fiabilidad y la posibilidad de disponer de piezas de repuesto del Fordson en todo el mundo. La combinación tuvo tanto éxito que el CFT fue el inicio de los futuros avances de County como fabricante de tractores especializados.

Características de diseño

La anchura de vías estándar del CFT era de 30,48 cm, lo que proporcionaba una presión de unos 0,3 bares sobre el terreno, aunque más tarde se ofrecieron anchuras alternativas. Una característica especial del diseño de las orugas del County era que tenía una rueda delantera y engranaje motriz elevados, lo que mejoraba el rendimiento en terrenos abruptos y reducía el ángulo de movimiento de las placas de la oruga para minimizar el desgaste y la tensión.

El diseño también elevó la altura de la oruga superior, lo que proporcionó al CFT un aspecto muy característico, aunque también dificultó el ascenso del tractorista al asiento del conductor.

El CFT se empezó a fabricar con el motor Fordson estándar, aunque luego fue reemplazado por el motor Perkins diésel del Major, que incrementó la potencia hasta los 45 CV (33,3 kW).

TURNER
⚒ **1949   Wolverhampton, Staffordshire (Inglaterra)**

TURNER «YEOMAN OF ENGLAND»

Cuando la Turner Manufacturing Company decidió incorporarse a la fabricación de tractores, creó un modelo de potencia media a un precio muy alto. El tractor empezó a fabricarse en 1949 y fue una de las atracciones estelares cuando se presentó en el Royal Show organizado por la Real Sociedad Agrícola de Inglaterra.

Derecha: El «Yeoman of England» de Turner fue un ambicioso intento de lanzar al mercado un tractor diésel de gama media con un precio elevado.

Arriba: Freeman Sanders diseñó el motor diésel para el tractor Turner utilizando un diseño de cuatro cilindros en V que sobresalía de los lados del compartimento del motor.

Especificaciones

Fabricante: Turner Manufacturing Co.

Procedencia: Wolverhampton, Staffordshire (Inglaterra)

Modelo: «Yeoman of England»

Tipo: uso general

Motor: diésel de cuatro cilindros en V

Potencia: 34 CV (25 kW)

Transmisión: caja de cambios de cuatro velocidades

Peso: n. d.

Año de fabricación: 1949

Por entonces era conocido simplemente como el tractor Turner y el nombre «Yeoman of England» de la placa de latón se añadió después. Una de las características era su motor diésel. En lugar de recurrir a uno de los fabricantes ya establecidos, Turner decidió fabricar su propio motor diésel. Fue diseñado por Freeman Sanders, un ingeniero que antes había sido el diseñador de motores para los tractores Fowler, donde presentó una nueva cámara de combustión que mejoraba el rendimiento del combustible y producía un funcionamiento más suave.

Su diseño para el motor Turner era poco habitual, ya que tenía cuatro cilindros dispuestos en pares en forma de V con un ángulo de 68 grados.

La capacidad del motor era de 3.271 cm³ y la potencia nominal, de 34 CV (25 kW). El motor sobresalía del compartimento para dar una sensación de potencia.

Pocas ventas

A pesar de contar con un motor que probablemente era bueno, el tractor Turner no consiguió alcanzar las ventas requeridas y el modelo dejó de fabricarse ocho años después. La demanda se vio afectada por problemas mecánicos en las primeras fases de producción. Además, el precio era excesivo y algunas prestaciones, como la toma de fuerza, el sistema hidráulico, los neumáticos de caucho y la polea de correa, no venían de serie.

JOHN DEERE
🔧 **1949   Waterloo, Iowa (EE. UU.)**

JOHN DEERE MODELO R

Cuando el primero de los tractores del modelo R empezó a ser expuesto por los concesionarios en 1949 fue un gran hito en la historia de los tractores John Deere. Fue el último de los nuevos modelos John Deere que se identificó mediante una letra del alfabeto. A partir de entonces se utilizaron números.

Arriba: *La mayoría de los tractores del modelo R estaban equipados con neumáticos de caucho, pero las ruedas traseras de esta versión con ruedas de acero llevan tacos especiales para el cultivo de arroz.*

Izquierda: *Esta vista en sección del modelo R muestra el motor diésel de dos cilindros y la caja de cambios de cinco velocidades, ambas prestaciones utilizadas por primera vez en un tractor John Deere.*

El modelo R también fue el primer tractor John Deere que incluyó una cabina de acero opcional y una caja de cambios de cinco velocidades. Fue el primer tractor John Deere fabricado en serie equipado con un motor diésel. John Deere había estado experimentando con los motores diésel desde los primeros años de la guerra y cuando el modelo R salió al mercado demostró ser uno de los mejores motores diésel. Su motor estableció un nuevo récord en economía de combustible en las pruebas de Nebraska, y era el más potente que se había colocado en un tractor John Deere fabricado en serie.

Características del motor

El nuevo motor mantuvo el diseño de dos cilindros horizontales, con un diámetro de 14,6 cm, una carrera de 20,3 cm y una potencia máxima de 51 CV (38 kW). Para arrancar el motor diésel, se incorporó un pequeño motor de gasolina con

un diseño de dos cilindros opuestos horizontalmente. El motor de gasolina compartía el mismo sistema de refrigeración que el de diésel, lo que significaba que el calor generado por el motor de arranque contribuía al calentamiento del motor diésel y facilitaba su puesta en funcionamiento.

Un pequeño motor eléctrico ponía en marcha el motor de gasolina, que funcionaba mediante las baterías del tractor. También estaba provisto de un arranque accionado manualmente como sistema auxiliar en caso de fallo. A pesar del complicado procedimiento de arranque, el rendimiento del motor del modelo R demostraba que John Deere se encontraba entre las principales compañías en el desarrollo de motores diésel para tractores agrícolas. La lista de prestaciones opcionales incluía una toma de fuerza independiente con un embrague separado para accionar el equipo propulsado.

En 1953 se obtuvo un récord de producción y al año siguiente el modelo R dejó de fabricarse.

Especificaciones

Fabricante: Deere & Co.
Procedencia: Waterloo, Iowa (EE. UU.)
Modelo: R
Tipo: uso general
Motor: diésel de dos cilindros
Potencia: 51 CV (38 kW)
Transmisión: caja de cambios de cinco velocidades
Peso: 3.452 kg
Año de fabricación: 1949

INTERNATIONAL HARVESTER

1949 Doncaster, Yorkshire (Inglaterra)

IH FARMALL BM

International Harvester construyó su primera fábrica en el Reino Unido en 1938, pero durante la guerra las instalaciones fueron requisadas para utilizarlas como fábrica de municiones. Tuvo que esperar hasta 1946 para recuperar el control y empezar a fabricar maquinaria para el mercado británico y la exportación.

Derecha: *La producción de tractores en la fábrica de International Harvester en Gran Bretaña se inició con el BM, la versión británica del Farmall M fabricado en Estados Unidos, que tuvo un gran éxito.*

Especificaciones

Fabricante: International Harvester Co.
Procedencia: Doncaster, Yorkshire (Inglaterra)
Modelo: BM
Tipo: uso general
Motor: cuatro cilindros
Potencia: 36,7 CV (27 kW)
Transmisión: caja de cambios de cinco velocidades
Peso: 2.540 kg
Año de fabricación: 1949

Las instalaciones de producción se ampliaron para incluir por primera vez la fabricación de tractores. El primer tractor que salió de la cadena de montaje en 1949 conducido por Tom Williams, el ministro de Agricultura de Gran Bretaña en aquellos años, fue un Farmall M.

El nuevo modelo era básicamente una versión fabricada en Gran Bretaña del modelo M que había estado disponible en Estados Unidos desde 1939, aunque más tarde se denominó BM para identificarlo como fabricado en Gran Bretaña.

El Farmall M estaba equipado con un motor de cuatro cilindros fabricado en Estados Unidos con válvulas en la culata y una capacidad de 4 litros. La potencia en la correa era de 36,7 CV (27 kW).

Versión diésel

En 1952 se incorporó a la línea de productos de Doncaster una versión diésel a la que se llamó BMD, y en 1953 los modelos BM y BMD sirvieron de base a los nuevos modelos BT6 y BTD6, los primeros tractores oruga que se fabricaron en Doncaster. La etapa final de la historia de los modelos BM y BMD llegó en 1953, cuando ambos se actualizaron, su nombre pasó a ser Super BM y Super BMD, y se incrementó su potencia.

BROCKHOUSE
✕ 1950 Southport, Lancashire (Inglaterra)

BMB PRESIDENT

A medida que el mercado del tractor se iba extendiendo por Gran Bretaña tras la guerra, un importante número de compañías se incorporaron al mercado de los tractores de pequeño tamaño. Muchos de los nuevos minitractores que se presentaron a finales de la década de 1940 y principios de la década de 1950 tuvieron poco éxito, pero el BMB President fue una de las pocas excepciones.

Especificaciones

Fabricante: Brockhouse
Engineering Co.
Procedencia: Southport, Lancashire
(Inglaterra)
Modelo: BMB President
Tipo: minitractor
Motor: Morris de cuatro cilindros
Potencia: 14 CV (10,4 kw)
Transmisión: caja de cambios
de tres velocidades
Peso: 817 kg
Año de fabricación: 1950

Brockhouse Engineering Co. era un fabricante muy consolidado, que contaba con una amplia gama de máquinas cultivadoras controladas por una persona a pie. El President fue su primer tractor, diseñado para pequeñas granjas y huertos.

Características de diseño
El motor del BMB President era el de un automóvil Morris con una conversión para emplear parafina. Tenía una capacidad de 919 cm³ y su potencia, con un régimen de 2.500 r. p. m., era de 16 CV (11,9 kW) en los motores de gasolina y de 14 CV (10,4 kW) en los de parafina. Entre sus prestaciones se incluía una caja de cambios de tres velocidades, aunque la toma de fuerza y la conexión articulada de tres puntos eran opcionales.

Aunque el President estaba considerado como uno de los mejores de la nueva generación de minitractores, las ventas fueron decepcionantes. La aparición de un modelo para trabajar en huertos tampoco tuvo mucha repercusión en las ventas, y en 1957 el President fue adquirido por la compañía H J Stockton con sede en Londres.

En 1957 se lanzó una nueva versión del President en la Feria de Smithfield de Londres, con un motor Petter diésel de dos cilindros. Sin embargo, tampoco tuvo éxito y, al parecer, se mantuvo en producción poco más de 12 meses.

Arriba: *La compañía Brockhouse Engineering eligió un motor de automóvil Morris de 14 CV (10,4 kW) para su tractor President, que se mantendría en producción durante siete años.*

JOHN DEERE

⚒ **1952 Dubuque, Iowa (EE. UU.)**

JOHN DEERE 40

Cuando se dejó de utilizar la anterior gama de tractores John Deere identificados por letras y se reemplazó por el primero de los nuevos modelos numerados, el cambio tardó dos años en completarse y en ese momento se produjo el mayor lanzamiento de nuevos modelos que realizó la compañía.

Derecha: El modelo 40 era el más pequeño de la nueva gama de tractores John Deere que se identificaban mediante números.

Arriba: El motor del modelo M con dos cilindros verticales volvió a aparecer en el nuevo tractor modelo 40, aunque con un régimen de funcionamiento superior para aumentar la potencia del tractor.

Especificaciones

Fabricante: Deere & Co.

Procedencia: Dubuque, Iowa (EE. UU.)

Modelo: 40

Tipo: uso general

Motor: dos cilindros

Potencia: 22,7 CV (16,8 kW)

Transmisión: caja de cambios de cuatro velocidades

Peso: 1.461 kg

Año de fabricación: 1952

La primera serie de nuevos modelos hizo su aparición en 1952 e incluía el John Deere 40, el tractor más pequeño de la nueva gama. Reemplazó al modelo M y, al igual que su predecesor, se produjo en la fábrica de Dubuque.

Mayor potencia

También heredó el motor del modelo M, con sus dos cilindros verticales y un diámetro y carrera cuadrados; sin embargo, en el nuevo tractor el régimen de giro se incrementó unas 200 r. p. m. y pasó a ser de 1.850 r. p. m. para incrementar la potencia de la máquina en 4,5 CV (3,3 kW).

Como el resto de modelos numerados, el diseño del modelo 40 estaba basado en el del tractor Dreyfuss de finales de la década de 1930, aunque actualizado según la nueva imagen del modelo R. El nuevo tractor 40 también compartía algunas de las prestaciones que ofrecían una mayor comodidad al conductor y que hicieron su aparición en la nueva serie numerada, como un asiento mejorado y un mecanismo de dirección optimizado.

El tractor John Deere 40 se produjo en la antigua fábrica Lindeman en una versión de tipo oruga conocida como el modelo 40C, además de la versión S para el cultivo en hileras.

capítulo 6

La carrera por la potencia

Aunque muchas nuevas empresas entraron en el sector de la fabricación de tractores en la década de 1950, también desaparecieron algunos fabricantes consolidados debido a fusiones y adquisiciones. La más importante de esas operaciones fue la venta del negocio de tractores de Harry Ferguson a Massey-Harris.

Arriba: *Todos los tractores Fordson Dexta fabricados para el mercado británico utilizaban combustible diésel, pero había un motor de gasolina disponible para los mercados de exportación.*

Izquierda: *La insignia diésel de Perkins fue apareciendo cada vez en más tractores; en este caso puede verse en un tractor oruga Howard Platypus.*

La decisión de Harry Ferguson de vender el negocio causó gran sorpresa. Era un hombre muy rico y vendía una de las compañías de tractores con más éxito del mundo, pero todavía tenía muchas ideas y rebosaba entusiasmo. El resultado de dicha operación fue la gama de tractores Massey-Ferguson.

Entre las repercusiones inmediatas de la venta de Ferguson destacó la aparición tanto de modelos nuevos como actualizados, ya que la compañía trató de conservar las gamas Massey-Harris y Ferguson; algunos de esos tractores aparecen en este capítulo. También se aprecian nuevas pruebas de la difusión de la energía diésel en el Reino Unido y en Estados Unidos; y el tractor Doe, basado en la idea de un agricultor, constituyó el primer ejemplo de tractor con tracción a las cuatro ruedas y más de 100 CV, una fórmula que pronto cobraría una importancia mucho mayor.

Lo que aún no se apreciaba en el desarrollo de los tractores en la década de 1950 era un progreso notable en la comodidad del conductor y en su seguridad. Cada vez había más datos que mostraban que la falta de cabinas y otras estructuras de seguridad estaba causando niveles inaceptables de muertes y lesiones graves cuando los tractores volcaban, pero el sector del tractor y sus clientes no adoptaron medidas serias en materia de seguridad hasta que se vieron obligados por ley.

FORDSON
✂ 1951   Dagenham, Essex (Inglaterra)

NEW FORDSON MAJOR

A pesar de su éxito de ventas, el Fordson E27N se había introducido como modelo provisional para mantener las ventas mientras los ingenieros de Ford trabajaban en el New Fordson Major.

Además del nuevo tractor, también estaban desarrollando un motor completamente diferente. Se trataba de un motor diésel, y se había comenzado a trabajar en el proyecto en la fábrica Ford de Dagenham en 1944 a pesar de la notable oposición de algunos directivos. Los que se oponían aducían, no sin razón, que los esfuerzos anteriores para desarrollar tractores impulsados por combustible diésel habían tenido escaso éxito, y no había pruebas de que los granjeros fueran a decantarse por el nuevo combustible.

Pese a las dudas, el programa de desarrollo continuó y el nuevo tractor se lanzó en la Feria de Smithfield de 1951. Las entregas empezaron al año siguiente. Se ofrecía a los clientes tres opciones de motor que utilizaban gasolina, gasolina/parafina y gasóleo. La versión diésel tenía una capacidad de 3,6 litros con una relación de compresión de 16:1, el de parafina también era de 3,6 litros pero con una relación de compresión de 4,35:1, y la capacidad del motor de gasolina era de 3,26 litros con una relación de

Arriba: El nuevo Fordson Major se lanzó en 1951 y al año siguiente empezaron a entregarse las primeras unidades. Posteriormente aparecieron las versiones Super Major y Power Major.

compresión de 5,5:1. La potencia inicial de estos motores era de 40 CV (29,6 kW) a 1.700 r. p. m., pero se incrementó en versiones posteriores.

El éxito del diésel

El motor diésel se convirtió en un gran éxito. Fue uno del pequeño grupo de motores ingleses que ayudó a introducir una nueva generación de motores de alta velocidad y varios cilindros, que eran más suaves que los diésel anteriores y mucho más fáciles de arrancar. Al final del periodo de producción del New Major y sus derivados Super Major y Power Major, más del 90% de los clientes británicos solicitaban la versión diésel.

Los motores no fueron lo único que impulsó las ventas del New Major en el Reino Unido y que lo convirtieron en un éxito en los mercados de exportación. Fue el primer cambio completo respecto del diseño original del Fordson Modelo F de 1917, estaba más avanzado técnicamente y

era más capaz que los modelos anteriores en todos los aspectos. Combinaba un diseño novedoso con unas especificaciones técnicas que incluían una suave caja de cambios con seis velocidades hacia delante y reductora. También estaba bien construido, y el New Major pronto se labró una reputación de fiabilidad y durabilidad.

El New Major fue, asimismo, popular como motor y transmisión para el creciente número de especialistas en vehículos lentos y tracción a las cuatro ruedas, y el Fordson suministró motores para tractores de County, Doe y Roadless.

Arriba: *El Fordson Power Major estuvo disponible a partir de 1958 y se basaba en el New Major, aunque incorporaba diversas mejoras.*

Especificaciones

Fabricante: Ford Motor Co.	**Peso:** 2.409 kg
Procedencia: Dagenham, Essex (Inglaterra)	**Año de fabricación:** 1951
Modelo: New Fordson Major	
Tipo: uso general	
Motor: diésel de cuatro cilindros Ford	
Potencia: 40 CV (29,6 kW)	
Transmisión: caja de cambios de seis velocidades	

Abajo: *Hacia el final del periodo de producción del Fordson Major más del 90% de los clientes británicos solicitaban la versión diésel.*

HOWARD PLATYPUS 30

Arthur «Cliff» Howard nació en Australia y a finales de la década de 1930 se trasladó al Reino Unido, donde creó la compañía Howard Rotavator para fabricar la cultivadora giratoria que había diseñado. La compañía alcanzó un gran éxito y se preciaba de ser el principal fabricante de maquinaria agrícola.

Arriba: Existieron distintas versiones del tractor Platypus durante los seis años que estuvo en producción y todas ellas incorporaban motores diésel Perkins.

Especificaciones

Fabricante: Platypus Tractor Co.

Procedencia: Basildon, Essex (Inglaterra)

Modelo: Howard Platypus 30

Tipo: tractor oruga

Motor: diésel Perkins P4

Potencia: 34 CV (25,2 kW)

Transmisión: caja de cambios de seis velocidades con reductora

Peso: 2.578 kg

Año de fabricación: 1952

Los primeros tractores oruga Platypus llegaron hacia 1950, impulsados por un motor de gasolina Standard, y su éxito animó a la compañía Howard a abrir una nueva fábrica en Basildon (Essex) específicamente para la producción de tractores, que empezó a funcionar en 1952.

La mayoría de los tractores construidos en Basildon incorporaban motores Perkins, y el modelo más popular era el Platypus 30 con un motor P4 que desarrollaba 34 CV (25,2 kW). También había una versión de 71 CV (52,9 kW) impulsada por un motor Perkins R6.

Los vínculos de la familia Howard con Australia propiciaron que se adoptara el nombre Platypus

para los tractores, el nombre en inglés del ornitorrinco, un marsupial australiano. Según el folleto de venta del tractor de Howard, es pequeño pero robusto, un trabajador infatigable que se encuentra cómodo tanto en el agua como sobre tierra firme.

Ventas decepcionantes

A pesar del nombre de Platypus y del desarrollo de una versión Bogmaster diseñada para trabajar en suelos sumamente blandos, las cifras de venta resultaron decepcionantes y el Platypus dejó de fabricarse en 1958, cuando se tomó la decisión de cerrar la deficitaria fábrica de Basildon.

Arriba, izquierda: Platypus Tractor Co. era una filial de la compañía de maquinaria Howard, y sus tractores oruga se construían en una fábrica en Basildon (Essex).

MAN

⚒ **1952 Núremberg (Alemania)**

MAN AS 440A

No resulta sorprendente que la compañía Maschinenfabrik Augsburg-Nürnberg abreviara su nombre a MAN, que se convirtió en una marca familiar en el mercado alemán de tractores de las décadas de 1950 y 1960.

Derecha: En una época en la que no había tanta preocupación por la seguridad, muchos fabricantes europeos de tractores incorporaban un asiento para un pasajero sobre uno de los guardabarros de sus vehículos.

Especificaciones

Fabricante: MAN Ag

Procedencia: Núremberg (Alemania)

Modelo: AS 440A

Tipo: uso general

Motor: diésel de cuatro cilindros MAN

Potencia: 40 CV (29,6 kW)

Transmisión: caja de cambios de seis velocidades

Peso: 2.120 kg

Año de fabricación: 1952

Alemania tiene una larga tradición en el desarrollo de motores diésel y MAN es uno de los principales fabricantes. Cuando se introdujo el tractor AS 440A en 1952, incorporaba un motor diésel serie D9214 de cuatro cilindros construido en la fábrica MAN de Núremberg. La mayoría de los tractores construidos en Alemania en la década de 1950 eran modelos con poca potencia diseñados para explotaciones agrícolas familiares de tamaño reducido, pero el AS 440A fue una de las excepciones.

Era un tractor grande para lo habitual en la época, con un motor que desarrollaba una potencia máxima de 40 CV (29,6 kW) a 2.000 r. p. m,

y su peso en condiciones de trabajo y con el depósito de combustible lleno superaba en poco las dos toneladas.

Versiones

Existían versiones con tracción a las cuatro y a dos ruedas, con una caja de cambios de seis velocidades que permitía alcanzar una velocidad máxima de casi 27 km/h. El modelo restaurado de la fotografía incluye la cabina opcional y luces para carretera. El asiento del pasajero situado sobre el guardabarros de la izquierda fue una característica habitual en muchos tractores utilizados en Europa en la década de 1950.

SINGER
✗ 1953 Birmingham (Inglaterra)

SINGER MONARCH

Singer Motors era una pequeña compañía del sector de la automoción del Reino Unido de principios de la década de 1950. Cabe suponer que su incursión en 1953 en la producción de tractores constituyó un intento de ampliar su oferta de productos para incrementar el volumen de negocio.

Especificaciones

Fabricante: Singer Motors
Procedencia: Birmingham (Inglaterra)
Modelo: Monarch
Tipo: uso general
Motor: industrial de cuatro cilindros Ford
Potencia: 17 CV (12,6 kW)
Transmisión: caja de cambios de seis velocidades con reductora
Peso: 649 kg
Año de fabricación: 1953

Fue una decisión sorprendente. El tractor que eligió la compañía fue el Monarch de cuatro ruedas construido por la compañía Oak Tree Appliances (OTA), con sede en Coventry.

El Monarch se anunció en 1949 e incorporaba un motor industrial Ford que desarrollaba una potencia de 17 CV (12,6 kW) a 2.000 r. p. m y estaba disponible en versiones de gasolina y gasolina/parafina. La especificación estándar del Monarch incluía una caja de cambios con reductora con seis velocidades hacia delante y dos hacia atrás, y las ruedas podían ajustarse a una distancia de entre 106 y 152 cm para el cultivo en hilera.

Aunque el OTA Monarch tuvo cierto éxito, la decisión de Singer Motors de comprar los derechos de producción probablemente no fuera la más acertada. El Monarch nunca había conseguido grandes ventas, y el hecho de que se diseñara para utilizar un motor de uno de los principales competidores de Singer en la industria de la automoción tal vez no fuera la opción ideal.

Fracaso

El Monarch no contribuyó especialmente a mejorar el destino de la compañía Singer. Cuando Rootes Group, uno de los principales fabricantes de automóviles, hizo una oferta que fructificó para la compra de Singer en 1956, una de las primeras acciones que adoptó fue cerrar el negocio de tractores de la compañía.

Arriba: La empresa automovilística británica Singer protagonizó una breve incursión en el mercado de los tractores con el Monarch, que incorporaba un motor industrial Ford de 17 CV (12,6 kW).

FORD
1953 Dearborn, Michigan (EE. UU.)

FORD NAA MODELO «GOLDEN JUBILEE»

Para conmemorar el 50 aniversario de Ford Motor Company en 1953, la división de tractores fabricó un modelo especial, el Golden Jubilee. Se denominó Ford NAA, y sólo estuvo disponible durante un año, por lo que se ha convertido en un modelo popular entre los entusiastas de los tractores Ford.

Arriba: *El sistema hidráulico del tractor Ford 8N mejoró cuando se utilizó en el tractor NAA Golden Jubilee.*

Derecha: *El tractor Golden Jubilee incorporaba un motor Red Tiger de Ford, con un incremento del 10% de la capacidad, que desarrollaba una potencia de 30 CV (22 kW).*

Especificaciones

Fabricante: Ford Motor Co.

Procedencia: Dearborn, Michigan (EE. UU.)

Modelo: NAA «Golden Jubilee»

Tipo: uso general

Motor: cuatro cilindros Ford de gasolina con culata en I

Potencia: 30 CV (22 kW)

Transmisión: caja de cambios de cuatro velocidades

Peso: 1.290 kg

Año de fabricación: 1953

El NAA conservaba los llamativos colores gris pálido y rojo del 8N, pero introdujo una nueva imagen que se conservó en modelos posteriores. También tenía una gran insignia circular Golden Jubilee; sin embargo, diversas mejoras de ingeniería demostraban que el NAA no era simplemente el 8N con una nueva imagen.

Características de diseño

La potencia máxima del motor NAA era de 30 CV (22 kW), frente a los 25,5 CV (19 kW) del 8N, debido principalmente a un incremento en la cilindrada del motor hasta 2,2 litros, en comparación con la anterior de 2 litros. Ford fabricaba ambos motores, pero el 8N tenía un diseño de la culata en forma de L, mientras que la del motor Red Tiger del tractor Golden Jubilee tenía forma de I.

El sistema hidráulico del NAA también incluía diversas mejoras de diseño. Se habían añadido una serie de sellos para reducir el riesgo de que alguna partícula metálica procedente de la caja de cambios llegara al sistema hidráulico. Asimismo, incorporaba un nuevo control del caudal de la bomba, que permitía al operario reducir la velocidad de descenso al bajar un apero.

NUFFIELD

1954 **Birmingham (Inglaterra)**

NUFFIELD 4DM

Cuando el negocio de tractores de Nuffield pasó a ser parte de la British Motor Corporation (BMC) en 1952, fue inevitable que algunos de los motores de los tractores fueran suministrados por los nuevos propietarios. Pronto se organizó el cambio, y en 1954 el motor Perkins P4 de 48 CV (35,8 kW) que impulsaba el modelo Universal DM4 fue sustituido por un nuevo motor diésel diseñado y fabricado por la BMC.

Abajo: *La insignia en la rejilla del radiador muestra que es uno de los últimos Nuffields fabricados después de que el motor diésel Perkins fuera sustituido por un BMC.*

El nuevo motor tenía una capacidad de 3,4 litros y desarrollaba una potencia nominal de 45 CV (33,3 kW) a 2.000 r. p. m. Para identificar la nueva versión, el número de modelo DM4 se cambió por 4DM, y más adelante se produjo otro cambio de nombre en 1957, cuando el mismo tractor pasó a conocerse como el Universal Four, para coincidir con el recién lanzado Universal Three, una versión más pequeña del Universal diseñada para cubrir un sector más amplio del mercado y competir con el Fordson Dexta y el Massey Ferguson 35.

Otras actualizaciones

En 1956 la lista de opciones para el 4DM incluía un sistema hidráulico y una toma de fuerza independiente. La toma de fuerza se controlaba por separado accionando un embrague manual.

La nueva versión siguió utilizando la caja de cambios de cinco velocidades que había formado parte de la especificación estándar desde que se presentó el primer Universal en 1948. La caja de cinco velocidades continuó usándose hasta 1964, cuando el número de marchas pasó a ser de diez.

Especificaciones

Fabricante: British Motor Corporation
Procedencia: Birmingham (Inglaterra)
Modelo: Universal 4DM
Tipo: uso general
Motor: diésel de cuatro cilindros BMC
Potencia: 45 CV (33,3 kW)
Transmisión: caja de cambios de cinco velocidades
Peso: 2.678 kg
Año de fabricación: 1954

FIAT
✵ **1954 Turín (Italia)**

FIAT 25R

El 25R fue la versión diésel del modelo de Fiat más vendido a mediados de la década de 1950. Se anunció en 1954 y estuvo disponible hasta que Fiat anunció una gama completa de nuevos tractores en 1959 y 1960.

Derecha: *El departamento de publicidad de Fiat facilitó esta artística fotografía del 25R impulsando una bomba de agua para riego con los chorros enmarcando el tractor.*

Arriba: *Las opciones de motores para el tractor 25R incluían un diésel de cuatro cilindros con arranque eléctrico y bujías de precalentamiento.*

Especificaciones

Fabricante: Fiat

Procedencia: Turín (Italia)

Modelo: 25R

Tipo: uso general

Motor: diésel de cuatro cilindros Fiat

Potencia: 24 CV (17,9 kW)

Transmisión: caja de cambios de cuatro velocidades

Peso: 1.410 kg

Año de fabricación: 1954

El 25R incorporaba un motor fabricado por Fiat de cuatro cilindros con 24 CV (17,9 kW) de potencia nominal a 2.000 r. p. m. El motor tenía una cilindrada de 1.901 cm^3 y el hecho de que estuviera equipado con arranque eléctrico y bujías calentadoras para arranques a bajas temperaturas se anunciaba en el folleto como uno de sus principales atractivos. Las especificaciones estándar incluían una caja de cambios de cuatro velocidades.

Entre las opciones del 25R figuraban un acople de tres puntos y una toma de fuerza, y los clientes también podían solicitar una polea de correa y un gato. Uno de los elementos más insólitos que aparecía en la lista de equipamiento opcional era una palanca de acero para cambiar neumáticos pinchados.

Otras opciones

Además del tractor con ruedas, Fiat también ofrecía un modelo de tractor oruga 25C, que presentaba las versiones de viñedo, de silvicultura e industrial. La lista de opciones del tractor 25C también incluía una cubierta protectora que podía instalarse en el tractor para darle un perfil más suave para trabajar en huertos.

MASSEY-HARRIS

1955 Detroit, Michigan (EE. UU.)

MASSEY-HARRIS MH 50

Algunos de los problemas que siguieron a la venta del negocio de tractores de Harry Ferguson a la compañía Massey-Harris en 1953 fueron resultado de la decisión de suministrar dos gamas diferentes de tractores a las redes de concesionarios de Massey-Harris y de Ferguson.

Especificaciones

Fabricante: Massey-Harris-Ferguson

Procedencia: Detroit, Michigan (EE. UU.)

Modelo: Massey-Harris MH 50

Tipo: uso general

Motor: cuatro cilindros Continental de gasolina

Potencia: 31 CV (23 kW)

Transmisión: caja de cambios de seis velocidades

Peso: 1.558 kg

Año de fabricación: 1955

Arriba: *Esta fotografía publicitaria de la década de 1950 se tomó en una exhibición para demostrar la facilidad con la que los instrumentos montados en el acople podían cultivar toda una pequeña superficie cercada.*

El resultado fue una oleada de lanzamientos de tractores a mediados de la década de 1950, cuando la empresa, que durante un breve periodo se denominó Massey-Harris-Ferguson antes de que el nombre se abreviara a Massey Ferguson, trató de atender a las redes de Massey-Harris y de Ferguson en Estados Unidos.

Nuevas características

El tractor Massey-Harris MH 50 fue una de las consecuencias de esa política. En enero de 1955, los concesionarios de Ferguson habían empezado a vender el tractor TO-35, una versión actualizada del antiguo modelo TO-30. Aunque el nuevo tractor conservaba la imagen familiar de Ferguson, las mejoras mecánicas incluían una toma de fuerza continua y una nueva caja de cambios mejorada con seis velocidades; también incorporaba una versión de mayor capacidad del motor Continental para elevar la potencia.

Los concesionarios de Massey-Harris fueron los siguientes en recibir un nuevo modelo, que llegó a finales de 1955. Era el MH 50, que incorporaba el nombre y la insignia de Massey-Harris, pero que ocultaba bajo su exterior muchos elementos del Ferguson TO-35, como el motor Continental Z134 que desarrollaba 31 CV (23 kW), una caja de cambios de seis velocidades, un sistema hidráulico Ferguson y un acople de tres puntos con control de carga.

FERGUSON

✖ **1955 Detroit, Michigan (EE. UU.)**

FERGUSON F40

El tractor Ferguson F40 fue otro de los modelos producidos como resultado de la política de Massey-Harris-Ferguson de mantener gamas de tractores independientes para atender a sus dos redes de concesionarios.

Derecha: El Ferguson F40 se introdujo para dotar a la red de concesionarios de American Ferguson de su propio tractor para el cultivo en hilera.

Especificaciones

Fabricante: Massey-Harris-Ferguson

Procedencia: Detroit, Michigan (EE. UU.)

Modelo: Ferguson F40

Tipo: uso general

Motor: cuatro cilindros Continental de gasolina

Potencia: 31 CV (23 kW)

Transmisión: caja de cambios de seis velocidades

Peso: 1.734 kg

Año de fabricación: 1955

Cuando llegó el tractor MH 50 a finales de 1955 bajo la marca Massey-Harris, ofreció a los antiguos concesionarios de Massey-Harris un modelo para el cultivo en hilera que podían vender de manera exclusiva.

Los concesionarios de Ferguson se quejaron de que no disponían de un tractor de ese tipo, y el F40 fue incorporado a la gama para dotarles de un modelo equivalente al popular MH 50.

Parecidos

Aunque el Ferguson F40 y el Massey-Harris MH 50 no guardaban mucho parecido, la mayoría de las diferencias eran superficiales: ambos compartían el mismo motor Continental de 2,19 litros con un régimen de giro de 2.000 r. p. m., y los dos utilizaban la misma transmisión de seis velocidades y otros elementos mecánicos.

Extras opcionales

El modelo 40 también demostraba el hecho de que la influencia de Harry Ferguson en Massey-Ferguson estaba disminuyendo, pues siempre insistió en la pintura gris para sus tractores y no habría aceptado el blanco crema del Ferguson 40.

El 40 también fue el primer tractor con el nombre de Ferguson que ofrecía la opción de una disposición de las ruedas tipo triciclo, otra característica que no era del agrado de Harry Ferguson.

La producción del Ferguson 40 duró poco más de un año, periodo en el que se fabricaron 10.000 unidades.

DAVID BROWN
⚒ **1955 Meltham, Yorkshire (Inglaterra)**

DAVID BROWN 2D

Una de las principales atracciones de la Feria de Smithfield de 1955 fue el nuevo tractor portaherramientas 2D de David Brown. Su diseño nada convencional incluía un motor diésel de dos cilindros, y el armazón principal contenía el suministro de aire para el dispositivo neumático de elevación.

Arriba: El sistema de elevación de los aperos de instalación central estaba accionado por un suministro de aire contenido en los tubos de acero que formaban la estructura principal del 2D.

Especificaciones

Fabricante: David Brown Tractors

Procedencia: Meltham, Yorkshire (Inglaterra)

Modelo: 2D

Tipo: portaherramientas

Motor: dos cilindros David Brown diésel

Potencia: 12 CV (9 kW)

Transmisión: caja de cambios de cuatro velocidades

Peso: n. d.

Año de fabricación: 1955

Los portaherramientas están diseñados para realizar tareas de precisión entre hileras de cultivo y las características de su diseño incluyen una visión amplia del cultivo por delante del tractor, un peso ligero y suficiente espacio libre debajo para llevar aperos. El 2D cumplía todos esos requisitos e incluía características adicionales que atraían a los visitantes de la Feria de Smithfield.

Opciones

Una barra de herramientas en la parte central para llevar instrumentos formaba parte del equipamiento estándar del 2D, y la lista de opciones del modelo incluía una segunda barra en la parte posterior del tractor que mejoraba la eficiencia. Los cilindros elevadores que levantaban las barras de herramientas del suelo funcionaban con aire a presión y utilizaban un suministro de aire comprimido impulsado por una pequeña bomba.

Diésel de dos cilindros

Cuando los motores diésel eran cada vez más populares en los tractores de mayor tamaño, David Brown diseñó un pequeño motor diésel de dos cilindros que desarrollaba 12 CV (9 kW) para el 2D; sin embargo, posteriormente se incrementó su potencia hasta 14 CV (10,4 kW). El motor estaba montado en la parte posterior y estaba conectado a una caja de cambios de cuatro velocidades.

La producción finalizó en 1961, cuando sólo se habían fabricado 2.008 unidades del 2D.

Arriba, izquierda: El armazón del portaherramientas 2D estaba diseñado para transportar instrumentos de instalación central al tiempo que ofrecía una buena visibilidad desde el asiento del conductor.

INTERNATIONAL HARVESTER
1955 Bradford, Yorkshire (Inglaterra)

INTERNATIONAL HARVESTER B250

Además de en la nueva fábrica de Doncaster, la fabricación de International Harvester en el Reino Unido también se realizaba en la fábrica de Bradford (Yorkshire), donde la compañía Jowett había fabricado anteriormente coches y furgonetas ligeras. Allí fue donde se fabricó el tractor IH McCormick B250.

Derecha: *A International Harvester pronto se le quedó pequeña su nueva fábrica de Doncaster y la fabricación del tractor B250 se trasladó a Bradford (Yorkshire).*

Arriba: *En 1955, cuando se introdujo el tractor B250, International Harvester todavía promocionaba la marca McCormick.*

Especificaciones

- **Fabricante:** International Harvester (GB)
- **Procedencia:** Bradford, Yorkshire (Inglaterra)
- **Modelo:** McCormick B250
- **Tipo:** uso general
- **Motor:** diésel de inyección directa IH
- **Potencia:** 30 CV (22,2 kW)
- **Transmisión:** caja de cambios de cinco velocidades
- **Peso:** n. d.
- **Año de fabricación:** 1955

El B250 se anunció en la Feria de Smithfield de 1955 en Londres, y la producción continuó hasta 1961. International Harvester había decidido ofrecer únicamente el B250 en su versión diésel, un indicativo del rápido progreso que se había alcanzado en la aceptación del diésel en el sector agrícola.

Especificación

IH utilizaba un motor diésel de cuatro cilindros con inyección indirecta para el B250. La potencia era de 30 CV (22,2 kW), que situaba al B250 en lo que IH describía como la categoría de potencia media. Incorporaba un equipamiento de alto nivel, que incluía un sistema hidráulico de categoría doble y un enganche de captación automático, y fue uno de los primeros tractores de su categoría de potencia equipado con bloqueo del diferencial y con frenos de disco.

La especificación también incluía una caja de cambios de cinco velocidades, pero fue sustituida por una caja de ocho velocidades con reductora con dos velocidades marcha atrás para el modelo B275 de 35 CV (26 kW) que apareció en 1958. El B275, que se vendió junto con el B250 durante tres años, se fabricaba tanto en versión estándar como sobreelevada, pero el B250 se construyó solamente como modelo estándar.

JOHN DEERE

✖ **1956 Waterloo, Iowa (EE. UU.)**

JOHN DEERE 820

La principal diferencia entre los nuevos tractores de la serie 20 de John Deere y los modelos a los que sustituían era el característico acabado en verde y amarillo; sin embargo, también había algunas mejoras significativas en materia de rendimiento y comodidad del conductor.

Los primeros tractores de la serie 20, los modelos 320 y 420 de la fábrica John Deere en Dubuque, se anunciaron en 1955, y los demás les siguieron en 1956. La serie estaba formada básicamente por seis modelos, que empezaban por el pequeño 320 de un arado e incluían el diésel 820 en lo más alto de la gama.

Rendimiento

Un motor vertical de gasolina con cilindros de 10,1 cm de diámetro y carrera propulsaba el 320,

que se construía tanto en versión estándar como utilitaria. El 420, con una potencia de 27 CV (20,1 kW) en las pruebas de Nebraska, era el modelo más versátil de la serie 20, disponible en versiones estándar, utilitaria, de cultivo en hilera, sobreelevada, triciclo y con ruedas de perfil bajo, además de un tractor oruga con la posibilidad de elegir entre dos opciones diferentes de orugas.

Había versiones con ruedas sencillas o gemelas y de eje ancho del 520, mientras que el 620 se fabricaba como modelo de líneas suaves para

Arriba: El modelo estrella de la nueva serie 20 de John Deere fue el 820 diésel, con actualizaciones del motor que incrementaron la potencia nominal hasta 64 CV (47,7 kW) durante sus dos años de producción.

huertos y también podía estar equipado para funcionar con GLP. Asimismo, existían las opciones de cultivo alto, ruedas gemelas, ruedas sencillas y eje ancho para el 720.

El 820 diésel, disponible únicamente en versión estándar, empezó a producirse con el mismo motor de dos cilindros que se había utilizado en el modelo 80 anterior, y el pequeño motor de arranque de gasolina también se tomó del 80. Las actualizaciones del motor durante los dos años de producción incrementaron la potencia nominal del 820 hasta 64 CV (47,7 kW).

Comodidad del conductor

No cabe duda de que la comodidad del conductor estaba ascendiendo en la lista de prioridades y prueba de ello era el nuevo asiento Float-Ride que incorporaba una suspensión por muelle de torsión elástico con un ajuste para adaptarse al peso concreto del conductor.

También incorporaba un amortiguador hidráulico bajo el asiento; el cojín y el respaldo eran de caucho espumado, y los reposabrazos acolchados eran opcionales. Se amplió el espacio para los pies en la plataforma del conductor, y los instrumentos y los controles se organizaron para facilitar su utilización.

Las mejoras de diseño en el sistema hidráulico para hacer que el sistema de acople de tres puntos fuera más preciso y aportar cierto grado de transferencia de peso se denominaron sistema Custom Powr-Trol, y los avances técnicos en los motores incluyeron modificaciones en el diseño de culatas y pistones para incrementar la turbulencia en la cámara de combustión, y aumentar así la potencia disponible y la eficiencia del combustible.

Especificaciones

Fabricante: Deere & Co.
Procedencia: Waterloo, Iowa (EE. UU.)
Modelo: John Deere 820
Tipo: uso general
Motor: diésel horizontal de dos cilindros Deere
Potencia: 72,8 CV (59 kW) (máxima)

Transmisión: caja de cambios de seis velocidades
Peso: 3.963 kg
Año de fabricación: 1956

Arriba: *El gran motor diésel de dos cilindros del tractor 820 se ponía en marcha mediante un pequeño motor de gasolina, lo cual comportaba la necesidad de un segundo sistema de suministro de combustible.*

Abajo: *El más pequeño de los tractores de la serie 20 con su nuevo acabado bicolor era el modelo 320, fabricado por Dubuque e introducido en 1955.*

MARSHALL
⚒ 1956 Gainsborough, Lincs (Inglaterra)

MARSHALL MP6

El tractor MP6 se diseñó para situar a la compañía Marshall en la cima del mercado de tractores con ruedas. Era un programa ambicioso, pero comenzó con mal pie cuando se presentó la versión de prueba en la Feria de Smithfield de 1954 en Londres. Es probable que despertara interés por el tractor, pero fue prematuro ya que fueron necesarios otros dos años para completar el trabajo de desarrollo y comenzar la producción.

Arriba: *Un motor diésel Leyland de seis cilindros fue la sorprendente elección para mover el nuevo tractor MP6 de Marshall.*

Especificaciones

Fabricante: Marshall Sons & Co.
Procedencia: Gainsborough, Lincs (Inglaterra)
Modelo: MP6
Tipo: uso general
Motor: diésel de seis cilindros Leyland
Potencia: 69 CV (51 kW)
Transmisión: caja de cambios de seis velocidades con reductora
Peso: 5.720 kg
Año de fabricación: 1956

Parte del trabajo de desarrollo inicial se realizó con un motor diésel Meadows de cuatro cilindros y en esa etapa el tractor se conocía como el MP4, pero dicho motor fue sustituido por un Leyland U/E350 de seis cilindros y el tractor pasó a denominarse MP6.

Cuando una versión de serie fue probada en Silsoe por el National Institute of Agricultural Engineering, su peso ascendía a 5.720 kg, el peso máximo admitido por la barra de enganche de 3.175 kg y la potencia disponible, 69 CV (51 kW) a 1.700 r. p. m.

Magnífico rendimiento

Para los estándares de la década de 1950 estas cifras resultaban impresionantes, pero la mayoría de los pedidos eran para la exportación. Algunos tractores MP6 se enviaron a las plantaciones de caña de azúcar de las Indias Occidentales para realizar tareas de arrastre, y Australia y España también destacaron en la lista de mercados para la exportación, pero las ventas totales fueron decepcionantes. La incorporación de una versión con mayor batalla para la silvicultura generó algunos pedidos y la producción finalizó en 1960.

Arriba, izquierda: *La apuesta de Marshall para hacerse un hueco en la cima del mercado de los tractores de gran potencia se basó en el pesado MP6, pero las ventas de dicho modelo fueron decepcionantes.*

MASSEY-HARRIS-FERGUSON

✖ **1956 Racine, Wisconsin (EE. UU.)**

MASSEY-HARRIS MH 333

Una oleada de lanzamientos de nuevos modelos hizo que Massey-Ferguson dispusiera de una amplia gama de productos de potencia media-baja, mientras que a los clientes que deseaban un tractor más grande sólo se les ofrecía versiones actualizadas de los antiguos modelos MH 33, 44 y 55.

Derecha: Massey-Harris confió en modelos actualizados 33, 44 y 55 para competir en el sector de potencia media-alta del mercado de tractores estadounidense mientras se desarrollaban nuevos modelos.

Especificaciones

Fabricante: Massey-Harris-Ferguson

Procedencia: Racine, Wisconsin (EE. UU.)

Modelo: Massey-Harris MH 333

Tipo: uso general y cultivo en hilera

Motor: diésel y de gasolina de cuatro cilindros Massey-Harris

Potencia: 37 CV (27,4 kW) (diésel)

Transmisión: caja de cambios de diez velocidades con reductora

Peso: 2.726 kg (diésel)

Año de fabricación: 1956

En 1956 se lanzaron los nuevos modelos Massey-Harris MH 333, 444 y 555. Mantuvieron la imagen original y también siguieron utilizando el antiguo sistema hidráulico Depth-O-Matic. La dirección asistida se ofrecía como opción con un coste adicional.

Rendimiento

Uno de los cambios importantes fue la incorporación de una caja de transferencia a la caja de cambios de cinco velocidades, que duplicaba el número de marchas. La otra mejora relevante fue la incorporación de un motor diésel a la lista de opciones de los modelos MH 333 y 444.

Los datos de rendimiento del motor diésel MH de cuatro cilindros que impulsaba el modelo MH 333 arrojaban una potencia máxima de 37,15 CV (27,7 kW) y una velocidad máxima de 22,5 km/h en la décima marcha. La economía de combustible a un régimen de giro de 1.500 r. p. m era de 14,8 CV (11 kW) hora por cada 3,8 litros.

Las cifras equivalentes para el motor de gasolina eran una potencia máxima de 39,84 CV (29,7 kW) y 12,37 CV (9,2 kW) hora por cada 3,8 litros, lo cual constituía otro ejemplo del ahorro de combustible adicional que ofrecían los tractores diésel.

LANZ
✵ **1956   Mannheim (Alemania)**

LANZ ALLDOG A1806

La primera versión del tractor portaherramientas Alldog de Heinrich Lanz fue la A1205, disponible en 1951 e impulsada por un motor de gasolina de 12 CV (8,9 kW). Cuando la potencia demostró ser inadecuada, Lanz introdujo una nueva versión A1305 en 1952 equipada con un motor diésel de un cilindro, que incrementó la potencia sólo hasta 13 CV (9,7 kW).

El hecho de ofrecer un caballo de potencia adicional probablemente suponía muy poca diferencia en el rendimiento en el campo, pero al menos era un motor inusual. Estaba refrigerado por aire y fabricado por Lanz con un solo cilindro y un régimen de funcionamiento de 2.800 r. p. m., y aunque se diseñó para funcionar con combustible diésel, la culata incorporaba una bujía para el arranque con gasolina.

Versión final
Para la versión final del Alldog, conocido como el modelo A1806, Lanz acabó entendiendo el problema de la potencia, y eligieron un motor diésel MWM con refrigeración por líquido y una potencia de 18 CV (13,3 kW). El primer Alldog A1806 se fabricó en 1956 y la producción continuó hasta que la compañía Lanz fue adquirida por John Deere. La unión con John Deere explica

Arriba: A pesar de tener una potencia reducida durante la mayor parte de su periodo de producción, el Lanz Alldog era sin duda el portaherramientas más versátil que había en el mercado.

por qué algunos de los últimos Alldog que salieron de la fábrica estaban pintados de verde, aunque seguían mostrando el nombre Lanz.

El Alldog es uno de los diseños más inusuales y versátiles que ha producido el sector de los tractores, y tal vez habría alcanzado un mayor éxito si no se le hubiera dotado de una potencia reducida durante todo el periodo de producción. El tractor estaba fabricado sobre un armazón rectangular formado por tubos de acero, con el conductor y el motor en un extremo, lo cual dejaba la mayor parte del armazón libre para llevar diversos aperos y accesorios.

Equipamiento

Lanz suministró o aprobó una amplísima gama de equipamiento para su montaje sobre, debajo, delante o detrás del Alldog. Había más de 50 elementos que cubrían la mayoría de las actividades realizadas en explotaciones agrícolas y ganaderas, y el objetivo era convertir el Alldog en el aparato universal para prácticamente cualquier trabajo del campo. La gama incluía un arado de montaje central, un esparcidor de estiércol, una cosechadora de caña de azúcar de una sola hilera e incluso una ordeñadora portátil.

La visibilidad en todas las direcciones desde el asiento del conductor era excelente gracias al armazón abierto, pero la falta de potencia del motor no era el único error de diseño del Alldog. La ubicación del asiento tan cerca del motor debía de suponer un problema de ruido para el conductor, especialmente en el caso del modelo diésel refrigerado por aire.

Arriba: *Con su motor refrigerado por aire al que se podía acceder fácilmente desde el asiento del conductor, el Lanz Alldog debía de ser un tractor ruidoso.*

Especificaciones

Fabricante: Heinrich Lanz	**Transmisión:** caja de cambios de cinco velocidades
Procedencia: Mannheim (Alemania)	
Modelo: Alldog A1806	**Peso:** n. d.
Tipo: portaherramientas	**Año de fabricación:** 1956
Motor: diésel MWM	
Potencia: 18 CV (13,3 kW)	

Abajo: *Este diagrama muestra el rectángulo de acero que formaba el armazón principal del portaherramientas Alldog, con espacio para equipamiento montado tanto encima como debajo del armazón.*

MASSEY-HARRIS-FERGUSON
⚒ **1956   Coventry (Inglaterra)**

FERGUSON FE-35

El primer modelo nuevo que salió de la fábrica de tractores de Banner Lane, cerca de Coventry, tras la compra por parte de Massey-Harris del negocio de tractores de Ferguson en 1953, fue el Ferguson FE-35. Apareció en 1956 y estaba pintado del tono de gris elegido por Harry Ferguson para la carrocería, pero el motor, la caja de la transmisión y otros elementos importantes presentaban un acabado en tonos cobrizos distintivo e inusual.

En la fábrica de Banner Lane se habían producido más de 500.000 tractores Harry Ferguson de la serie TE, modelo que se había convertido en uno de los tractores con más éxito jamás fabricados, y al nuevo FE-35 no le resultó nada fácil ser su sucesor. Además de un nuevo color del acabado, que suele denominarse gris y dorado, el tractor también presentaba una nueva imagen, con líneas redondeadas, y un panel articulado permitía un fácil acceso para comprobar la batería y los tapones de llenado del radiador y el depósito de combustible.

Detalles de diseño

Debajo de esa nueva imagen había muchas similitudes entre el FE-35 y el Ferguson TO-35 fabricado en Estados Unidos. Ambos modelos compartían la misma transmisión de seis velocidades con reductora, y también tenían el mismo sistema hidráulico mejorado para aumentar el

Superior: Las cuidadas líneas y la pintura gris y cobre del inusual acabado hicieron del FE-35 un sustituto popular del tractor de la serie TE.

Arriba: El FE-35 se construía en la fábrica de Banner Lane y estaba impulsado por motores de gasolina y diésel suministrados por Standard Motor Co.

caudal y la capacidad de elevación del acople posterior. La diferencia principal estribaba en que el motor de gasolina Continental del TO-35 se había sustituido en los tractores Banner Lane por bloques Standard. La versión diésel desarrollaba 37 CV (27,4 kW) a partir de 2.258 cm³, y también había un motor de encendido por chispa de 2.186 cm³ que producía 37 CV (27,4 kW) en la versión diésel, y aproximadamente 30 CV (22 kW) quemando parafina o aceite nebulizado.

Vida comercial

El FE-35 disfrutó de una vida comercial breve. La política de apoyar dos gamas de productos bajo dos marcas diferentes resultaba complicada y cara, y acabó abandonándose en 1957.

Todos los tractores posteriores iban a pintarse de rojo y gris, además de llevar la marca Massey-Ferguson o «Massey Ferguson» a partir de la eliminación oficial del guion del nombre de la compañía más de 30 años después.

A finales de 1957, el Ferguson FE-35 gris y dorado había sido sustituido por el nuevo Massey-Ferguson MF 35 rojo y gris, aunque las especificaciones siguieron siendo las mismas. Otro desarrollo importante llegó a principios de 1959, cuando Massey-Ferguson compró el negocio de motores Perkins, y al final de ese año las versiones diésel del MF 35 estaban impulsadas por un Perkins P3 en lugar del motor Standard, aunque Standard continuó suministrando motores de gasolina para el 35.

Especificaciones

Fabricante: Massey-Harris-Ferguson
Procedencia: Coventry (Inglaterra)
Modelo: Ferguson FE-35
Tipo: uso general
Motor: diésel de cuatro cilindros Standard
Potencia: 37 CV (27,4 kW)
Transmisión: caja de cambios de seis velocidades con reductora

Peso: n. d.
Año de fabricación: 1956

Abajo: El FE-35 fue el resultado de la política oficial de mantenimiento de las líneas Ferguson y Massey-Harris tras la adquisición de la compañía Ferguson.

FIAT
✖ **1957 Turín (Italia)**

FIAT 18 LA PICCOLA

Como su propio nombre sugiere, el Piccola era un tractor pequeño pero importante, ya que fue el modelo que hizo que Fiat pasara de ser un fabricante de volumen medio a ser una de las grandes compañías capaz de competir en términos de nivel con otros fabricantes europeos líderes, como Renault.

Especificaciones

Fabricante: Fiat
Procedencia: Turín (Italia)
Modelo: 18 La Piccola
Tipo: uso general
Motor: diésel de dos cilindros Fiat
Potencia: 16,5 CV (12,2 kW)
Transmisión: caja de cambios de seis velocidades
Peso: n. d.
Año de fabricación: 1957

La producción comenzó en 1957 y alcanzó un total de 20.000 unidades en tres años. Estos tractores ofrecían numerosas características de diseño de altas prestaciones que no suelen encontrarse en esta gama. La unidad de potencia era un motor diésel de dos cilindros Fiat que desarrollaba 16,5 CV (12,2 kW) en la polea de correa y 14 CV (10,4 kW) en la barra de enganche a las 2.200 r. p. m. de régimen de giro del motor. El motor se diseñó con una cámara de precombustión y tenía una capacidad de 1.135 cm³.

La caja de cambios con reductora ofrecía seis velocidades hacia delante y dos hacia atrás, y alcanzaba una velocidad de 20,4 km/h en la marcha superior. La tracción a las cuatro ruedas era una opción inusual en una época en la que la mayoría de los fabricantes ofrecían simplemente tracción a dos ruedas.

Opciones

La polea de correa siguió siendo un elemento importante en los tractores durante la década de 1950, y en el pequeño Fiat se encontraba justo encima del eje de la toma de fuerza, donde podía acoplarse en la parte derecha para su funcionamiento en el sentido contrario a las agujas del reloj o bien cambiarse al lado izquierdo para impulsarla en el sentido de las agujas del reloj.

Arriba: Esta fotografía publicitaria muestra el Fiat 18 con alguien que pretende ser un típico campesino que posa a los mandos.

ALLIS-CHALMERS
⚒ 1958 Essendine, Stamford, Lincs (Inglaterra)

ALLIS-CHALMERS D272

Muchos de los grandes fabricantes estadounidenses empezaron a construir tractores en Gran Bretaña cuando la guerra finalizó en 1945; uno de ellos fue Allis-Chalmers. Su primera planta de montaje estaba cerca de Southampton, pero a mediados de la década de 1950 las operaciones se trasladaron cerca de Stamford (Lincolnshire), y allí fue donde se fabricó el sustituto del modelo B.

Abajo: Esta fotografía de estudio del departamento de publicidad de Allis-Chalmers muestra claras similitudes entre el D272 y el modelo B al que sustituyó.

Especificaciones

Fabricante: Allis-Chalmers (Gran Bretaña)

Procedencia: Essendine, Stamford, Lincs (Inglaterra)

Modelo: D272

Tipo: tractor para cultivo en hileras

Motor: Perkins P3 (versión diésel)

Potencia: 31 CV (22,9 kW)

Transmisión: caja de cambios de cuatro velocidades

Peso: n. d.

Año de fabricación: 1958

Se denominó D270 y estuvo disponible desde 1955 hasta que el D272 llegó en 1958. Sustituir a un gran éxito como el modelo B no fue fácil, pero bajo la nueva imagen del D270 los diseñadores lograron conservar las mejores características del antiguo modelo al tiempo que introducían una serie de mejoras. Entre ellas destacaba una toma de fuerza continua, que permitía desembragar la transmisión a las ruedas sin que se detuviera. Las especificaciones del D270 también incluían una caja de cambios de cuatro velocidades en lugar de las tres velocidades del modelo B.

El nuevo tractor conservó las opciones de motor del modelo B, incluida una unidad diésel Perkins P3 que desarrollaba, en una última versión, 31 CV (22,9 kW) a 1.900 r. p. m. En el modelo D272, Allis-Chalmers conservó la misma imagen y mantuvo las características de diseño para el cultivo en hilera del modelo B. El modelo D272 también ofrecía la misma elección de motor, pero con otros 4 CV (2,9 kW) adicionales disponibles en la versión de gasolina/parafina, y se mejoró el sistema hidráulico. En 1960 llegó el sustituto del D272.

FORDSON
✖ 1958   Dagenham, Essex (Inglaterra)

FORDSON DEXTA

Con el nuevo Fordson Major dominando el sector de unidades de tamaño medio-grande estadounidense y varios mercados de exportación, el siguiente objetivo de Ford fue el tramo de tamaño pequeño-medio del mercado.

En 1957 anunció el nuevo Fordson Dexta y la producción comenzó el año siguiente. La imagen del Dexta guardaba gran parecido con la del nuevo Major y, como éste, hacía hincapié en la energía diésel. El motor Dexta era una versión especial del Perkins P3 con una potencia de 32 CV (23,7 kW), y hasta 1960 no estuvo disponible un motor de gasolina (y únicamente para la exportación).

Especificación

Una especificación actualizada incluía una transmisión con reductora con seis marchas hacia delante y dos hacia atrás, y el Dexta también fue el primer tractor Fordson con sistema hidráulico de control de plena carga. Asimismo, había una versión con embrague doble que ofrecía un sistema hidráulico y una toma de fuerza continua. Las opciones también incluían un Highway Dexta

Arriba: Dado que no disponía de ningún motor propio adecuado, Ford eligió una versión especial del motor diésel Perkins P3 de tres cilindros para impulsar el Fordson Dexta.

especialmente equipado para los cuerpos públicos locales, un modelo industrial básico y una versión especial para praderas diseñada para su utilización en campos de golf y otras instalaciones similares.

Un Dexta más estrecho para viñedos y huertos llegó en 1960, año en el que también se introdujeron mejoras en la caja de cambios y en el sistema hidráulico, así como cambios de imagen que imitaban el nuevo Major con las luces delanteras montadas en la rejilla del radiador.

Cambios en el diseño

En 1961 se produjeron más cambios en el diseño cuando se anunció la aparición de un nuevo Super Dexta que se vendería junto con el modelo estándar. El modelo destacaba por su nueva imagen frontal, y se consiguió un incremento de la potencia aumentando la capacidad del motor de los 2.360 cm³ de la versión original hasta los

2.500 cm³ del modelo Super, lo cual permitió alcanzar una potencia de 39 CV (29 kW).

El capítulo final de la trayectoria del Dexta se produjo en 1963 con la aparición de modelos actualizados en el mercado del Reino Unido. Era la gama New Performance, en cuyo exterior destacaba la nueva pintura azul y gris, y se volvió a incrementar la potencia disponible del motor Super Dexta, esta vez hasta 44,5 CV (33,1 kW).

El final de una era

Aunque la gama de tractores New Performance estuvo a la venta durante poco más de un año, marcó una etapa importante en la historia de los tractores Ford. Fueron los últimos tractores que se fabricaron en la planta de Dagenham (Essex) antes de que la producción se trasladara a la nueva fábrica de Basildon, y también fueron los últimos tractores que llevaron el nombre Fordson.

Especificaciones

Fabricante: Ford Motor Co.

Procedencia: Dagenham, Essex (Inglaterra)

Modelo: Fordson Dexta

Tipo: uso general

Motor: diésel Perkins de tres cilindros

Potencia: 32 CV (23,7 kW)

Transmisión: caja de cambios de seis velocidades con reductora

Peso: 1.540 kg

Año de fabricación: 1958

Izquierda: *Las dos luces delanteras situadas en la rejilla del radiador identifican este tractor como uno de los últimos Dexta fabricados tras los cambios de diseño introducidos en 1960.*

Arriba: *La nueva insignia Fordson diseñada para la serie New Major también se colocó encima del radiador del Dexta.*

JOHN DEERE
⚒ **1958   Waterloo, Iowa (EE. UU.)**

JOHN DEERE 730

La principal diferencia entre los nuevos tractores de la serie 30 anunciados en 1958 y los modelos de la serie 20 a los que sustituían era la mayor preocupación por la seguridad, el confort y la comodidad del conductor, claramente patente en el diseño de estos tractores.

Arriba: *El depósito de combustible del motor de arranque de gasolina de los modelos diésel 730 y 830 estaba junto al guardabarros izquierdo, pero se ofrecía la opción del arranque eléctrico.*

Especificaciones

Fabricante: Deere & Co.

Procedencia: Waterloo, Iowa (EE. UU.)

Modelo: 830

Tipo: uso general

Motor: diésel horizontal de dos cilindros Deere

Potencia: 56,66 CV (41,9 kW)

Transmisión: caja de cambios de seis velocidades

Peso: 3.586 kg

Año de fabricación: 1958

En los tractores de la serie 30, eso significaba, por ejemplo, unos peldaños y unos asideros convenientemente ubicados para obtener una mayor seguridad al subir al vehículo. Se mejoraron también las luces de carretera y de trabajo, se rediseñaron el asiento y el respaldo para aumentar la comodidad del conductor, y el nuevo cuadro de instrumentos resultaba más cómodo de utilizar.

Arranque eléctrico

En todos los modelos de la serie 30, excepto en los dos pequeños fabricados en Dubuque, se incrementó el tamaño de los guardabarros para lograr una protección adicional contra el barro y el polvo, que también ayudó a reducir el riesgo de lesiones causadas por el contacto accidental del conductor con las ruedas traseras.

Había pocas diferencias mecánicas, pero en los nuevos modelos 730 y 830 se produjo un desarrollo notable. El motor diésel de ambos modelos podía equiparse con un arranque eléctrico mediante pulsador y ello demostraba claramente que las mejoras en el diseño estaban facilitando el arranque de los motores diésel en los tractores.

La potencia del motor del 730 era la misma que en el modelo 720 anterior, 57 CV (42,5 kW) en la polea de correa.

Arriba, izquierda: *Comparados con la gama anterior, los tractores de la nueva serie 30 de John Deere ofrecían numerosas mejoras relacionadas con la comodidad y el confort del conductor.*

COCKSHUTT
⚒ **1958 Brantford, Ontario (Canadá)**

COCKSHUTT 550

Aunque la fábrica Cockshutt de Brantford se había convertido en el principal fabricante de Canadá de potencia media-baja, la férrea competencia de mediados de la década de 1950 en el sector, principalmente de tractores construidos en Estados Unidos, estaba ocasionando problemas a la compañía.

Derecha: *El tractor 550 de Cockshutt fue uno de los últimos modelos nuevos que la compañía canadiense lanzó antes de entrar a formar parte de la estadounidense White Farm Equipment.*

Especificaciones

Fabricante: Cockshutt Farm Equipment

Procedencia: Brantford, Ontario (Canadá)

Modelo: Cockshutt 550

Tipo: uso general

Motor: gasolina y diésel de cuatro cilindros Hércules

Potencia: 38 CV (28 kW) (diésel)

Transmisión: caja de cambios de seis velocidades

Peso: 2.586 kg

Año de fabricación: 1958

Su respuesta llegó en 1958 en forma de un ambicioso programa para desarrollar una gama de tractores mejorada, utilizando motores suministrados por Perkins y Hércules. Ofrecían el modelo 550 de gama media con la posibilidad de elegir entre los motores de gasolina y diésel, ambos suministrados por Hércules. Aunque la potencia disponible del modelo diésel era de sólo 38 CV (28 kW), los folletos de venta de Cockshutt describían el 550 como un tractor apto para arados trisurco.

Equipamiento

Cockshutt ofrecía a sus clientes una completa especificación estándar para el modelo 550. La lista de equipamiento incluía un arranque eléctrico para el motor, una toma de fuerza y lo que los fabricantes describían como la transmisión más sólida existente en cualquier tractor Cockshutt. El 550 estuvo disponible hasta 1962, y durante ese periodo de cuatro años la producción total alcanzó la modesta cifra de 2.930 tractores, datos sin duda decepcionantes para un nuevo modelo perteneciente a una gama de potencia popular.

En 1962, los problemas económicos de Cockshutt habían aumentado, y la compañía fue adquirida por la empresa estadounidense White Farm Equipment. White también poseía la compañía Oliver y posteriormente adquirió Minneapolis-Moline.

DOE

⚒ **1958   Ulting, Essex (Inglaterra)**

DOE TRIPLE-D

A mediados de la década de 1950, los agricultores del Reino Unido que querían tractores más potentes disponían de pocas opciones. La elección obvia era un tractor oruga grande, pero en la época de las bandas de rodamiento de acero había muchos agricultores que preferían los neumáticos de caucho.

Ése fue el problema con el que se encontró George Pryor, un agricultor de Essex. Quería mucha potencia para arar su duro suelo arcilloso, y decidió fabricar su propio tractor. Compró dos tractores Fordson Major y los unió entre sí, quitando las ruedas y los ejes delanteros de ambos, y enlazando la parte delantera de un tractor con la trasera del otro mediante una plataforma giratoria muy resistente que ofrecía una dirección asistida impulsada por arietes hidráulicos.

Dos motores

El tractor de mister Pryor tenía dos motores que producían más de 80 CV (59 kW), dos transmisiones con tracción a las cuatro ruedas y ruedas con el mismo diámetro, y un conductor que se sentaba en el asiento del tractor trasero y manejaba un conjunto de controles para ambos motores. Aunque parecía complicado y poco práctico, el tractor dos en uno trabajaba bien, superando claramente a cualquiera de los tractores con ruedas

Superior: *La articulación (punto de bisagra) accionada por un sistema hidráulico entre las dos unidades de tractor formaba la dirección del Triple-D.*

Arriba: *Este Doe 130 de 130 CV magníficamente restaurado, formado por dos tractores Ford 5000, forma parte de la colección de la compañía Doe.*

de la época, y la dirección articulada en el centro ofrecía una maniobrabilidad razonable.

Ernest Doe & Sons, el concesionario de tractores local de Fordson, se interesó por el tractor de mister Pryor y firmó un contrato para fabricar una versión mejorada. El primero de los tractores Doe terminó de construirse en 1958 y se denominó Doe Dual Power, nombre que se cambió posteriormente por Doe Dual Drive, finalmente abreviado a Triple-D.

Instrumentos

El Triple-D suscitó notable interés entre agricultores y constructores, pero la falta de accesorios adecuados para un tractor tan potente obligó a Doe & Sons a fabricar arados y cultivadores para venderlos con los nuevos tractores. La utilización de unidades tipo patín del Power Major de Fordson producía más de 100 CV (74 kW) a partir del Triple-D, y el cambio a las unidades de tractor Ford 5000 en 1964 incrementó la potencia hasta 130 CV (96,9 kW), y en esa etapa se cambió el nombre del tractor por el de Doe 130. De manera similar, el Doe 150 producía 150 CV (111,8 kW) y estaba basado en dos Ford 7000.

A mediados de la década de 1960, existía una creciente competencia entre los tractores de más de 100 CV (74 kW) fabricados por las principales compañías de tractores y por especialistas en tracción a las cuatro ruedas, como County y Muir Hill. Su gran ventaja frente al tractor de Doe era que sólo tenían un motor y una transmisión, lo cual simplificaba el manejo y el mantenimiento. Esto era un notable atractivo y acabó haciendo que se abandonara la producción del tractor Doe después de que se construyeran más de 300 unidades.

Especificaciones

Fabricante: Ernest Doe & Sons
Procedencia: Ulting, Essex (Inglaterra)
Modelo: Doe Triple-D
Tipo: uso general
Motor: dos motores Ford diésel de cuatro cilindros
Potencia: 103 CV (76,2 kW) (versión Power Major)

Transmisión: dos cajas de cambios de seis velocidades
Peso: 5.169 kg
Año de fabricación: 1958

Abajo: *Tractor Doe Triple-D arando en un campo en Ulting (Essex), cerca de las oficinas centrales de la compañía Doe.*

FORD
⚒ **1958 Dearborn, Michigan (EE. UU.)**

FORD
POWERMASTER 801

En 1957 se anunció una nueva gama de la línea de tractores estadounidenses de Ford listos para su producción en 1958, además de planes de *marketing* revisados y un nuevo acabado bicolor para potenciar las ventas.

Especificaciones

Fabricante: Ford Motor Co.

Procedencia: Dearborn, Michigan (EE. UU.)

Modelo: Powermaster 801

Tipo: uso general

Motor: gasolina de cuatro cilindros Ford

Potencia: 44 CV (32,6 kW)

Transmisión: caja de cambios de cuatro velocidades

Peso: 1.353 kg

Año de fabricación: 1958

En virtud de los nuevos planes de *marketing*, la gama de tractores se dividió en dos series diferentes. Los tractores impulsados por el motor Ford de 2,2 litros formaban la serie Workmaster, mientras que los de la gama Powermaster estaban equipados con el motor Ford de 2,8 litros, más potente. Además de dividir la gama en dos nuevas series, el reforzado programa de *marketing* incluía un nuevo acabado llamativo en dos colores que daba a todos los tractores una imagen más moderna.

Cambios en el diseño

Los Powermaster estaban basados en la serie 800 anterior presentada en 1955, cuando la potencia disponible era de 40 CV (29,8 kW), pero Ford actualizó el motor de 2,8 litros para incrementar la potencia hasta 44 CV (32,6 kW) en los nuevos modelos. Además de las modificaciones de motor, la lista de cambios en el diseño introducidos con la gama Powermaster incluía un depósito de combustible con mayor capacidad para ampliar la autonomía y un panel de instrumentos rediseñado para facilitar su lectura.

Las especificaciones del Powermaster estándar también incluían una caja de cambios de cinco velocidades; sin embargo, la dirección asistida, el ajuste de vías motorizado y una caja de cambios con relaciones altas y bajas constaban en la lista de opciones. La energía diésel se añadió a la lista en 1959 utilizando un motor Ford de 2,8 litros que desarrollaba 56 CV (41,7 kW).

Arriba: *Un Ford Powermaster 801 en el salón de exposición con la nueva pintura y el protector frontal del radiador opcional.*

COUNTY
✷ **1958   Fleet, Hampshire (Inglaterra)**

COUNTY HI-DRIVE

La reputación internacional de County en el mercado de los tractores estaba basada en las variantes de oruga y tracción a las cuatro ruedas que fabricó sobre la base de unidades tipo patín Fordson y Ford, y es fácil olvidar que también fabricó un número mucho más pequeño de modelos especiales con tracción a dos ruedas.

Derecha: *Los tractores sobreelevados County Hi-Drive estaban basados en unidades de tractor Fordson Major.*

Arriba: *Esta vista posterior del Hi-Drive muestra cómo se modificaron el eje trasero y la transmisión final para lograr una mayor elevación respecto del suelo.*

Especificaciones
Fabricante: County Commercial Cars
Procedencia: Fleet, Hampshire (Inglaterra)
Modelo: Hi-Drive
Tipo: tractor sobreelevado
Motor: diésel de cuatro cilindros Ford
Potencia: 51 CV (37,7 kW) (versión Power Major)
Transmisión: caja de cambios de seis velocidades
Peso: 2.600 kg
Año de fabricación: 1958

El County Hi-Drive constituye un ejemplo. Estaba fabricado a partir del motor y la transmisión del Fordson New Major, y se desarrolló en respuesta a una solicitud de productores de caña de azúcar de las Indias Occidentales. Dado que los volúmenes de ventas no eran lo bastante elevados para convencer a Ford de fabricar un tractor sobreelevado especial, fue County quien diseñó y construyó el nuevo tractor y lo llamó Hi-Drive.

Otros mercados
Aunque las plantaciones de caña de azúcar constituían el mercado principal del Hi-Drive, hubo también productores de hortalizas especia- lizados del Reino Unido y otras partes que aprovecharon la oportunidad para comprar un tractor sobreelevado relativamente grande.

Los cambios de diseño introducidos por County elevaron la altura del eje hasta 76,2 cm, y ello se consiguió en la parte posterior del tractor montando las ruedas en manguetas y ofreciendo una transmisión por engranajes para salvar el vacío que eso creaba.

County ofrecía el Hi-Drive como un tractor completo, pero también un juego de conversión que permitía a los clientes convertir un Fordson existente en un modelo sobreelevado. La producción del modelo finalizó en 1964.

DAVID BROWN
✖ **1958 Meltham, Yorkshire (Inglaterra)**

DAVID BROWN 950

La producción del tractor 950 comenzó en 1958, justo dos años después del lanzamiento del modelo 900 al que sustituía. Ambos tractores eran, básicamente, similares, y el 950 se introdujo como una versión actualizada del 900.

Especificaciones

Fabricante: David Brown Tractors
Procedencia: Meltham, Yorkshire (Inglaterra)
Modelo: 950
Tipo: uso general
Motor: versiones de parafina, gasolina y gasóleo de cuatro cilindros David Brown
Potencia: 42,5 CV (31,45 kW) (diésel)
Transmisión: caja de cambios de seis velocidades
Peso: 2.096 kg (diésel)
Año de fabricación: 1958

El David Brown 950 mejorado incluía un motor más potente, con un sistema de inyección modificado que incrementaba la potencia del motor diésel hasta 42,5 CV (31,45 kW), sólo 2,5 CV (1,8 kW) más que el modelo 900 equivalente. En el caso del motor de gasolina estándar se logró un incremento de potencia ligeramente menor, con una subida de 29,8 a 31,3 kW (de 40 a 42 CV). David Brown también introdujo mejoras de diseño para el mecanismo de dirección y el diseño de la barra de enganche en el tractor 950.

Nueva versión

Sólo un año después del lanzamiento del tractor 950, David Brown introdujo el nuevo modelo 950 Implematic, que incorporaba grandes mejoras en el acople posterior y en el sistema hidráulico. Lo que propició el éxito de ventas fue la posibilidad de utilizar instrumentos montados con control de profundidad o de carga utilizando transferencia de peso automática.

En 1961 se anunció una nueva serie de mejoras, cuando aparecieron los tractores 950 de las series V y W. Tenían una mayor distancia al suelo en el eje delantero y una toma de fuerza de varias velocidades en los ajustes estándar tanto a 540 como a 1.000 r. p. m.

La producción de las distintas versiones del tractor 950 tuvo lugar de 1958 a 1961, y en total se fabricaron 23.699 tractores.

Arriba: La producción de las distintas versiones de los tractores David Brown 950 rozó las 24.000 unidades en menos de cinco años.

FORD

🔧 1959 Dearborn, Michigan (EE. UU.)

FORD WORKMASTER 541

Los tractores Workmaster serie 600 aparecieron en 1958 como parte del programa de relanzamiento en Estados Unidos de Ford que también incluía los modelos Powermaster. Los Workmaster eran los más pequeños de las dos series y utilizaban el motor de 2,2 litros que había impulsado anteriormente el modelo «Golden Jubilee» del Ford NAA.

Derecha: Una versión poco habitual del Ford Workmaster, ya que puede verse la posición descentrada del motor.

Arriba: La vista frontal del Workmaster 541 muestra la posición descentrada del motor para mejorar la visión delantera del conductor.

Especificaciones

Fabricante: Ford Motor Co.

Procedencia: Dearborn, Michigan (EE. UU.)

Modelo: Workmaster 541

Tipo: cultivo en hilera

Motor: diésel de 2,3 litros Ford

Potencia: 43 CV (31,8 kW)

Transmisión: caja de cambios de cuatro velocidades

Peso: n. d.

Año de fabricación: 1959

La potencia disponible del Workmaster se mejoró hasta los 32 CV (23,8 kW) en lugar de los anteriores 30 CV (22,3 kW), y los nuevos tractores también se beneficiaron de otras mejoras, como el diseño de instrumentos revisado, una mayor capacidad del depósito de combustible y el nuevo acabado de pintura bicolor.

Más novedades

En 1959, Ford anunció más novedades para la gama Workmaster, que incluían nuevas versiones de la serie 500 más, por primera vez, un motor diésel opcional. Los tractores de la serie 500 eran modelos para el cultivo en hilera, disponibles por

primera vez en la gama Ford con una posición del motor descentrada, como puede verse en el modelo 541 en las fotografías.

Este Workmaster 541 era especialmente inusual ya que, además de tener la posición de conducción descentrada, también incorporaba el nuevo motor diésel Ford. Dicho motor estaba basado en la unidad de potencia Red Tiger encendida por chispa de Ford, pero estaba equipado con inyección directa y calentadores eléctricos para el arranque en frío.

Ford aumentó la cilindrada del motor diésel que impulsaba el Workmaster hasta 2,3 litros para incrementar la potencia hasta 43 CV (31,8 kW).

capítulo 7

Innovaciones en la década de 1960

La década de 1960 fue una época de experimentación. Algunas ideas tuvieron una repercusión comercial escasa o nula (los experimentos con pilas de combustible y turbina de gas, el tractor anfibio Sea Horse). En cambio, otras novedades tuvieron una gran repercusión a largo plazo en el diseño de tractores.

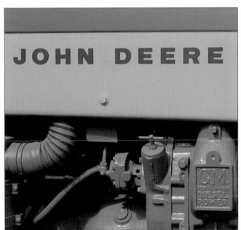

Arriba: *El motor diésel de la gama John Deere se trasladó a los modelos más pequeños con el lanzamiento del tractor 435 impulsado por un motor General Motors.*

Izquierda: *David Brown fue la primera compañía de tractores británica que ofreció cabinas aprobadas oficialmente que cumplían la nueva normativa de seguridad.*

La tracción a las cuatro ruedas fue una de las innovaciones más importantes que se consolidaron desde el punto de vista comercial en la década de 1960. No fue una creación nueva, pero existía una creciente presión para mejorar la eficiencia del cultivo, y este tipo de tracción respondía mejor en situaciones complicadas.

La necesidad de mejorar la eficiencia también propició la aparición de las primeras transmisiones servoasistidas, y existía una creciente demanda de más potencia para cultivar una superficie mayor en menos tiempo. La manera obvia de incrementar la potencia es incorporar un motor más grande, pero la sobrealimentación de un motor existente puede aumentar la potencia aproximadamente un 25%. El primer turbo en un motor de tractor data de la década de 1960.

Otra creación fue la cabina montada en el frontal del tractor County Forward Control, que cabría considerar una primera forma de los tractores portaimplementos que aparecieron en las dos décadas siguientes. La colocación más adelantada de la cabina dejaba espacio atrás para un depósito de pulverización o una tolva abonadora.

Las cabinas también constituyeron otro avance, aunque tardío. Ya habían aparecido puntualmente en algunos vehículos, pero durante los 80 primeros años de la historia de los tractores, más del 95% de los conductores estuvieron expuestos a las inclemencias climáticas y al riesgo de lesión o incluso de muerte si el tractor volcaba.

PORSCHE-DIESEL

1957 **Friedrichshafen (Alemania)**

PORSCHE-DIESEL JUNIOR L-108

Algunos fabricantes de coches de carreras caros y sofisticados también construyeron tractores agrícolas. Ejemplos de ello son la marca de coches y tractores Lamborghini en Italia; David Brown, propietario tanto de la compañía de tractores del Reino Unido que lleva su nombre como de Aston Martin; y Ferdinand Porsche, en Alemania, que diseñó coches y tractores.

Especificaciones

Fabricante: Porsche-Diesel
Procedencia: Friedrichshafen (Alemania)
Modelo: Junior L-108
Tipo: uso general
Motor: diésel de un cilindro
Potencia: 16 CV (11,8 kW)
Transmisión: caja de cambios de seis velocidades
Peso: 1.169 kg
Año de fabricación: 1957

Arriba: *En Alemania, como en el Reino Unido, los agricultores pronto descubrieron los beneficios del motor diésel. El Porsche-Diesel Junior incorporó un motor diésel de un cilindro.*

El doctor Porsche estuvo estrechamente vinculado a la gama de tractores Allgaier durante unos 10 años tras la Segunda Guerra Mundial, y en 1955 la compañía pasó a llamarse Porsche. El cambio de nombre estuvo acompañado por un cambio del color naranja de Allgaier por el rojo brillante de Porsche, pero se conservó el diseño.

El tractor más pequeño

El tractor más pequeño de la gama Allgaier era el A111, impulsado por un motor diésel de un cilindro refrigerado por aire, modelo que se convirtió en el Porsche-Diesel Junior L-108 bajo la marca Porsche. También logró 4 CV (2,9 kW) adicionales, aparentemente gracias al incremento del régimen de giro nominal del motor hasta 2.250 r. p. m. El cilindro tenía un diámetro de 9,4 cm y una carrera de 11,5 cm, y la transmisión ofrecía seis velocidades hacia delante.

La adopción del nombre Porsche supuso un impulso de las ventas para la exportación, con Estados Unidos y el Reino Unido como destinos principales. Sorprendentemente, fue el modelo Junior en lugar de otros más potentes el que mostró mejores cifras durante la campaña; sin embargo, es posible que la falta de potencia disuadiera a algunos clientes potenciales y que por ello se vendieran pocos tractores Porsche en ambos países.

ALLIS-CHALMERS

✳ **1957   Milwaukee, Wisconsin (EE. UU.)**

ALLIS-CHALMERS D-14

Abajo: *El Allis-Chalmers D-14 ofrecía a los conductores de tractores un nuevo tipo de asiento con su propio sistema de suspensión y ajuste para adaptarse al peso y a la altura del conductor.*

Cuando el nuevo modelo D-14 se anunció en 1957, vino a ratificar la mayor importancia que los fabricantes de tractores estaban concediendo al confort del conductor. Uno de los elementos diseñados para incrementar la comodidad del conductor era el encendedor de cigarrillos incluido en el salpicadero, aunque lo que más destacaba era el diseño del asiento.

Especificaciones

Fabricante: Allis-Chalmers Manufacturing Co.

Procedencia: Milwaukee, Wisconsin (EE. UU.)

Modelo: D-14

Tipo: uso general

Motor: cuatro cilindros

Potencia: 35,6 CV (26,3 kW)

Transmisión: caja de cambios de ocho velocidades

Peso: 1.893 kg

Año de fabricación: 1957

Por alguna razón, se denominó asiento «Center-Ride» y, según el folleto de venta, ofrecía «la conducción más cómoda que jamás ha experimentado». Lo que hacía especial el asiento era el sistema de suspensión, completamente ajustable a la altura y al peso del conductor, así como un amortiguador que «elimina el traqueteo y ofrece una conducción suave y cómoda en suelos desiguales».

Características de diseño

Allis-Chalmers describía el D-14 como un tractor apto para arados trisurco, es decir, que podía arrastrar tres surcos en la mayoría de situaciones.

El motor de gasolina con cuatro cilindros «Power-Crater» de Allis-Chalmers tenía un régimen de giro de 1.650 r. p. m, y la potencia medida en la polea de correa era 35,6 CV (26,3 kW). La especificación estándar ofrecía dirección asistida. El D-14 también incorporaba una toma de fuerza continua y una transmisión de ocho velocidades.

El diseño incluía el ajuste de rueda posterior servoasistido Allis-Chalmers, que utilizaba la potencia del motor para ajustar la banda de rodamiento al trabajo de cultivos en hilera. El espacio libre que quedaba bajo el tractor permitía utilizar instrumentos de instalación central, característica que el D-14 heredó del tractor modelo B.

ALLIS-CHALMERS
✖ **1959 Milwaukee, Wisconsin (EE. UU.)**

TRACTOR DE PILA DE COMBUSTIBLE ALLIS-CHALMERS

La reciente preocupación por el coste y la disponibilidad futura de petróleo han suscitado un renovado interés por las pilas de combustible. La investigación llevada a cabo a finales de la década de 1950 por Allis-Chalmers sobre su utilización para impulsar tractores agrícolas podría ser relevante en el futuro.

El principio de la pila de combustible fue descrito originalmente por un científico británico en 1839, pero en aquel tiempo se consideró una mera curiosidad. El interés se renovó en la década de 1950 y Allis-Chalmers fue una de las compañías que investigaron sobre ello.

Pilas de combustible
Una pila de combustible funciona básicamente como una batería, transformando energía química

en eléctrica. Los productos químicos se suministran a la pila en forma de combustible, normalmente en una mezcla de gases, como propano o metano, pero también puede estar en estado sólido o líquido. Entonces, el combustible produce la reacción química que genera energía eléctrica. A diferencia de una pila convencional, una de combustible no puede almacenar la electricidad que produce y es preciso utilizarla en el momento, por ejemplo, para impulsar un motor eléctrico.

Arriba: Esta fotografía publicitaria de Allis-Chalmers muestra uno de sus tractores experimentales con pila de combustible en acción; finalmente, el proyecto se abandonó debido a presiones financieras.

Sus ventajas potenciales incluyen la posibilidad de utilizar una amplia gama de combustibles, así como el hecho de que el proceso que produce la electricidad es muy eficiente. Las pérdidas de energía cuando se quema combustible en un motor de gasolina o diésel se sitúan por encima del 50%, mientras que el porcentaje se reduce al 10% o incluso menos en el caso de una pila de combustible, aunque se producen pérdidas adicionales cuando la electricidad se convierte en energía mecánica mediante un motor eléctrico. Las pilas de combustible y su motor eléctrico prácticamente no producen ruido, pero en la década de 1950, las pilas y su suministro de combustible resultaban pesadas y ocupaban mucho espacio.

Tractores experimentales

Allis-Chalmers fabricó varios tractores de pila de combustible con fines experimentales, incluido uno basado en un tractor D-12. En 1959 construyó un tractor especial para el programa de investigación. El espacio ocupado normalmente por el motor lo ocupaban 1.008 pilas de combustible dispuestas en cuatro hileras principales, que se cargaban con propano y otros gases suministrados por cilindros de alta presión del tractor.

La electricidad producida por la reacción química en las pilas de combustible propulsaba un motor eléctrico de corriente continua de 20 CV (15 kW), que se utilizaba para mover las ruedas del tractor. Cuando se presentó el tractor, Allis-Chalmers emitió un comunicado con las ventajas de la energía generada por las pilas de combustible, entre ellas la ausencia de una caja de cambios, ya que la velocidad hacia delante se controlaba variando la cantidad de corriente suministrada al motor, y la marcha hacia delante/atrás se seleccionaba invirtiendo la polaridad de la corriente.

Especificaciones

Fabricante: Allis-Chalmers Manufacturing Co.

Procedencia: Milwaukee, Wisconsin (EE. UU.)

Modelo: tractor de pila de combustible

Tipo: experimental

Motor: eléctrico

Potencia: 20 CV (15 kW)

Transmisión: directa

Peso: n. d.

Año de producción: 1959

Abajo: *Una hilera de 1.008 pilas de combustible producía electricidad suficiente para impulsar un motor de 20 CV (15 kW). Las pilas de combustible siguen considerándose una fuente de energía potencial para el futuro.*

JOHN DEERE
⚒ **1959 Waterloo, Iowa (EE. UU.)**

JOHN DEERE 435

Algunos entusiastas de los tractores John Deere descartan el 435, ya que fue uno de los contados modelos de John Deere anteriores a 1961 que no incorporaban el famoso motor horizontal de dos cilindros.

Arriba: *El 435 fue el último modelo nuevo de la gama John Deere antes del lanzamiento de una gama de tractores completamente nueva en 1960.*

Especificaciones

Fabricante: Deere & Co.

Procedencia: Waterloo, Iowa (EE. UU.)

Modelo: 435

Tipo: uso general

Motor: diésel de dos tiempos con dos cilindros

Potencia: 32,9 CV (24,3 kW)

Transmisión: caja de cambios de cinco velocidades

Peso: 1.862 kg

Año de fabricación: 1959

A pesar de utilizar el tipo de motor «equivocado», el 435 fue un modelo importante. Fue el primer modelo diésel de John Deere dirigido al sector de potencia baja-media en lugar de a la parte superior del mercado, como los anteriores diésel John Deere, y también fue el primer tractor de la compañía con toma de fuerza de doble velocidad a 540 y 1.000 r. p. m.

Toma de fuerza

El número de modelo 435 fue elegido seguramente para distinguir el tractor del modelo 430 en el que se basaba. La característica que lo diferenciaba del resto de la serie 30 era el motor diésel General Motors con dos cilindros verticales y una potencia de 32,9 CV (24,3 kW). El 435 fue el primer tractor cuya potencia se midió en Nebraska en la toma de fuerza y no en la polea de correa. Este cambio de procedimiento en la prueba reconocía el hecho de que cada vez menos agricultores utilizaban sus tractores con equipo accionado por correa, puesto que la toma de fuerza se había convertido en el estándar.

El 435 se produjo sólo durante dos años y fue el último modelo nuevo que introdujo John Deere antes de que los modelos de dos cilindros tradicionales desaparecieran y dejaran su lugar a una nueva gama de tractores dominada por los motores de cuatro y seis cilindros.

Arriba, izquierda: *Con su motor diésel de dos tiempos y 32,9 CV (24,3 kW) General Motors, el 435 no era el típico tractor John Deere de la década de 1960. Sólo se fabricó durante dos años.*

JOHN DEERE

🔧 **1960   Waterloo, Iowa, (EE. UU.)**

JOHN DEERE 3010

El primer lote de tractores «New Generation of Power» de John Deere, la nueva gama que sustituyó a los antiguos modelos de dos cilindros, llegó en 1960, cuando se anunciaron cuatro de los nuevos modelos.

Derecha: Los tractores John Deere 3010 y 4010 introducidos en 1960 incorporaban un nuevo sistema hidráulico que incluía, por primera vez, un accionamiento hidráulico de los frenos.

Especificaciones

Fabricante: Deere & Co.

Procedencia: Waterloo, Iowa (EE. UU.)

Modelo: 3010 Diesel

Tipo: uso general

Motor: diésel de cuatro cilindros

Potencia: 59,5 CV (44 kW)

Transmisión: caja de cambios de ocho velocidades

Peso: 2.970 kg

Año de fabricación: 1960

Se caracterizaban por una nueva imagen, motores de cuatro cilindros y –como prueba del cambio de la energía que utilizaban– existía la opción de motor diésel para cada modelo, pero no versiones de combustible destilado ni parafina.

Con 59,5 CV (44 kW) de potencia en la toma de fuerza, el 3010 se describía como un tractor capaz de utilizar arados cuatrisurco, y una de las principales características de venta era el nuevo sistema hidráulico que compartía con el modelo 4010, el más destacado de la nueva gama. Los frenos funcionaban mediante un dispositivo hidráulico, que era la primera vez que se utilizaba en un tractor agrícola; por su parte, el sistema hidráulico incluía hasta tres circuitos hidráulicos continuos independientes para manejar el equipo auxiliar.

Otras versiones

Además del diésel con 2.200 r. p. m. de potencia, también se ofrecían motores de gasolina y gas licuado de petróleo (GLP) en el 3010; dichos motores producían 51 y 55,4 CV, respectivamente. Las relaciones de compresión para quemar las tres opciones de combustible diferentes eran 16,4 a 1 para el diésel y 7,5 y 9 a 1 para la gasolina y el GLP. El 3010 también incluía una caja de cambios de ocho velocidades, y existían las opciones de eje delantero normal y para cultivo en hilera.

ALLIS-CHALMERS
1960   Essendine, Lincolnshire (Inglaterra)

ALLIS-CHALMERS ED-40

El éxito del tractor modelo B animó a Allis-Chalmers a establecer su fábrica en el Reino Unido. Cuando el modelo B llegó al final de su vida comercial, le siguieron los modelos D270 y D272.

Los volúmenes de venta de los modelos D270 y 272 fueron decepcionantes y la compañía necesitaba otro éxito para llenar su fábrica de Lincolnshire. El tractor que eligió fue el ED-40, con un diseño relativamente parecido al del D-14 y al de otros modelos recientes salidos de la fábrica de la compañía en Estados Unidos.

El motor diésel fue la elección natural para el nuevo tractor fabricado en Inglaterra, sin alternativa de gasolina/parafina, y la elección lógica habría sido comprar un motor Perkins, la compañía que había suministrado motores diésel para los tractores Allis-Chalmers anteriores fabricados en el Reino Unido. Sin embargo, Perkins no logró el contrato, tal vez porque Massey-Ferguson había comprado la compañía Perkins el año anterior para garantizar su propio suministro de motores, y es posible que Allis-Chalmers decidiera no comprar un motor de una compañía perteneciente a su principal competidor.

Superior: *La función Depthomatic del tractor ED-40 incluía un sensor de carga mediante el brazo superior del enganche de instrumentos que mejoraba el control de la profundidad.*

Arriba: *Allis-Chalmers incorporó al nuevo tractor ED-40 un motor diésel Standard en lugar de los motores Perkins utilizados anteriormente.*

En su lugar, compró una versión mejorada del motor diésel 23C desarrollado por Standard Motor Co. para el tractor Ferguson 35. Las mejoras se habían introducido para ofrecer un motor para un tractor que la compañía Standard proyectaba fabricar en ese momento.

Aunque dicho tractor no llegó nunca a fabricarse, el motor, con su nueva culata para aumentar el par motor y una bujía de precalentamiento en cada cilindro para superar los anteriores problemas de arranque en tiempo frío, estaba disponible para el ED-40. La potencia del motor diésel Standard era de 37 CV (27,4 kW) cuando la producción del ED-40 comenzó en 1960; sin embargo, se aumentó hasta 41 CV (30,5 kW) cuando se introdujo una versión mejorada del tractor tres años después.

Otra mejora de diseño incluida en la versión de 1963 del ED-40 era la incorporación del control de carga Depthomatic, que utilizaba el enlace superior del enganche de tres puntos para dar un control de la profundidad más preciso para trabajos como la labranza.

Mejoras posteriores

Una de las características del ED-40 heredada del modelo B, su ilustre antepasado, era el espacio libre inferior suficiente para colocar instrumentos de instalación central. Eso formaba parte del diseño estándar, igual que en el modelo B, y no se limitaba a la versión especial sobreelevada, como ocurría con otros fabricantes.

La producción del ED-40 en la fábrica de Allis-Chalmers en Essendine (Lincolnshire) continuó hasta 1968 aproximadamente. Fue el último tractor Allis-Chalmers que se construyó en el Reino Unido, aunque la fábrica siguió produciendo maquinaria durante algunos años más.

Especificaciones

Fabricante: Allis-Chalmers Manufacturing Co.

Procedencia: Essendine, Lincolnshire (Inglaterra)

Modelo: ED-40

Tipo: uso general

Motor: diésel de cuatro cilindros Standard

Potencia: 37 CV (27,4 kW)

Transmisión: caja de cambios de ocho velocidades

Peso: 1.626 kg (peso de embarque)

Año de fabricación: 1960

Izquierda: La unión posterior del ED-40 incluía el sistema Depthomatic, que ofrecía un control automático de la velocidad de trabajo de los instrumentos instalados en la parte posterior.

INTERNATIONAL HARVESTER
✕ 1961   Chicago, Illinois (EE. UU.)

TRACTOR DE TURBINA DE GAS IH

Las turbinas de gas suscitaron un gran interés a finales de la década de 1950. La mayoría de los principales fabricantes de automóviles experimentaban con energía producida por turbinas de gas y estaba extendida la creencia de que sustituirían a los motores de émbolo para el transporte por carretera.

Especificaciones

Fabricante: International Harvester
Procedencia: Chicago, Illinois (EE. UU.)
Modelo: HT-340
Tipo: experimental
Motor: turbina de gas
Potencia: rebajada hasta 40 CV (29,8 kW)
Transmisión: hidrostática
Peso: n. d.
Año de producción: 1961

El aire que entra por la parte frontal de una turbina de gas se calienta al arder el combustible y conforme se expande se expulsa por la parte posterior del motor a alta velocidad, impulsando las palas de una turbina. Algunas de las ventajas son su tamaño compacto y su peso ligero; las turbinas de gas son más suaves y fiables que un motor de émbolo. Las desventajas para los vehículos incluyen niveles elevados de ruido, consumo elevado de energía y ausencia de freno motor.

Transmisión hidrostática

International Harvester comentó estos problemas abiertamente en 1961 cuando mostró su tractor experimental HT-340. Una compañía filial estaba desarrollando turbinas de gas para helicópteros y una de esas turbinas se utilizó en el tractor; en principio, estaba diseñada para desarrollar 80 CV (59,6 kW), pero dicha potencia se rebajó hasta 40 CV (29,8 kW) para el tractor. La turbina estaba unida a una transmisión hidrostática que impulsaba una bomba, y ésta propiciaba el movimiento de aceite en un circuito para propulsar los motores situados en las ruedas del tractor.

Al final, la transmisión hidrostática resultó más relevante que la turbina de gas, pues elimina la necesidad de una caja de cambios y ofrece una gama infinita de velocidades sin alterar las revoluciones del motor; además, es fiable y fácil de utilizar. Posteriormente, International Harvester se convirtió en el principal fabricante de este tipo de tractores.

Arriba: El tractor experimental HT-340 de International Harvester estaba impulsado por una turbina de gas e incorporaba transmisión hidrostática con una velocidad de marcha infinitamente variable.

FORD

⚒ **1962   Birmingham, Michigan (EE. UU.)**

FORD 4000 SELECT-O-SPEED

En 1962, Ford sustituyó la llamativa pintura de las series de tractores Workmaster y Powermaster por la nueva combinación azul y gris estandarizada a escala mundial de la compañía.

Derecha: *Los tractores de la serie 4000 de Ford fabricados en Estados Unidos sustituyeron la serie Powermaster anterior e incluían bloques de tres y de cuatro cilindros.*

Especificaciones

Fabricante: Ford Motor Co.

Procedencia: Birmingham, Michigan (EE. UU.)

Modelo: 4000 Select-O-Speed

Tipo: uso general

Motor: gasolina de cuatro cilindros

Potencia: 45,4 CV (33,6 kW)

Transmisión: caja de cambios de 10 velocidades

Peso: 2.218 kg

Año de fabricación: 1962

Además de alterar la imagen de los tractores, el cambio de modelo también pretendía simplificar la compleja gama de tractores pequeños construidos en Estados Unidos. Los distintos modelos Workmaster, tanto agrícolas como industriales, se integraron en la nueva serie 2000, y también había una nueva serie 4000 formada por los antiguos modelos Powermaster.

Versiones

A pesar del intento de simplificación, las dos gamas seguían siendo bastante complicadas. La serie 4000 estaba disponible con motores de tres y de cuatro cilindros, incluida una versión diésel de tres, y también se podían elegir transmisiones mucho más avanzadas. Los clientes podían elegir una caja de cambios de ocho velocidades o la recién introducida versión Ford Select-O-Speed con 10 velocidades hacia delante y una función servoasistida que permitía al conductor cambiar de marcha sin utilizar el pedal de embrague.

La potencia máxima cuando se probó la versión de gasolina de cuatro cilindros en Nebraska era de 45,4 CV (33,6 kW) en la toma de fuerza. El motor de 320 cm³ tenía un diámetro interior de 11,1 cm y una carrera de 10,6 cm. La potencia máxima de la barra de enganche era de 39 CV (29 kW).

También había una versión de gasolina de tres cilindros con 46,3 CV (34,5 kW) en la toma de fuerza, y las cifras de potencia del 4000 diésel de cuatro cilindros eran 46,7 CV (34,8 kW) al régimen de funcionamiento nominal y 39,4 CV (29,3 kW) en la barra de enganche.

MASSEY-FERGUSON SUPER 90

La adquisición del negocio de tractores de Harry Ferguson por parte de Massey-Harris propició la aparición de una nueva gama Massey-Ferguson, que ofrecía una atractiva selección de modelos para el sector pequeño-medio.

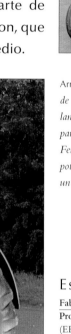 

Arriba: El tractor Super 90 fue uno de los grandes modelos de la serie 90 lanzados rápidamente al mercado para reforzar la gama de Massey-Ferguson en el sector de la alta potencia, que estaba experimentando un rápido crecimiento.

Especificaciones

Fabricante: Massey-Ferguson
Procedencia: Detroit, Michigan (EE. UU.)
Modelo: Super 90 Diesel
Tipo: uso general
Motor: diésel de cuatro cilindros
Potencia: 68,5 CV (50,7 kW) (en la toma de fuerza)
Transmisión: caja de cambios de ocho velocidades
Peso: 3.289 kg
Año de fabricación: 1962

Por desgracia, los tractores más grandes eran los que experimentaban un mayor crecimiento de ventas, especialmente en Estados Unidos, y los concesionarios Massey-Ferguson se arriesgaban a perder ventas, ya que sólo tenían los antiguos modelos Massey-Harris para ofrecer a los clientes con grandes extensiones de tierra. Para llenar ese hueco, Massey-Ferguson introdujo los nuevos tractores de la serie 90, pero para acelerar el proceso, adquirió algunos de los nuevos modelos a compañías rivales, lo cual generó complicaciones.

Tractores comprados

Los Minneapolis-Moline G-507 se vendían con el emblema y los colores de Massey-Ferguson como modelos MF-97 en Estados Unidos y MF-95 en Canadá. La compañía Oliver suministró 500 tractores diésel para su venta como modelos MF-98. Al tratarse de tractores comprados, estos dos modelos no incorporaban el enganche ni el sistema hidráulico Ferguson System.

El Super 90 fue una creación de Massey-Ferguson, aunque el motor de la versión diésel se compraba a Perkins. La producción del Super 90 comenzó en 1962, y la potencia de la versión diésel era de 68,5 CV (50,7 kW) en la toma de fuerza, lo cual lo convertía en el tractor Ferguson System más potente. El motor de cuatro cilindros tenía un régimen de giro de 2.000 r. p. m., y la transmisión ofrecía ocho marchas hacia delante.

Arriba, izquierda: Se decía que el tractor Super 90 de Massey-Ferguson, con su motor diésel Perkins de 68,5 CV (50,7 kW), era el tractor Ferguson System más potente disponible.

MASSEY-FERGUSON

⚒ **1964   Coventry, Warwickshire (Inglaterra), y Detroit, Michigan (EE. UU.)**

MASSEY-FERGUSON MF-135

El Project DX era un ambicioso programa para crear una nueva gama de tractores Massey-Ferguson que se fabricaran en las plantas de la compañía en Estados Unidos, Reino Unido y Francia. Un indicio del tamaño del proyecto es el hecho de que el Departamento de Ingeniería asignó un millón de horas de trabajo para el diseño, la fabricación y las pruebas de los prototipos.

Derecha: *Los modelos MF-135 eran con diferencia los tractores más vendidos de Massey-Ferguson a mediados de la década de 1960. Se fabricaban en Detroit y en Coventry.*

Arriba: *El programa de desarrollo Project DX propició la aparición de una nueva gama de tractores Massey-Ferguson, incluido el popular modelo MF-135.*

Especificaciones

Fabricante: Massey-Ferguson

Procedencia: Coventry, Warwickshire (Inglaterra) y Detroit, Michigan (EE. UU.)

Modelo: MF-135

Tipo: uso general

Motor: diésel de tres cilindros

Potencia: 37,8 CV (28 kW)

Transmisión: caja de cambios de 12 velocidades

Peso: 1.655 kg

Año de fabricación: 1964

La finalidad del proyecto era suministrar a Massey-Ferguson una nueva gama de tractores técnicamente avanzados y que pudieran comercializarse a nivel mundial. El MF-135 fue uno de los primeros modelos. La producción comenzó en 1964 en la fábrica de Detroit y al año siguiente en la de Coventry. La versión diésel estaba impulsada por un motor Perkins (una firma adquirida por Massey-Ferguson en 1959).

La potencia máxima del motor diésel de tres cilindros, registrada en Nebraska en las pruebas de toma de fuerza, era de 37,8 CV (28 kW). Entre sus características incluía una transmisión con 12 marchas hacia delante. A los clientes estadounidenses también se les ofrecía una versión de gasolina equipada con un motor Continental.

Éxito de ventas

El MF-135 fue el tractor de la gama MF más vendido a mediados de la década de 1960. En total se fabricaron casi 13.000 tractores en la fábrica de Detroit en 1965, más de un tercio de la producción total de Massey-Ferguson en Estados Unidos ese año. Los 44.246 tractores MF-135 fabricados en 1966 suponían más de la mitad de la producción de la compañía en el Reino Unido ese año.

COUNTY

1964 Fleet, Hampshire (Inglaterra)

COUNTY SEA HORSE

No existe mucha demanda para un tractor flotante. Sin embargo, County Commercial Cars creó uno en 1964, llamado Sea Horse. Aunque le proporcionó mucha publicidad, no hay registros de ninguna venta.

El County Sea Horse estaba basado en el motor de 52 CV (38,5 kW) y en la transmisión de un tractor Fordson Super Major, con una conversión de la transmisión a las cuatro ruedas de County. No está claro qué llevó a la compañía a fabricar una versión flotante del tractor, pero parece que su creación fue relativamente sencilla.

Sistema de flotación

La mayor parte de la flotación se obtenía gracias al gran volumen de aire en los cuatro enormes neumáticos Goodyear, pero el tractor también incorporaba compartimentos estancos en cada rueda para proporcionar un volumen de aire adicional. County también fabricó grandes depósitos de flotación de chapa de acero, que estaban montados en la parte frontal y en la posterior del tractor para ofrecer mayor estabilidad en casos de tormenta o al atravesar la estela de un barco grande. Según explicaba la compañía, los depósitos también podían utilizarse como contenedores de lastre cuando el tractor trabajaba en tierra firme.

Además de los depósitos de aire, y por más sorprendente que parezca, se necesitaban pocas

Arriba: *Un tractor Sea Horse de County fotografiado durante una exhibición como tractor con tracción a las cuatro ruedas trabajando en terreno seco.*

modificaciones para convertir el Sea Horse en un tractor acuático. No tenía una impermeabilización elaborada, pero la campana del embrague se sellaba completamente, las varillas de medición de nivel estándares se sustituían por otras atornilladas y todos los cárteres de la caja de cambios incorporaban respiraderos que se abrían por encima de la línea de flotación.

El sistema de propulsión del Sea Horse era incluso más sencillo. Cuando giraban las ruedas, las nervaduras de la banda de rodadura de los cuatro neumáticos gigantes funcionaban a modo de paletas y movían el tractor. El mecanismo de dirección funcionaba igual que en tierra, aunque el círculo de rotación era mucho más ancho.

Al parecer, sólo había dos problemas: la propulsión de las ruedas era mucho menos eficiente en el agua que en tierra, y eso reducía la velocidad de avance a unos 5,5 km/h en la marcha superior; y en segundo lugar, el conductor quedaba empapado a causa de las salpicaduras de las ruedas.

Cruzando el Canal

County hizo publicidad de su flamante tractor cruzando el canal de la Mancha de Francia a Inglaterra, y tardó 7 horas y 50 minutos en completar los 51,8 km. También lo llevó a Florida y logró más publicidad cuando realizó un viaje con el Sea Horse entre los barcos de recreo en Fort Lauderdale. Si County esperaba vender muchas unidades del Sea Horse, la decepción fue mayúscula, pero si, como parece probable, la finalidad era hacer publicidad, debió de quedar encantada.

Izquierda: *Fotografía publicitaria original del Sea Horse rodeado de barcos de recreo en la costa de Florida.*

Especificaciones

Fabricante: County Commercial Cars
Procedencia: Fleet, Hampshire (Inglaterra)
Modelo: Sea Horse
Tipo: anfibio
Motor: cuatro cilindros
Potencia: 52 CV (38,5 kW)
Transmisión: caja de cambios de seis velocidades
Peso: 5.794 kg
Producción: 1964

Izquierda: *Otra fotografía publicitaria, esta vez mostrando el Sea Horse mientras cruzaba el canal de la Mancha de Francia a Inglaterra.*

JOHN DEERE
✂ **1964   Waterloo, Iowa (EE. UU.)**

JOHN DEERE 4020

Otra entrega de la «New Generation of Power» de John Deere llegó en 1963 cuando se anunció el nuevo modelo 5010 situado en lo más alto de la gama. El año siguiente se produjeron nuevos desarrollos cuando los modelos 3010 y 4010 se actualizaron para convertirse en el 3020 y el 4020.

Especificaciones

Fabricante: Deere & Co.
Procedencia: Waterloo, Iowa (EE. UU.)
Modelo: 4020
Tipo: uso general
Motor: diésel de seis cilindros
Potencia: 91 CV (67,3 kW)
Transmisión: servoasistida
Peso: 4.061 kg
Año de fabricación: 1964

La principal diferencia entre los nuevos 3020 y 4020 y sus predecesores era la incorporación de una transmisión servoasistida, que acabó constituyendo un desarrollo relevante, ya que dicha transmisión se convirtió paulatinamente en la preferida en los grandes tractores, pero en 1964 todavía era una característica inusual.

Ventajas de la transmisión servoasistida
Una de las ventajas de la transmisión servoasistida es que permite al conductor cambiar a una relación de transmisión diferente de manera suave sin utilizar el pedal de embrague y sin interrupción del flujo de potencia que va a las ruedas. Esto es

importante por ejemplo al arrastrar una carga pesada cuesta arriba o al arar en condiciones difíciles, ya que el tractor pierde impulso al embragar para realizar un cambio de marcha convencional. Además de aumentar la productividad, la transmisión servoasistida facilita la labor del conductor, ya que se necesita menos esfuerzo físico en comparación con el cambio de marchas convencional.

El nuevo modelo 4020 también incluía un bloqueo del diferencial hidráulico, que utilizaba un pedal para suministrar la misma energía a las dos ruedas motrices con el fin de reducir el riesgo de deslizamiento de la rueda, y además se incrementó la potencia hasta 91 CV (67,3 kW).

Arriba: *El desarrollo más destacado del nuevo tractor John Deere 4020 era la transmisión servoasistida, que permitía cambiar de marcha sin interrumpir el flujo de potencia procedente del motor.*

COUNTY

🛠 **1965 Fleet, Hampshire (Inglaterra)**

COUNTY FORWARD CONTROL FC1004

Cuando el fabricante de tractores County presentó su primer modelo Forward Control en 1965, lo orientó en parte al mercado agrícola y en parte a usuarios industriales y silvicultores.

Derecha: *Las ventas de los modelos County Forward Control fueron decepcionantes, tal vez debido a que su concepto de diseño era demasiado novedoso para la época.*

Especificaciones

Fabricante: County Commercial Cars

Procedencia: Fleet, Hampshire (Inglaterra)

Modelo: FC1004

Tipo: uso general

Motor: diésel de seis cilindros

Potencia: 102 CV (75,5 kW)

Transmisión: caja de cambios de ocho velocidades

Peso: 4.265 kg

Año de fabricación: 1965

El diseño era muy original. Como otros modelos County, estaba basado en un motor y una transmisión Ford con la incorporación del sistema de cuatro ruedas motrices County con ruedas delanteras y traseras del mismo diámetro. Sin embargo, la característica más inusual era la posición del conductor, con la cabina ubicada en la parte frontal del tractor, por delante de las ruedas delanteras, dejando un gran espacio detrás de la cabina que podía utilizarse para llevar accesorios, como un depósito de pulverización.

Motor

La producción comenzó con el FC654, seguido del FC754, pero fue la versión FC1004 de 1967 la que consiguió la mayor parte de las ventas. El motor del 1004 era un motor industrial Ford 2703C. Era una unidad de seis cilindros con válvulas en culata, 5,9 litros de capacidad y una potencia de 102 CV (75,5 kW). Estaba conectada a una caja de cambios de ocho velocidades Ford que ofrecía una velocidad máxima ligeramente superior a 28 km/h.

Los tractores con plataforma trasera para transporte de carga han ido ganando popularidad en los últimos 20 años, pero a finales de los sesenta el FC1004 se adelantó a su tiempo y las ventas fueron decepcionantes. La producción del FC1004 continuó a pequeña escala hasta 1977, cuando se suprimió de la gama de tractores County.

DAVID BROWN
🔧 1967   Meltham, Yorkshire (Inglaterra)

DAVID BROWN 1200 SELECTAMATIC

El sistema hidráulico Selectamatic introducido por David Brown en 1965 estaba diseñado para facilitar el manejo del enganche de tres puntos con la finalidad de simplificar el trabajo del conductor y agilizar la velocidad de trabajo. Inicialmente estaba limitado al modelo 770, pero tuvo tanto éxito que a final de año el sistema ya se había incorporado a todos los modelos de la compañía.

También se incluyó en la especificación están-dar del nuevo modelo 1200 cuando se anun-ció en 1967, dos años después de que David Brown adoptara su nuevo esquema de colores «blanco orquídea y marrón chocolate».

El 1200 también llegó pocos años antes de que el Gobierno británico aprobara una ley para obli-gar a utilizar armazones o cabinas de seguridad aprobados para proteger al conductor. David Brown fue el primer fabricante de tractores britá-nico que ofreció cabinas adecuadas casi dos años antes del plazo de 1970, y los tres primeros certi-ficados de aprobación que emitió el Gobierno fueron para David Brown.

Dado que el modelo 1200 estuvo en venta tanto antes como después de la entrada en vigor

Arriba: David Brown presentó el modelo 1200 de 67 CV (50 kW) en 1967 con el sistema hidráulico Selectamatic diseñado para simplificar el manejo del enganche posterior.

de la nueva ley, las fotografías publicitarias muestran el 1200 con y sin cabina, que fue un extra opcional durante el periodo anterior a la entrada en vigor de la normativa sobre cabinas.

Otro indicador de la creciente importancia concedida al confort y a la seguridad fue la incorporación de lo que la compañía llamó «un nuevo asiento con suspensión de lujo», que se incluyó en la especificación estándar del 1200.

Tracción a las cuatro ruedas

El 1200 estaba equipado con un motor diésel de cuatro cilindros David Brown. La potencia inicial era de 67 CV (50 kW), pero se aumentó hasta 72 CV (53,6 kW) durante el segundo año de producción. Las características de diseño especiales del nuevo tractor incluían un embrague manual separado para dar un control independiente de la toma de fuerza. Era la primera vez que un tractor David Brown ofrecía este control. También había una transmisión directa desde la parte delantera del motor hasta la bomba hidráulica.

Una de las tendencias importantes en el diseño de tractores en el Reino Unido a finales de la década de 1960 fue la creciente demanda de tracción a las cuatro ruedas. El hecho de transmitir la potencia del motor a través de las ruedas traseras y delanteras aumenta la capacidad de tracción y de arrastre en terrenos húmedos. El número de agricultores dispuestos a pagar más por la tracción a las cuatro ruedas aumentó rápidamente.

David Brown presentó una versión con tracción a las cuatro ruedas del tractor 1200 en 1970. En 1971 se mejoró para permitir activar la tracción de las ruedas delanteras mientras el tractor estaba en movimiento.

Especificaciones

Fabricante: David Brown Tractors
Procedencia: Meltham, Yorkshire (Inglaterra)
Modelo: 1200 Selectamatic
Tipo: uso general
Motor: diésel de cuatro cilindros
Potencia: 67 CV (50 kW)
Transmisión: caja de cambios de seis velocidades
Peso: 2.742 kg
Año de fabricación: 1967

Abajo: *Dado que la demanda de tractores con tracción a las cuatro ruedas crecía, David Brown introdujo una versión con tracción a las cuatro ruedas del modelo 1200 en 1970.*

NUFFIELD
⚒ **1967   Bathgate (Escocia)**

NUFFIELD 4/65

Los márgenes de beneficios de British Motor Corporation se vieron perjudicados por la agitación industrial y otros problemas en algunas fábricas del grupo, y una de las consecuencias fue la falta de fondos para financiar un trabajo de desarrollo urgente necesario en la gama de tractores Nuffield.

Especificaciones

Fabricante: British Motor Corporation

Procedencia: Bathgate (Escocia)

Modelo: 4/65

Tipo: uso general

Motor: diésel de cuatro cilindros

Potencia: 65 CV (48,4 kW)

Transmisión: caja de cambios de 10 velocidades

Peso: n. d.

Año de fabricación: 1967

La gama de tractores Nuffield se había convertido en uno de los éxitos del sector de los tractores del Reino Unido, con un comportamiento especialmente sólido en los mercados de exportación, pero a mediados de la década de 1960 el diseño ya tenía casi 20 años y se necesitaba urgentemente una nueva gama.

Nuevos modelos

Cuando llegaron los nuevos modelos en 1967, su diseño difería mucho de la serie Universal anterior, pero las diferencias mecánicas eran mucho más modestas. Uno de los nuevos modelos era el

3/45 (que sustituía al modelo 10/42), y el 10/60 con su motor de 60 CV (44,7 kW), descrito originalmente como el tractor más potente de Gran Bretaña, se convirtió en el nuevo 4/65. En ambos casos, se conservaron el motor y la transmisión, pero la potencia del 10/60 se aumentó en 5 CV (3,7 kW) para suministrar 65 CV (48,4 kW) al nuevo modelo. La lista de mejoras también incluía una segunda bomba hidráulica para manejar el sistema de control de carga, la alteración del diseño del varillaje de la dirección y la mejora del enganche trasero 4/65 mediante la incorporación de un brazo superior de doble acción.

Arriba: El 4/65 fue uno de los tractores Nuffield con nueva imagen introducidos en 1967 procedentes de la fábrica de Leyland en Bathgate (Escocia).

LEYLAND
✖ **1968 Bathgate (Escocia)**

LEYLAND 154

Cuando British Motor Corporation fue absorbida por British Leyland como parte de la racionalización de 1960 del sector automovilístico del Reino Unido, se incluyó en la operación el negocio de tractores Nuffield, en Escocia.

Derecha: Cuando Leyland adquirió el negocio de tractores Nuffield, relanzó el modelo 4/25 con su nuevo esquema de color azul de dos tonos y lo denominó Leyland 25.

Especificaciones

Fabricante: British Leyland

Procedencia: Bathgate (Escocia)

Modelo: Leyland 154

Tipo: uso general

Motor: cuatro cilindros

Potencia: 25 CV (18,5 kW)

Transmisión: caja de cambios de nueve velocidades

Peso: n. d.

Año de fabricación: 1968

El tractor más pequeño de la gama Nuffield era el 4/25 Mini-Tractor, lanzado en 1965 con un motor de 15 CV (11,1 kW) como tractor de bajo coste para explotaciones pequeñas que podía utilizarse también de apoyo para superficies más extensas. Estaba equipado con un motor de cuatro cilindros. La transmisión se basaba en una caja de cambios con tres velocidades y con una segunda caja de relaciones altas, medias y bajas que ofrecía nueve marchas hacia delante.

Relanzamiento

En 1968, el Mini-Tractor original se relanzó con el nombre de Nuffield 4/25. El estudio del mercado había revelado que los clientes consideraban

que un tractor de 15 CV (11,1 kW) no ofrecía suficiente potencia, por lo que se amplió hasta 25 CV (18,5 kW), con la posibilidad de elegir entre gasolina o diésel. Ésta fue la versión que se convirtió en un producto British Leyland en 1968, que apareció al año siguiente con el esquema de color azul de dos tonos elegido para la gama de tractores Leyland. Al mismo tiempo, se cambió el número de modelo por el 154.

Bajo la dirección de British Leyland, el pequeño 154 permaneció en la línea de productos otros 10 años; sin embargo, las ventas siguieron siendo malas, ya que cada vez era mayor la competencia de los compactos tractores japoneses de importación. La producción finalizó en 1979.

KUBOTA

1969 Osaka (Japón)

KUBOTA TALENT 25

El principal motivo por el que Kubota fabricó el tractor Talent 25 fue probablemente generar algo de publicidad. Además, el tractor mostraba algunas ideas interesantes que la compañía tal vez pensaba introducir en algunos de sus futuros tractores producidos en serie.

Especificaciones

Fabricante: Kubota Iron & Machinery Works
Procedencia: Osaka (Japón)
Modelo: Talent 25
Tipo: experimental
Motor: diésel
Potencia: 25 CV (18,5 kW)
Transmisión: n. d.
Peso: n. d.
Año de producción: 1969

Arriba: *Kubota construyó el futurista Talent 25 para mostrarlo en el stand de una feria en 1969 y para probar nuevas ideas, como las cámaras de circuito cerrado de televisión.*

Kubota finalizó el tractor fuera de serie en 1969 y lo exhibió en su puesto de la Exposición Universal de Japón del año siguiente. Incorporaba varias ideas nuevas, algunas de las cuales eran posibilidades para el futuro, mientras que otras no resultaban en absoluto prácticas.

Circuito cerrado de televisión

Una de las ideas más interesantes fue la utilización de cámaras de televisión de circuito cerrado para que el conductor no tuviera ángulos muertos en su visión del exterior del tractor. El Talent 25 tenía tres cámaras conectadas a una pantalla ubicada en la cabina. El conductor podía seleccionar la cámara cuyas imágenes quería ver en la pantalla.

Probablemente resultaría muy futurista en 1969, pero desde entonces se han incorporado cámaras en algunos tractores y distintas máquinas autopropulsadas, normalmente por razones de seguridad cuando se circula marcha atrás.

Menos práctica era la forma de los paneles laterales del Talent, que se curvaban por encima de los neumáticos y que pronto se estropeaban por los impactos de las piedras y las salpicaduras de barro. Probablemente, la característica de diseño menos práctica fue la cabina, con sus dos puertas traseras para que el conductor entrara y saliera.

Incluso a los conductores más diestros les resultaba difícil subir al tractor o salir cómodamente con una máquina grande y con púas enganchada a la parte posterior. Los principales fabricantes solían producir modelos fuera de serie con diseño futurista para exponer en las ferias, aunque se hacía más como reclamo publicitario que para valorar las reacciones. El Talent 25 de Kubota probablemente se encuentra en esta categoría.

LELY

1970 **Maasland (Holanda)**

LELY HYDRO 90

Lely es uno de los principales fabricantes de maquinaria agrícola de Europa, pero la compañía también experimentó con varios proyectos de tractores, aunque ninguno de ellos ha tenido una repercusión comercial duradera.

Derecha: *Lely fue una de las compañías que se vieron atraídas por las ventajas de las transmisiones hidrostáticas.*

Arriba: *El modelo Hydro estaba propulsado por un motor de seis cilindros MWM. Estaba previsto ofrecer versiones con dos y cuatro ruedas motrices.*

Especificaciones

Fabricante: C Van Der Lely NV
Procedencia: Maasland (Holanda)
Modelo: Hydro 90
Tipo: experimental
Motor: diésel de seis cilindros MWM
Potencia: 87 CV (64 kW)
Transmisión: hidrostática
Peso: 3.210 kg (con tracción a las cuatro ruedas)
Año de producción: 1970

Una de las ideas que atraían a los ingenieros de la sede de Lely en Holanda era la de utilizar un sistema de transmisión hidrostático, que suprime el tradicional sistema de caja de cambios y embrague. La potencia se transmite a las ruedas utilizando un flujo de aceite impulsado por una bomba que circula por los motores unidos a las ruedas. El resultado es un flujo de potencia suave y una velocidad de marcha infinitamente variable a unas revoluciones por minuto constantes.

Motor

El tractor Hydro 90 de Lely con transmisión hidrostática se presentó en 1970. El motor era un diésel de seis cilindros MWM con 4,47 litros de capacidad y una potencia de 87 CV (64 kW) al régimen de giro nominal de 2.600 r. p. m. El sistema de transmisión permitía seleccionar una velocidad hacia delante máxima de 20,1 km/h, mientras que la velocidad máxima marcha atrás era de 12 km/h. El tractor también estaba disponible en versión con tracción a las cuatro ruedas.

Además de las ventajas, las transmisiones hidrostáticas presentan un gran inconveniente: son menos eficientes que una transmisión por engranajes mecánica. Tal vez fuera ésa la razón por la que Lely abandonó el proyecto tras fabricar varios tractores experimentales.

🔧 **1970   Detroit, Michigan (EE. UU.)**

MASSEY-FERGUSON MF-1200

La mayoría de fabricantes estadounidenses optaban por la dirección articulada o doblada en el centro para alcanzar radios de giro razonablemente pequeños con un tractor que tenía las ruedas delanteras y traseras del mismo diámetro.

Abajo: El MF-1200, con su dirección articulada, tracción a las cuatro ruedas y una potencia de 105 CV (78 kW), era un tractor imponente.

Con la dirección convencional a través de las ruedas delanteras, las ruedas y los neumáticos de gran diámetro tocaban el armazón antes de alcanzar un ángulo de giro lo bastante amplio, pero la dirección mediante una bisagra articulada en el centro era una alternativa eficaz.

Fue el sistema de dirección elegido por los ingenieros de Massey-Ferguson cuando diseñaron el tractor MF-1200. Se trataba de un tractor grande, introducido como parte del programa DX que producía una gama completamente nueva de tractores Massey-Ferguson, incluido el MF-35.

Potencia del motor

La potencia del motor diésel de seis cilindros del MF-1200 era de 105 CV (78,2 kW), pero cuando apareció por primera vez en el Reino Unido el buque insignia de la gama MF, muchos dieron por sentado que un tractor tan grande tendría un motor aún mayor. La potencia se aplicaba a través de una transmisión Multi-Power. Era una creación patentada por MF que utilizaba un sistema de engranaje epicíclico de funcionamiento hidráulico para duplicar cada una de las relaciones de transmisión. En el MF-1200 ofrecía 12 marchas hacia delante y cuatro hacia atrás.

El MF-1200 se mantuvo en la gama de tractores Massey hasta 1980. También había una versión MF-1250 que ofrecía un aumento modesto de la potencia hasta 112 CV (83,5 kW) y más potencia hidráulica para incrementar la capacidad de elevación del enganche posterior.

Especificaciones

Fabricante: Massey-Ferguson

Procedencia: Detroit, Michigan (EE. UU.)

Modelo: MF-1200

Tipo: uso general

Motor: diésel de seis cilindros

Potencia: 105 CV (78,2 kW)

Transmisión: caja de cambios de 12 velocidades Multi-Power

Peso: n. d.

Año de fabricación: 1970

DUTRA
✖ **1970   Budapest (Hungría)**

DUTRA D4K-B

Los tractores Dutra se fabricaban en Hungría (el nombre de la compañía es una abreviatura de *dumpers* y tractores, sus dos productos principales) y vendieron muchas unidades en mercados de exportación como Gran Bretaña, donde ofrecían comprar un tractor de alta potencia a un precio atractivo.

Derecha: *El Dutra fue uno de los pocos tractores que ofrecía tracción a las cuatro ruedas y 100 CV (74 kW).*

Arriba: *La mayoría de los compradores de Europa occidental preferían el motor Perkins en el tractor D4K-B. Se vendieron pocas versiones propulsadas por el motor Csepel.*

Especificaciones

Fabricante: Dutra Tractor Works
Procedencia: Budapest (Hungría)
Modelo: D4K-B
Tipo: uso general
Motor: diésel de seis cilindros
Potencia: 100 CV (74 kW)
Transmisión: caja de cambios de seis velocidades
Peso: 5.100 kg
Año de fabricación: 1970

La elevada potencia se lograba en parte por la utilización de motores de 100 CV (74 kW) y más en una época en la que sólo un reducido número de fabricantes occidentales ofrecía esa cantidad de potencia. El rendimiento también se vio ayudado por la tracción total mediante ruedas delanteras y traseras del mismo tamaño, la forma más eficiente de tracción a las cuatro ruedas.

Motores Perkins
El gran avance de Dutra en Occidente se produjo a mediados de la década de 1960, cuando empezó a ofrecer los familiares motores Perkins como alternativa a los bloques Csepel fabricados en Hungría. En 1971, los clientes del modelo D4K-B de 100 CV (74 kW) podían elegir entre un motor Csepel DT613S o un Perkins 6.354(TA). Ambos tenían seis cilindros y eran motores diésel de cuatro tiempos, pero la versión Perkins fue la que logró unas ventas más elevadas.

La especificación estándar del Dutra incluía una cabina de seguridad y un sistema de frenado hidráulico en las cuatro ruedas. La caja de cambios proporcionaba seis velocidades hacia delante. La dirección, asistida, funcionaba de modo convencional mediante las ruedas delanteras. Con unas ruedas de diámetro grande, esto debió de propiciar un diámetro de giro muy amplio.

FORD

✕ **1971   Romeo, Michigan (EE. UU.)**

FORD 7000

El Project 6X fue el programa que racionalizó la gama de tractores Ford y produjo los nuevos modelos de la serie 1000 para el mercado mundial. El programa reunió los tres centros principales de producción de la compañía en Highland Park (EE. UU.), Amberes (Bélgica) y la nueva fábrica de tractores en Basildon, Essex (Reino Unido). Su trabajo inicial consistió en fabricar cuatro nuevos modelos que cubrieran el sector pequeño-medio del mercado.

El primer lote de tractores nuevos se anunció en 1964. Había cuatro modelos, empezando por el Ford 2000 con una potencia de 37 CV (27,5 kW), el 3000 propulsado por un motor diésel de 46 CV (34,3 kW) y, en la cúspide de la gama, el Ford 5000 de 65 CV (48,4 kW). El cuarto modelo era el 4000, el tractor de la serie 1000 más vendido, con una versión diésel de 55 CV (41 kW).

Opciones

Todos los tractores de la serie 1000, aparte del modelo 2000, incorporaban una caja de cambios manual de ocho velocidades, pero la transmisión Ford Select-O-Speed con 10 velocidades hacia delante era opcional. El Select-O-Speed fue uno de los primeros sistemas de dirección servoasistida, que permitía cambiar de marcha sin utilizar el embrague. Las opciones también incluían

Superior: El 7000 fue uno de los tractores de la nueva serie 1000 fabricados para los mercados mundiales dentro del programa Project 6X de Ford.

Arriba: El tractor de la serie 4000 de Ford fue el modelo de la serie 1000 más vendido. El tractor que aparece en la fotografía todavía se utiliza.

motores de gasolina para algunos mercados, y el modelo 4000 estaba disponible en una versión para cultivo en hilera conocida como la 4200. En 1968 se introdujeron versiones actualizadas con ligeros cambios de diseño y mayor potencia.

Potencia adicional

Otro gran avance fue el modelo 7000 anunciado en 1971, una nueva incorporación a la serie 1000 que ofrecía la potencia adicional que muchos agricultores pedían. El motor del modelo 7000 estaba basado en el del 5000 y utilizaba un turbocompresor para generar la potencia adicional.

La sobrealimentación es una técnica que permite incrementar la potencia de un motor. Utiliza los gases residuales del sistema de escape del motor para hacer girar un pequeño rotor a velocidades muy elevadas, que introduce aire adicional en la cámara de combustión del motor.

La sobrealimentación suele incrementar la potencia de un motor diésel en un 20-25%, y por ello se utilizó en el motor Ford 5000. Otro resultado de la incorporación de un turbo es que el combustible se quema de manera más eficiente y genera unos gases de escape más limpios.

Unos controles cada vez más estrictos sobre las emisiones de escape han popularizado mucho los motores turbo últimamente, y casi todos los motores de los nuevos tractores de más de 75 CV (55,9 kW) incorporan un turbo. El motor turbo del Ford 7000 producía 94 CV (69,6 kW) frente a los 75 CV (59 kW) del motor Ford 5000 sin turbo equivalente o del motor con aspiración atmosférica.

Especificaciones

Fabricante: división de tractores de Ford

Procedencia: Romeo, Michigan (EE. UU.)

Modelo: 7000

Tipo: uso general

Motor: sobrealimentado de cuatro cilindros

Potencia: 94 CV (69,6 kW)

Transmisión: caja de cambios de ocho velocidades

Peso: n. d.

Año de fabricación: 1971

Abajo: *En lugar de crear un motor especial para el nuevo modelo 7000 de Ford, el equipo de diseño incorporó un turbocompresor al motor de la serie 5000 para aumentar su potencia.*

capítulo 8

El aumento de potencia

Los tractores de gran tamaño y con más potencia fueron una de las principales tendencias en las décadas de 1970 y 1980, ya que se exigían ritmos de trabajo más elevados para incrementar la eficiencia. Los fabricantes respondieron utilizando motores de mayor tamaño, con turbocompresores e intercambiadores para producir más potencia. El resultado fue la aparición en Norteamérica de una nueva generación de tractores gigantes.

Arriba: *Algunas de las nuevas ideas pronto pasaron al olvido, como el juego de ruedas para carretera desarrollado por Track Marshall para aportar movilidad adicional a su tractor oruga Britannia.*

Izquierda: *El Fiat Winner 140, que empezó a fabricarse en 1990, fue lanzado por el fabricante de automóviles italiano para incrementar su cuota en el mercado de tractores europeo.*

Los tractores con más potencia tenían tracción a las cuatro ruedas, a menudo con ruedas dobles o triples para mejorar la tracción y reducir la compactación del terreno. Solían constar de dos partes, con un punto de bisagra en el centro para dotarles de una dirección articulada. Los motores de los modelos de 300 CV (220 kW) y más solían estar fabricados por especialistas como Cummins y Caterpillar, pero los tractores gigantes de John Deere incorporaban motores Deere.

Caterpillar propició lo que probablemente fue el adelanto más importante en el diseño de tractores oruga en 50 años cuando anunció la nueva serie Challenger con cadenas de caucho reforzadas con acero. Las orugas o cadenas del Challenger podían utilizarse en carreteras públicas, posibilitaban una velocidad mucho más elevada que las orugas de acero y pusieron fin a años de descenso de las ventas de tractores oruga.

Otro hecho destacado fue el nuevo interés por los tractores para transporte, propiciado por el Trantor de alta velocidad y el vehículo de transporte experimental desarrollado en el centro de investigación de Silsoe; también destacó el exitoso JCB Fastrac. Renault mejoró la comodidad con su sistema de suspensión de la cabina, y se produjo un anticipo de la enorme repercusión que tendrían los sistemas de control electrónico.

LEYLAND

1972 **Bathgate (Escocia)**

LEYLAND 255

Los números utilizados por algunos fabricantes para identificar sus modelos de tractores no tienen un significado concreto y parecen elegidos al azar; sin embargo, los números de modelo de otras compañías aportan información específica acerca del tractor.

Especificaciones

Fabricante: British Leyland
Procedencia: Bathgate (Escocia)
Modelo: 255
Tipo: uso general
Motor: diésel de cuatro cilindros
Potencia: 55 CV (41 kW)
Transmisión: caja de cambios de 10 velocidades
Peso: n. d.
Año de fabricación: 1972

Arriba: *El tractor Leyland 255 se lanzó en 1972 con una especificación de serie que incluía una transmisión de 10 velocidades y una toma de fuerza independiente.*

La mayoría de tractores Nuffield se identificaban mediante números que contenían información y ello continuó tras la fusión que cambió el nombre de los tractores Nuffield por el de Leyland. Tras la fusión de 1967, Leyland continuó durante unos años vendiendo lo que básicamente eran antiguos modelos Nuffield con un acabado de pintura azul y algunos cambios menores de diseño. El primero de los tractores Leyland de diseño nuevo no llegó hasta 1972.

Nuevos tractores

La nueva gama incluía el modelo 255, número que indicaba tracción a dos ruedas y un motor con una potencia aproximada de 55 CV (41 kW). Entre los modelos posteriores estaba el 472, con tracción a las cuatro ruedas y un motor de 72 CV (53,6 kW). Cuando se mejoró este modelo sobrealimentando el motor para generar más potencia, el número de modelo se cambió por el 482.

El 255 era un tractor de gama media popular animado por un motor de cuatro cilindros y con una especificación que incluía una toma de fuerza independiente y una caja de cambios con 10 velocidades. La dirección asistida aún era una opción con coste adicional, pero se incluyó como equipamiento de serie cuando el 255 fue sustituido por el modelo 262, más potente, en 1976.

MERCEDES-BENZ

�֎ **1972   Gaggenau (Alemania)**

MERCEDES-BENZ MB-TRAC 65/70

El Mercedes-Benz MB-trac formó parte de un grupo de tractores porta-implementos fabricados en Alemania y se lanzó al mismo tiempo que el Deutz Intrac en la feria de la maquinaria alemana DLG de 1972.

Derecha: El MB-trac ofrecía tracción a las cuatro ruedas con ruedas del mismo tamaño, una velocidad máxima de 40 km/h y una transmisión con 12 velocidades y marcha atrás.

Especificaciones

Fabricante: Daimler-Benz

Procedencia: Gaggenau (Alemania)

Modelo: 65/70

Tipo: uso general

Motor: cuatro cilindros

Potencia: 65 CV (48 kW)

Transmisión: caja de cambios de 12 velocidades

Peso: n. d.

Año de fabricación: 1972

Otras similitudes eran una toma de fuerza y un enganche delante y detrás, tracción a las cuatro ruedas con ruedas del mismo tamaño y un pequeño espacio de carga detrás de la cabina.

El primer MB-trac fue el 65/70, que estaba equipado con un motor Mercedes de 65 CV (48 kW). La caja de cambios ofrecía 12 velocidades y marcha atrás. Su velocidad máxima era de 40 km/h. Los dos ejes estaban equipados con bloqueo del diferencial para mejorar la tracción en situaciones difíciles y la especificación de serie incluía un asiento para un pasajero en la cabina.

Las versiones posteriores ofrecieron más potencia, hasta los 180 CV (134,2 kW) del modelo 1800, y una posición de conducción reversible, mediante un asiento que podía girarse 180° junto con algunos pedales y palancas de control, lo cual permitía al tractorista mirar hacia atrás al manejar ciertos equipos montados en la parte posterior.

Éxito de ventas

El MB-trac fue el tractor portaimplementos más vendido en las décadas de 1970 y 1980. A pesar de su éxito, Daimler-Benz decidió abandonar el mercado de tractores agrícolas, aunque siguió fabricando el camión todoterreno Unimog que todavía suelen utilizar los agricultores y los contratistas para labores como la pulverización.

DEUTZ

⚒ 1972 Colonia (Alemania)

DEUTZ INTRAC 2005

La mayor parte del trabajo de creación que propició la aparición de los tractores portaimplementos fue realizado por compañías alemanas a principios de la década de 1970. A la cabeza de éstas se situó Deutz con sus tractores Intrac.

Había dos modelos Intrac, el 2002 y el 2005; ambos se presentaron por primera vez en la feria agrícola DLG de 1972. El diseño del Intrac fue resultado de un nuevo análisis de la utilización que se daba a los tractores en las explotaciones agrícolas alemanas y del equipo que manejaban. Dicho análisis también apuntaba el posible desarrollo que experimentaría la agricultura en los 20 años siguientes, aproximadamente.

Tractores portaimplementos

Fue un ambicioso proyecto que tuvo como resultado el tractor portaimplementos Intrac, diseñado para satisfacer las necesidades de los agricultores en la década de 1970 y posteriormente. La conclusión a la que llegó el equipo de investigación de Deutz fue que los tractores cada vez se utilizarían más con diversas combinaciones de maquinaria para realizar una secuencia de trabajos en

Arriba: Cuando se anunciaron los modelos Intrac en 1972, se les consideraba el patrón para el desarrollo futuro de los tractores portaimplementos.

una sola pasada. Para ello, se diseñó el Intrac para llevar equipos montados tanto delante como detrás, incorporando una toma de fuerza y un enganche para aperos en cada extremo del tractor. La cabina del conductor se llevó a la parte delantera del tractor con el fin de dejar espacio para instalar equipos, como una tolva para llevar fertilizante o un depósito de productos químicos para la fumigación.

Otra característica de diseño del Intrac era una cabina con una mayor superficie acristalada para permitir una buena visibilidad en todas las direcciones desde el asiento del conductor. La transmisión de la versión 2005 era hidrostática con dos gamas de velocidades, una gama más corta para el trabajo en el campo y otra más larga, con una velocidad máxima de 40 km/h, para circular por carretera. Se eligió la dirección hidrostática para el Intrac 2005, ya que ofrece un ajuste infinitamente variable de la velocidad de desplazamiento tanto hacia delante como hacia atrás sin alterar el régimen de giro del motor ni la potencia.

Tracción a las cuatro ruedas

La tracción a las cuatro ruedas era parte del equipamiento de serie del Intrac 2005, que utilizaba ruedas del mismo tamaño delante y detrás, pero sólo era una opción en la versión 2002, más pequeña, que tenía unas ruedas delanteras con un diámetro inferior y transmisión mecánica. Ambos modelos estaban equipados con un motor Deutz refrigerado por aire que ofrecía 90 CV (66,6 kW) en el caso del 2005 y 51 CV (38 kW) en el 2002.

Los Intrac suscitaron enorme interés y muchos los consideraron la primera etapa de una nueva revolución en el diseño de tractores. No cabe duda de que tanto dichos modelos como algunos de los primeros tractores portaimplementos ejercieron influencia, y algunos de los rasgos de los primeros modelos aún son evidentes en algunos tractores actuales. Sin embargo, los Intrac no alcanzaron los volúmenes de ventas esperados y, en términos comerciales, no fueron un gran éxito.

Especificaciones

Fabricante: Klöckner/
Humboldt-Deutz AG
Procedencia: Colonia (Alemania)
Modelo: Intrac 2005
Tipo: tractor portaimplementos
Motor: diésel de cinco cilindros
Potencia: 90 CV (66,6 kW)
Transmisión: hidrostática
de doble gama

Peso: n. d.
Año de fabricación: 1972

Abajo: *La cabina central y los puntos de enganche para equipos montados delante y detrás dotaban al Intrac de una versatilidad excepcional.*

CASE
⚒ **1974 Racine, Wisconsin (EE. UU.)**

CASE TRACTION KING 2670

Case se adentró en el sector de la alta potencia del mercado con la gama Traction King de tractores pesados a mediados de la década de 1970. Éstos seguían la moda estadounidense de tracción a las cuatro ruedas con ruedas traseras y delanteras del mismo diámetro, pero los modelos Case eran diferentes porque no utilizaban dirección articulada o pivotante.

Especificaciones

Fabricante: J. I. Case

Procedencia: Racine, Wisconsin (EE. UU.)

Modelo: Traction King 2670

Tipo: tractor de arrastre

Motor: diésel de seis cilindros

Potencia: 220 CV (163 kW)

Transmisión: 12 velocidades semiservoasistida

Peso: 9.448 kg

Año de fabricación: 1974

En 1974 se lanzó el modelo Traction King 2670, equipado con un motor diésel Case de seis cilindros que produjo 220 CV (163 kW) en la toma de fuerza cuando se probó el tractor en Nebraska. El motor tenía un régimen de giro nominal de 2.200 r. p. m., y las medidas de diámetro y carrera del cilindro eran 11,6 cm y 12,7 cm, respectivamente.

Sistema de dirección
Incluía una transmisión semiservoasistida con 12 velocidades que permitía alcanzar una velocidad máxima de 23,3 km/h en carretera.

La especificación estándar también incluía un sistema de transmisión a las cuatro ruedas que permitía elegir entre cuatro modos pulsando un botón: un modo convencional de transmisión a las dos ruedas delanteras; transmisión únicamente a las ruedas traseras (útil al maniobrar la parte posterior y enganchar un apero); transmisión a las cuatro ruedas con las ruedas delanteras y las traseras girando en direcciones opuestas para obtener un radio de giro más pequeño; y un cuarto modo en el que las cuatro ruedas se orientaban en la misma dirección para permitir un desplazamiento lateral (para acercarse a una valla o un edificio).

Arriba: *Mientras que algunos fabricantes europeos buscaban versatilidad en sus diseños, en Norteamérica había una gran demanda de tractores de arrastre, como el Case 2670 de alta potencia.*

RENAULT
⚒ **1974 Le Mans (Francia)**

RENAULT 851-4

El final de la década de 1960 fue un periodo importante para la compañía de tractores francesa Renault. La producción se trasladó a una nueva fábrica cerca de Le Mans cuyo moderno equipamiento ayudó a aumentar la eficiencia y los volúmenes de producción; dos años después, en 1969, el negocio de tractores pasó a ser independiente dentro del grupo estatal Renault.

Derecha: *Renault había dejado de fabricar motores para tractores y confiaba en proveedores externos; así, MWM fabricaba el motor del tractor Renault 851-4 en Alemania.*

Especificaciones

Fabricante: Renault Agriculture

Procedencia: Le Mans (Francia)

Modelo: 851-4

Tipo: uso general

Motor: diésel de cuatro cilindros MWM

Potencia: 85 CV (63 kW)

Transmisión: caja de cambios de vaivén con 12 velocidades y marcha atrás

Peso: n. d.

Año de fabricación: 1974

Posteriormente se asistió a una serie de lanzamientos de nuevos modelos de la compañía, entre los que había tractores con tracción a las cuatro ruedas y los primeros motores diésel.

Al mismo tiempo, Renault seguía retirando paulatinamente sus propios motores de tractores, sustituyéndolos por modelos suministrados principalmente por MWM, pero también por otras compañías, como Perkins.

Nuevos modelos

El tractor 851-4 de Renault llegó como parte de una serie de lanzamientos de nuevos modelos durante varios años a mediados de la década de 1970. Los nuevos modelos cubrían la potencia de 30 a 145 CV (de 22,3 a 108,1 kW) con motores MWM, y cada modelo llevaba un número que indicaba la potencia del motor, más un «2» en el caso de la tracción a dos ruedas o un «4» para la tracción a las cuatro ruedas. Así, el 851-4 tenía una potencia de 85 CV (63 kW) y tracción a las cuatro ruedas.

Entre 1974 y 1980 se fabricaron un total de 2.396 tractores 851-4, y otros 4.227 de la versión 851-4S mejorada durante el periodo de nueve años hasta 1989.

VALMET
⚒ **1975 Jyväskylä (Finlandia)**

VALMET 1502

Existen numerosas pruebas de que la tracción a las cuatro ruedas resulta más eficiente que la tracción a dos ruedas cuando el terreno está húmedo y resbaladizo. Sin embargo, no se dispone de tanta información sobre la eficiencia de la tracción a seis ruedas.

Especificaciones

Fabricante: Valmet Oy
Procedencia: Jyväskylä (Finlandia)
Modelo: 1502
Tipo: uso general
Motor: diésel de seis cilindros
Potencia: 136 CV (100 kW)
Transmisión: caja de cambios de 16 velocidades
Peso: 7.470 kg
Año de fabricación: 1975

Según parece, la compañía finlandesa Valmet decidió que el coste adicional de la tracción a seis ruedas estaba justificado y anunció su primer (y último) tractor con tracción a seis ruedas en 1975. El extremo delantero del tractor Valmet 1502 era convencional, con un solo eje y dos ruedas motrices; sin embargo, el extremo trasero estaba apoyado en una unidad de remolque con un conjunto de cuatro ruedas dobles motrices.

Tracción a seis ruedas

Valmet diseñó la unidad de remolque posterior para permitir libertad de movimiento en vertical tanto de la sección delantera como de la trasera. La compañía aseguraba que eso garantizaba una

tracción eficiente en terrenos abruptos y una conducción más suave. Otra ventaja era la poca compactación del terreno, ya que el peso del tractor estaba repartido entre seis ruedas en lugar de cuatro. Una de las opciones ofrecidas por la compañía era una unidad con oruga de acero sobre las dos ruedas posteriores a cada lado, lo cual mejoraba las características tanto de tracción como de presión sobre el terreno del tractor.

El tractor 1502 fue diseñado para su uso en los mercados industrial y de silvicultura, así como en el sector agrícola, pero las ventas fueron decepcionantes y los clientes no estaban convencidos de que el coste adicional de la tracción a seis ruedas estuviera justificado por las ventajas que ofrecía.

Arriba: *En 1975, la compañía finlandesa Valmet, conocida ahora como Valtra, presentó el modelo 1502 de 136 CV (100 kW) con tracción a seis ruedas.*

STEIGER

✴ **1976 Fargo, Dakota del Norte (EE. UU.)**

STEIGER PANTHER ST-325

En 1957, cuando los hermanos Steiger quisieron un tractor más potente para su explotación agrícola de Minnesota, decidieron fabricar su propio tractor utilizando un motor diésel de 238 CV (117,4 kW) Detroit. El rendimiento del tractor casero pronto generó pedidos de sus vecinos y en 1969 la compañía Steiger se estableció en una nueva fábrica en Dakota del Norte.

Derecha: Steiger era uno de los especialistas norteamericanos en tractores gigantes y su gama de finales de la década de 1970 incluía el Panther ST-325 de 325 CV (240 kW).

Especificaciones

Fabricante: Steiger Tractor Inc.

Procedencia: Fargo, Dakota del Norte (EE. UU.)

Modelo: Panther ST-325

Tipo: tractor de arrastre

Motor: Caterpillar de seis cilindros

Potencia: 325 CV (240 kW)

Transmisión: caja de cambios de 10 velocidades

Peso: 14.110 kg

Año de fabricación: 1976

Las ventas crecieron espectacularmente (de más de 20 millones de dólares en 1973 a 104 millones en 1976) ayudadas por el aumento de las exportaciones a Australia y Canadá, y por las ventas en Estados Unidos. Parte del crecimiento se debió al éxito de los modelos Panther, incluida la versión ST-325 propulsada por un motor Caterpillar sobrealimentado de seis cilindros. El motor tenía un régimen de giro nominal de 2.100 r. p. m., y el diámetro y la carrera del cilindro eran de 13,7 cm y 16,5 cm, respectivamente.

Transmisión

La especificación de serie incluía una transmisión de 10 velocidades, pero Steiger también ofrecía la versión CM-325 con 20 velocidades. Como no había eje de toma de fuerza, no se realizaron las pruebas para medir la potencia en la toma de fuerza cuando se probó el Panther en Nebraska; sin embargo, los resultados de las pruebas de peso máximo admitido por la barra de enganche, que es la medida de rendimiento más importante en un tractor de este tipo, eran impresionantes.

La potencia de arrastre máxima en quinta marcha era de 7.498,8 kg, con un deslizamiento de las ruedas del 4,03%.

La compañía Steiger Tractor fue adquirida por Case IH en 1986 y a ello le siguió un cambio del color verde lima de Steiger al rojo de Case IH.

FORD

⚒ **1976 Fargo, Dakota del Norte (EE. UU.)**

FORD FW-60

Ford firmó un contrato con el fabricante especializado Steiger cuando decidió sumarse al grupo de cabeza del mercado de la alta potencia en 1976. Steiger se comprometía a suministrar una gama de tractores de cuatro modelos pintados con los colores de Ford e identificados como la serie FW.

Abajo: Steiger fabricaba la serie de tractores de alta potencia FW de Ford, que incluía el modelo FW-60 de 335 CV (248 kW) en la cúspide de la gama.

Los cuatro tractores incorporaban motores diésel Cummins V8 con una potencia de entre 210 CV (156,5 kW) en el caso del FW-20, situado en la base de la gama, y 335 CV (248 kW) en el caso del motor turbo del FW-60. El FW-60 también incluía una transmisión de 20 marchas con una velocidad máxima de desplazamiento por carretera de 35 km/h, pero como los grandes FW estaban diseñados básicamente como tractores de arrastre pesados, no tenían toma de fuerza.

Comodidad del conductor

Los tractores gigantes, como los modelos FW, se utilizaban principalmente en grandes explotaciones agrícolas en que los tractoristas solían pasar muchas horas al volante; por esa razón resultaba especialmente importante la comodidad del conductor. La cabina del modelo FW estaba equipada con cristales tintados para reducir el deslumbramiento, aire acondicionado, aislamiento sonoro y un equipo de sonido estéreo con radio y reproductor de cintas de ocho pistas.

En 1984 llegó una versión actualizada del FW-60 con algunos pequeños cambios, y al año siguiente se incorporó a la lista de opciones una caja de cambios automática de 10 velocidades.

Case IH adquirió la compañía Steiger en 1986 y Ford compró la empresa de tractores canadiense Versatile en 1987 para garantizar su suministro futuro de tractores de alta potencia.

Especificaciones

Fabricante: Steiger Tractor Inc.

Procedencia: Fargo, Dakota del Norte (EE. UU.)

Modelo: Ford FW-60

Tipo: tractor de arrastre

Motor: diésel V6 Cummins

Potencia: 335 CV (248 kW)

Transmisión: caja de cambios de 20 velocidades

Peso: 14.119 kg

Año de fabricación: 1976

LELY

✖ **1977   Temple, Texas (EE. UU.)**

LELY MULTIPOWER

Uno de los competidores sorpresa en el sector de la alta potencia del mercado de tractores norteamericano fue la compañía holandesa Lely, que también elaboró uno de los diseños menos convencionales.

Arriba: *Cuando el fabricante de maquinaria europeo Lely decidió adentrarse en el mercado estadounidense de la alta potencia, fabricó el Multipower de dos motores y 420 CV (311 kW).*

Especificaciones

Fabricante: C Van Der Lely NV

Procedencia: Temple, Texas (EE. UU.)

Modelo: Multipower (posteriormente llamado 420)

Tipo: uso general

Motor: dos motores V8 Caterpillar

Potencia: 420 CV (311 kW)

Transmisión: dos cajas de cambios de 10 velocidades

Peso: 15.890 kg (peso de embarque)

Año de fabricación: hacia 1977

Lely era uno de los principales fabricantes europeos de maquinaria accionada por toma de fuerza y quería aumentar sus ventas en Estados Unidos y Canadá, pero uno de los problemas que se encontró a mediados de la década de 1970 fue la ausencia de enganches de tres puntos y tomas de fuerza en los tractores de mayor tamaño.

Dos motores

La compañía Lely decidió fabricar su propio tractor de alta potencia que trabajara con implementos movidos por la toma de fuerza y reunió un equipo de ingenieros en su centro de distribución estadounidense de Texas para diseñar y fabricar uno o más prototipos de tractores. Se suponía que sería un proyecto caro, pero además las cosas no fueron fáciles. El diseño incluía dirección articulada y dos motores que producían 210 CV

(155,5 kW) cada uno. El motor de la parte delantera movía las ruedas delanteras y podía utilizarse como motor único para reducir el consumo de combustible cuando no se requería toda la potencia; el motor posterior movía las ruedas traseras y también suministraba energía a la toma de fuerza.

La idea del doble motor, que también conllevaba dos transmisiones y dos depósitos de combustible, resultaba cara y hacía que el coste y el peso del Multipower se dispararan. Cuando se lanzó el tractor, Massey-Ferguson amenazó con emprender acciones legales, puesto que ya había registrado el nombre Multipower, por lo que Lely tuvo que desistir y llamar a este tractor Lely 420.

No se sabe si se vendió algún tractor Multipower o 420, pero sabemos que Lely pronto abandonó el proyecto para concentrarse en su negocio de maquinaria.

VERSATILE

1977 **Winnipeg, Manitoba (Canadá)**

VERSATILE 1080 «BIG ROY»

A mediados de los setenta existía una competencia enconada en el mercado de tractores de alta potencia. Versatile fue uno de los principales fabricantes de grandes tractores con tracción a las cuatro ruedas, y Roy Robinson, su director ejecutivo, decidió fabricar el tractor más grande del mundo.

A mediados de la década de 1970, los tractores más grandes tenían unos 350 CV (260 kW), pero los ingenieros de Versatile decidieron utilizar un motor Cummins de 600 CV (444 kW) con una capacidad de 19 litros. En términos de diseño, eso era adentrarse en terreno desconocido, y existían dudas acerca de los daños que sufrirían los neumáticos al transmitir tanta potencia, así como sobre los daños en el terreno al repartir tanto peso entre sólo cuatro ruedas y neumáticos.

Tractor articulado

Para superar esos problemas, el equipo de diseño utilizó cuatro ejes y un diseño de tracción a ocho ruedas; además, el tractor estaba dividido en dos mitades con un punto pivotante en el centro para ofrecer una dirección articulada hidráulica. El tractor se completó en 1977 y se denominó «Big Roy» en honor del señor Robinson.

El tractor terminado pesaba 26,8 toneladas y medía 10 m de longitud. Era –y es todavía–

Superior: *Versatile llamó a su tractor más potente Big Roy en honor de Roy Robinson, su director ejecutivo.*

Arriba: *La cámara de televisión de circuito cerrado situada en la parte posterior se utilizaba al circular marcha atrás, ya que el motor de 600 CV estaba montado detrás de la cabina y obstaculizaba la visión.*

probablemente el tractor más impresionante jamás construido.

Había una escalera a cada lado para acceder a la cabina y dentro de ésta había sitio suficiente para el conductor y un pasajero. La cabina tenía aire acondicionado, un lujo poco habitual cuando se fabricó el Big Roy, y también había una pequeña pantalla conectada a una cámara de televisión de circuito cerrado situada en la parte posterior del tractor. La visión posterior desde el asiento del conductor estaba totalmente bloqueada por el compartimento del motor, montado en la parte trasera del Big Roy, y el equipo de televisión era esencial para circular marcha atrás y colocar el tractor correctamente para acoplar un apero.

Cuando se completó el tractor, se llevó a algunas de las principales ferias agrícolas de Estados Unidos y Canadá, donde tuvo una gran publicidad, y hubo muchos agricultores con grandes extensiones de terreno interesados en adquirir un tractor de 600 CV (444 kW).

Problemas

El Big Roy hizo una gira de exhibición y allí comenzaron los problemas. Casi no había aperos lo bastante grandes para un tractor de ese tamaño y la dirección generaba demasiados daños a los neumáticos y al cárter. Se abandonó el trabajo de desarrollo y se sustituyó por un proyecto más modesto para construir un tractor de 470 CV (350,4 kW) que acabaría siendo el Versatile 1150. El Big Roy encontró un nuevo hogar en el Manitoba Agricultural Museum en Brandon, donde es una de las atracciones principales.

Especificaciones

Fabricante: Versatile Manufacturing
Procedencia: Winnipeg, Manitoba (Canadá)
Modelo: 1080 Big Roy
Tipo: tractor de arrastre
Motor: Cummins KTA diésel de seis cilindros
Potencia: 600 CV (444 kW)
Transmisión: caja de cambios de seis velocidades
Peso: 26.141 kg
Año de producción: 1977

Izquierda: Las partes delantera y trasera del Big Roy estaban unidas por un punto de bisagra con arietes hidráulicos para manejar la dirección.

TRANTOR
⚒ **1978 Stockport, Manchester (Reino Unido)**

TRANTOR SERIE 1

Los tractores convencionales están diseñados para realizar un trabajo de tiro pesado a baja velocidad, como la labranza, pero un estudio de cómo se utilizaban los tractores en las explotaciones agrícolas británicas mostró que en muchas de ellas hasta el 75% del trabajo se dedicaba a tareas de carga y trabajos generales, como el manejo de equipos accionados por toma de fuerza.

Stuart Taylor realizó dicho estudio a principios de la década de 1970 como parte de la tesis de su máster en ciencias y concluyó que el diseño de tractores convencionales no resultaba idóneo para la mayor parte del trabajo que realizaban. Así, aunó fuerzas con Graham Edwards para crear un nuevo tipo de tractor diseñado principalmente para el transporte y los trabajos con toma de fuerza. El resultado fue el Trantor Serie 1.

Características de diseño

Dado que el Trantor no fue diseñado como tractor de labranza, la especificación del Serie 1 no incluía tracción a las cuatro ruedas y las ruedas motrices eran más pequeñas que las de un tractor corriente. Estaba equipado con un motor Perkins de 78 CV (58 kW) y la potencia se suministraba mediante una caja de cambios sincronizada que ofrecía 10 velocidades hacia delante y dos marcha

Superior: *El desarrollo del Trantor comenzó tras revelarse que los tractores de muchas explotaciones dedicaban un 75% del trabajo a tareas de transporte y trabajos con la toma de fuerza.*

Arriba: *El Trantor manejaba equipos accionados por la toma de fuerza y realizaba trabajos de arrastre medio.*

atrás, con una velocidad máxima en carretera de 96,5 km/h.

Para poder circular a esa velocidad, el Trantor incorporaba unos frenos hidráulicos accionados por aire que actuaban sobre las cuatro ruedas y el modelo estándar incluía un freno de remolque neumático. La lista de equipamiento también recogía una suspensión independiente en las cuatro ruedas, un enganche con su propia suspensión, una toma de fuerza de dos velocidades y un acople de tres puntos para el montaje de aperos. El diseño incluía, asimismo, una cabina integrada con el asiento del conductor en el centro y un asiento a cada lado para sendos acompañantes.

Serie II

La versión de prueba del Trantor Serie 1 se presentó en la Exhibición Real celebrada en 1978, donde su diseño nada convencional y su velocidad máxima de 96,5 km/h suscitaron enorme interés. También generó pedidos, especialmente de aquellos agricultores que podían aprovechar su rápida velocidad de transporte y desplazamiento.

Cuando se lanzó el Trantor Serie II en 1983, incorporaba un motor Leyland de 80 CV (59,6 kW) y la posición de la cabina se adelantó para dejar más espacio en la parte posterior para una plataforma de transporte de carga. La tracción a las cuatro ruedas se añadió en 1985 cuando se anunció el Trantor Hauler en la Exhibición Real. El motor era un Perkins de 126 CV (93,9 kW) y la carga útil se incrementó hasta 18,5 toneladas.

Aunque el Trantor dejó de fabricarse a finales de la década de 1980, Graham Edwards, uno de los socios originales del proyecto Trantor, continuó realizando trabajo de investigación y desarrollo con vistas al diseño de una nueva versión para tareas de transporte en países como la India. Así, en 2004 se firmó un contrato para la fabricación del Trantor en la India.

Especificaciones

Fabricante: HST Developments
Procedencia: Stockport, Manchester (Reino Unido)
Modelo: Trantor Serie 1
Tipo: tractor de transporte
Motor: diésel Perkins
Potencia: 78 CV (58 kW)
Transmisión: caja de cambios de 10 velocidades
Peso: n. d.
Año de fabricación: 1978

Abajo: El Trantor estaba diseñado para labores de transporte a velocidades de hasta 96 km/h en carretera e incorporaba frenos de camión en las cuatro ruedas.

MASSEY-FERGUSON

1978 Des Moines, Iowa (EE. UU.)

MASSEY-FERGUSON 4880

Los tractores de la serie 4000 situaron a Massey-Ferguson en el sector de la alta potencia del mercado, con tres modelos con potencias entre 180 y 273 CV (entre 134,2 y 202 kW) medidas en la toma de fuerza.

Arriba: *Los modelos de alta potencia de la serie 4000 de Massey-Ferguson fueron los primeros tractores con un sistema de control electrónico para el acople posterior.*

Los tres modelos estaban animados por motores V8 Cummins, pero el motor del modelo 4880 que se situaba en la cúspide de la gama incluía sobrealimentación para aumentar la potencia. El diámetro y la carrera del cilindro eran de 13,9 cm y 12 cm, respectivamente, y la transmisión semiservoasistida ofrecía 18 velocidades y una velocidad máxima de 30,8 km/h.

Con toda esa potencia, tracción a las cuatro ruedas con ruedas dobles y dirección articulada, la serie 4000 presentaba todas las características del típico tractor de arrastre gigante norteamericano, pero incorporaba un acople de tres puntos y una toma de fuerza para aumentar su versatilidad. También fueron los primeros tractores fabricados en serie con un sistema de control electrónico del acople posterior. La electrónica cada vez era más habitual en los tractores y en las cosechadoras a finales de la década de 1970, principalmente para mostrar información como la velocidad del árbol de transmisión o la temperatura del sistema de refrigeración del motor.

Adelanto electrónico

La electrónica de la serie 4000 representaba un avance tecnológico, puesto que los dispositivos recababan datos procedentes de sensores que medían la fuerza de arrastre en los brazos de acople y la profundidad del apero, y los utilizaban para ajustar la posición del acople automáticamente, logrando así el control más rápido y preciso del que jamás había disfrutado un tractorista.

Especificaciones

Fabricante: Massey-Ferguson
Procedencia: Des Moines, Iowa (EE. UU.)
Modelo: 4880
Tipo: uso general
Motor: turbodiésel V8
Potencia: 273 CV (202 kW)
Transmisión: 18 velocidades semiservoasistida
Peso: 14.115 kg
Año de fabricación: 1978

✖ **1980   Gainsborough, Lincolnshire (Inglaterra)**

TRACK MARSHALL TM135

Cuando Charles Nickerson, agricultor de Lincolnshire, compró Aveling Marshall, el único fabricante británico que quedaba de tractores oruga agrícolas, además de reintroducir el anterior nombre Track Marshall, también lanzó una serie de nuevos modelos.

Derecha: Con su nueva imagen y un sistema de dirección fácil de manejar de una sola palanca, el tractor oruga TM135 fue una incorporación popular a la gama Track Marshall.

Especificaciones

Fabricante: Track Marshall

Procedencia: Gainsborough, Lincolnshire (Inglaterra)

Modelo: TM135

Tipo: tractor oruga

Motor: diésel de seis cilindros

Potencia: 136 CV (102 kW)

Transmisión: caja de cambios de cinco velocidades

Peso: 10.341 kg

Año de fabricación: 1980

La primera incorporación a la gama en 1980 fue el TM135, que se convirtió en el tractor oruga más vendido de Gran Bretaña. Los tractores oruga nunca destacaron por su imagen, pero el equipo de diseño dotó al TM135 de un aspecto muy personal y moderno, a lo que se sumaron unas especificaciones técnicas mejoradas que ayudaron al tractor a ganar una medalla de plata en la Exhibición Real celebrada en 1981.

Características de diseño

Estaba equipado con un motor Perkins de seis cilindros que desarrollaba 136 CV (102 kW) y ofrecía más de 10 toneladas de potencia de arrastre en la primera marcha. La especificación incluía una amplia cabina con el suelo plano y aire acondicionado; además, el equipamiento de serie comprendía un sistema de sonido estéreo. La especificación señalaba, asimismo, un acople de tres puntos con más de ocho toneladas de capacidad de elevación para manejar equipos montados y una toma de fuerza para arrastrar gradas de gran tamaño y cultivadoras para la siembra.

El TM135 también estaba equipado con el sistema de transmisión de un solo brazo patentado por Track Marshall. Se trataba de un pequeño brazo que manejaba el mecanismo de dirección asistida con tan sólo una leve presión de los dedos; resultaba menos cansado y más preciso que el tradicional sistema de dirección de doble palanca.

FORD

1980 **Basildon, Essex (Inglaterra)**

FORD 8401

Éste es uno de los modelos más inusuales de la gama de tractores Ford de la década de 1980, aunque los australianos seguramente no piensan lo mismo. El 8401 se diseñó específicamente para el mercado australiano y tenía como finalidad competir con el tractor Chamberlain de fabricación nacional.

Especificaciones

Fabricante: Ford Tractor Operations
Procedencia: Basildon, Essex (Inglaterra)
Modelo: 8401
Tipo: tractor de arrastre
Motor: seis cilindros
Potencia: 109 CV (80,7 kW)
Transmisión: caja de cambios de 16 velocidades
Peso: n. d.
Año de fabricación: 1980

Arriba: *El modelo 8401 de 109 CV (80,7 kW) se diseñó y se fabricó en Gran Bretaña para reforzar la gama de tractores Ford en el importante mercado australiano.*

El diseño del 8401 estaba basado en información suministrada por el equipo de ventas de Ford en Australia, que había solicitado un tractor de arrastre asequible con un gran motor, tracción a dos ruedas y una especificación sin florituras que no incluyera un acople posterior.

Éste fue el punto de partida utilizado por el equipo de diseño de Basildon, que también aportó la imagen distintiva y el color del acabado.

Montaje nacional

El trabajo de montaje inicial se contrató a una compañía de ingeniería nacional. Ésta fabricaba una unidad tipo patín lista para el envío, integrada por el motor, la transmisión y los controles, y se dejaba así el trabajo de montaje final para su realización en Australia utilizando componentes producidos allí, como ruedas, neumáticos, chapa y la cabina opcional. El 8401 estaba basado en el chasis de un Ford 7700 e impulsado por un motor TW-10 con la potencia reducida hasta 109 CV (80,7 kW). La potencia se suministraba mediante una transmisión de 16 velocidades.

La producción del modelo 8401 angloaustraliano comenzó en 1980 y continuó aproximadamente hasta 1985. Durante ese tiempo el tractor realizó una pequeña pero importante contribución a las ventas de tractores Ford en Australia.

DAVID BROWN/CASE
✂ **1980   Meltham, Yorkshire (Inglaterra)**

DAVID BROWN/ CASE 1290

David Brown Tractors fabricó una de las gamas de tractores de mayor éxito en Gran Bretaña, pero los problemas financieros hicieron que a principios de la década de 1970 acabara siendo adquirida por Tenneco, compañía estadounidense que ya era propietaria de Case y que luego compró Harvester.

Derecha: *Como otros tractores de la serie 90 fabricados en Gran Bretaña, el modelo 1290 se vendió bajo el nombre David Brown en el Reino Unido y en algunos mercados de exportación.*

Arriba: *Todos los tractores de la serie 90 fabricados en Estados Unidos y en Gran Bretaña que se vendieron en Estados Unidos llevaban la marca Case.*

Especificaciones

Fabricante: David Brown Tractors

Procedencia: Meltham, Yorkshire (Inglaterra)

Modelo: 1290

Tipo: uso general

Motor: diésel de cuatro cilindros

Potencia: 54 CV (40 kW) (en la toma de fuerza)

Transmisión: caja de cambios de 12 velocidades

Peso: 2.983 kg

Año de fabricación: 1980

Los nuevos propietarios decidieron seguir utilizando el nombre David Brown durante algunos años. Cuando se lanzaron los tractores de la nueva serie 90 en 1980, siguieron llevando el nombre y la insignia de David Brown en la mayoría de los mercados, incluido el Reino Unido; por su parte, el nombre Case se utilizó para los tractores exportados a Estados Unidos.

El final de una trayectoria

La serie 90 fue el resultado de un programa de desarrollo coordinado en el que la fábrica Case en Racine construía los modelos de alta potencia que se introdujeron en 1978, mientras que los tractores de potencia baja-media se fabricaban en la planta de David Brown. El 1290 fue uno de los tractores construidos en Gran Bretaña y estaba movido por un motor de cuatro cilindros que suministró 54 CV (40 kW) en la toma de fuerza cuando se probó bajo la marca Case en Nebraska.

La producción de tractores de la serie 90 fabricados en Gran Bretaña finalizó cuando fueron sustituidos por la serie 94, y ello también supuso el punto final para los tractores David Brown, ya que todos los nuevos modelos 94 llevaban la insignia Case.

INTERNATIONAL HARVESTER

⚒ **1981 Doncaster, Yorkshire (Inglaterra)**

IH HYDRO 85

Las transmisiones hidrostáticas suscitaron notable interés en la década de 1970. Varios fabricantes construyeron un número relativamente pequeño de tractores con este tipo de transmisión, pero International Harvester se tomó la idea más en serio que cualquier otra de las principales compañías.

Especificaciones

Fabricante: International Harvester
Procedencia: Doncaster, Yorkshire (Inglaterra)
Modelo: Hydro 85
Tipo: uso general
Motor: cuatro cilindros
Potencia: 77 CV (57 kW)
Transmisión: hidrostática
Peso: 2.741 kg
Año de fabricación: 1981

El primer tractor IH Hydro fue el modelo 656 fabricado en Estados Unidos y que se lanzó en 1967. A éste le siguieron otros modelos construidos en Estados Unidos y en la fábrica inglesa de Doncaster. Los tractores de la serie 84 fabricados en Doncaster se lanzaron en 1977 como una gama completamente nueva con potencias de entre 35 y 136 CV (26 y 101,4 kW), e incluían el nuevo modelo Hydro de 77 CV (57 kW) con transmisión hidrostática.

Modelo mejorado

El Hydro 84 se mejoró en 1981 para dar lugar al Hydro 85, que formaba parte de la nueva serie IH Fieldforce 85. El motor de cuatro cilindros del Hydro 84 no fue objeto de mejoras y la potencia se mantuvo en 77 CV (57 kW), pero la gran novedad era el diseño de la cabina extragrande de la nueva serie 85, con una superficie acristalada mucho mayor que llegaba hasta el suelo a ambos lados en la parte frontal, lo que ofrecía una buena visibilidad para lograr una dirección precisa.

La última tanda de tractores Hydro 85 se fabricó en 1985, y también supuso el final del camino para el programa del tractor hidrostático IH. Las ventas del Hydro 85 habían ido disminuyendo progresivamente y Tenneco, la compañía que adquirió la división de agricultura del grupo International Harvester en 1985, decidió no seguir fabricando tractores hidrostáticos.

Arriba: *International Harvester fue el principal fabricante de tractores con transmisión hidrostática hasta que la producción cesó en 1985.*

TRACK MARSHALL

1982   Gainsborough, Lincolnshire (Inglaterra)

TRACK MARSHALL BRITANNIA

El éxito de Track Marshall con el tractor oruga TM135 no se repitió cuando lanzó el modelo Britannia dos años después. Con un motor de 71 CV (52,5 kW), era menos potente que los demás modelos TM y muchos clientes decidieron que el TM135, aunque era más caro, ofrecía una mejor relación calidad/precio.

Derecha: En una apuesta por mejorar la movilidad de sus tractores con orugas de acero, Track Marshall inventó un juego de ruedas de transporte para su modelo Britannia.

Especificaciones

Fabricante: Track Marshall

Procedencia: Gainsborough, Lincolnshire (Inglaterra)

Modelo: Britannia

Tipo: tractor oruga

Motor: diésel de cuatro cilindros

Potencia: 71 CV (52,5 kW)

Transmisión: caja de cambios de cinco velocidades

Peso: n. d.

Año de fabricación: 1982

El Britannia recibió su nombre de los talleres Britannia, en los que se habían fabricado durante más de cien años motores de vapor, tractores y otros equipos agrícolas, y fue el modelo que Track Marshall utilizó para diseñar un juego de ruedas de transporte que dotara de mayor movilidad en carretera a los tractores oruga.

Ruedas de transporte

Las orugas utilizadas en los tractores oruga a principios de la década de 1980 eran de acero y no podían utilizarse en carreteras públicas, lo que constituía un grave problema para muchos agricultores y contratistas. Track Marshall sabía que ésa era una de las razones del descenso de las ventas de tractores oruga en muchos países, incluido el Reino Unido.

La compañía creó un juego de ruedas que permitiera al Britannia recorrer distancias cortas por carretera. Se instalaron dos ruedas en un bastidor accionado por un sistema hidráulico que levantaba la parte delantera del tractor y se plegaba hacia atrás. Las ruedas traseras estaban montadas en manguetas especiales acopladas a cada una de las ruedas motrices situadas en la parte posterior del tractor, y la parte trasera del vehículo debía levantarse mientras se acoplaban o se quitaban las ruedas traseras. Sin embargo, las demostraciones del juego de ruedas de transporte generaron reacciones adversas y pronto se abandonó la idea.

INTERNATIONAL HARVESTER
✗ **1981   Doncaster, Yorkshire (Inglaterra)**

INTERNATIONAL HARVESTER 956XL

International Harvester anunció a bombo y platillo su nuevo sistema de control hidráulico Sens-o-draulic, asegurando que ofrecía una mayor precisión y unos tiempos de respuesta menores.

Especificaciones

Fabricante: International Harvester
Procedencia: Doncaster, Yorkshire (Inglaterra)
Modelo: 956XL
Tipo: uso general
Motor: seis cilindros
Potencia: 95 CV (70 kW)
Transmisión: caja de cambios de 16 velocidades
Peso: n. d.
Año de fabricación: 1981

A principios de la década de 1980 ya casi había finalizado la revolución iniciada por Harry Ferguson, y el acople hidráulico de tres puntos formaba parte del equipamiento estándar de la mayoría de los tractores. La mayor parte del trabajo de campo se realizaba con máquinas montadas mediante acople, lo que significaba que el rendimiento del sistema de control del acople constituía un factor de venta importante.

Controles hidráulicos

IH presentó su sistema de control Sens-o-draulic en 1983. Inicialmente estaba disponible en tres modelos de la serie 56: el 856XL, el 956XL y el 1056XL. Según IH, la ventaja del nuevo sistema radicaba en que era completamente hidráulico y eliminaba los componentes mecánicos en

el funcionamiento del control de elevación. El resultado era una respuesta más rápida y sensible a las variaciones del terreno, lo cual ofrecía un control más preciso de la profundidad de trabajo de los arados y otros aperos montados en el acople.

Por desgracia para IH, su sistema de control completamente hidráulico pronto se vio superado por el sistema electrónico creado por Massey-Ferguson y ya disponible en los tractores de la serie MF 4000 de alta potencia, puesto que este último ofrecía aún más velocidad, precisión y un nivel más elevado de automatización. El tractor 956XL formó parte de la popular serie 56. Esta serie estaba integrada por versiones mejoradas de modelos 55 anteriores, y el modelo 956Xl incorporaba un motor de 90 CV (67,1 kW) y una transmisión de 20 velocidades.

Arriba: *Según International Harvester, el sistema de control Sens-o-draulic comportaba grandes ventajas para el enganche de tres puntos.*

JOHN DEERE
⚒ **1982 Waterloo, Iowa (EE. UU.)**

JOHN DEERE 8850

Abajo: Deere & Co. era uno de los principales fabricantes de tractores gigantes y, a diferencia de la mayoría de sus rivales, utilizaba sus propios motores.

La mayoría de las compañías estadounidenses y canadienses que competían en el sector de la alta potencia compraban los motores a empresas como Cummins y Caterpillar, pero Deere constituía una excepción.

Especificaciones

Fabricante: Deere & Co.

Procedencia: Waterloo, Iowa (EE. UU.)

Modelo: 8850

Tipo: uso general

Motor: diésel V8 con turbo e intercambiador de calor

Potencia: 304 CV (225 kW)

Transmisión: caja de cambios de 16 velocidades

Peso: 17.116 kg

Año de fabricación: 1982

Construía su propio motor para el modelo 8850, que encabezaba la gama de John Deere. Era un diésel V8 y estaba equipado con un turbocompresor y un intercambiador de calor para aumentar la potencia hasta el máximo de 304 CV (225 kW) registrados en Nebraska durante las pruebas de toma de fuerza.

Refrigeración intermedia

La refrigeración intermedia se utiliza mucho en los tractores actuales, pero en la década de 1980 no era habitual. El intercambiador de calor se utiliza para aumentar la potencia, y lo consigue refrigerando el aire que entra en la cámara de combustión. El aire más frío es más denso, lo que significa que se introduce más aire y, por tanto, más oxígeno en la cámara de combustión para quemar más gasóleo y producir más potencia.

La especificación estándar de la serie 8850 de alta potencia de John Deere incluía una transmisión semiservoasistida con 16 velocidades, ruedas dobles y dirección articulada.

Otros modelos de la serie 8050 de John Deere incluían el 8650 con 239 CV (178,2 kW), motor Deere de seis cilindros con turbo e intercambiador de calor, mientras que el motor de seis cilindros del 8450 producía 187 CV (139,4 kW) en la toma de fuerza.

INSTITUTE OF ENGINEERING RESEARCH

⚒ **1983   Silsoe, Bedfordshire (Inglaterra)**

VEHÍCULO DE TRANSPORTE AGRÍCOLA EXPERIMENTAL DE SILSOE

La importancia de las operaciones de transporte en muchas explotaciones agrícolas propició el proyecto de un vehículo de transporte experimental. El vehículo, concebido en lo que entonces se llamaba Institute of Engineering Research de Silsoe (Bedfordshire), pero que ahora es el Silsoe Research Institute, se completó en 1983 y se utilizó en un programa de evaluación.

El tractor diseñado por el equipo de Silsoe estaba propulsado por un motor Perkins de 80 CV (60 kW), pero se mejoró posteriormente para incrementar la potencia hasta 126 CV (93,9 kW). El vehículo estaba equipado con dos transmisiones, una de ellas basada en una caja de cambios de 10 velocidades y la otra con un sistema de transmisión hidrostática que ofrecía un control de la velocidad infinitamente variable. Ambas transmisiones podían utilizarse con tracción a dos o a cuatro ruedas, y la velocidad máxima era de 65 km/h.

Sistemas de dirección

Los dos sistemas de dirección independientes constituían otra característica incorporada principalmente por motivos experimentales. La dirección articulada a partir de un punto de bisagra justo detrás de la cabina se utilizaba para el transporte habitual y para cambiar de dirección

Superior: Los ingenieros de Silsoe diseñaron la cabina montada en la parte frontal con una gran ventana para lograr una buena visibilidad en todas las direcciones.

Arriba: Podían montarse o desmontarse diversas unidades, como el esparcidor de estiércol que aparece en la fotografía, utilizando un sistema hidráulico que se manejaba desde la cabina.

en el campo, pero estaba complementada por un sistema de dirección de eje posterior motorizado para maniobrar con poco espacio.

La cabina del conductor estaba más allá del eje delantero, dejando así un gran espacio libre en la parte trasera para una plataforma de carga. El vehículo estaba diseñado para transportar hasta 5 toneladas, con lo cual alcanzaba un peso bruto de 10 toneladas, y se utilizaba con un juego de instrumentos que se cargaban en la plataforma utilizando el sistema hidráulico del vehículo y una palanca de control situada en la cabina.

El sistema de carga incluía un volquete que permitía vaciar fácilmente los contenedores.

Toma de fuerza

Además de la función de vaciado de contenedores para la cosecha, la plataforma también transportaba equipo propulsado, como un esparcidor de estiércol o un distribuidor de fertilizantes,

utilizando una toma de fuerza central. También había disponible un enganche y una toma de fuerza para equipos montados en la parte delantera, y el tractor se exhibió con una cosechadora de forraje que introducía la hierba en un contenedor especial detrás de la cabina. Un cargador instalado delante permitía al vehículo ofrecer una unidad autónoma de carga y transporte.

El programa de evaluación mostraba que el vehículo ofrecía ventajas pero no estaba exento de problemas, como su alto coste: iba a resultar caro de fabricar y los clientes necesitaban equipos especiales para transportarlos en la plataforma.

Además, para uso comercial, se necesitaría un vehículo más potente, ya que una capacidad de carga de cinco toneladas resultaba inadecuada para tareas como la extracción de cereales o patatas de la cosechadora. El proyecto de vehículo para transporte acabó abandonándose dado el poco interés comercial que suscitó.

Especificaciones

Fabricante: Institute of Engineering Research

Procedencia: Silsoe, Bedfordshire (Inglaterra)

Modelo: vehículo de transporte agrícola

Tipo: experimental

Motor: diésel Perkins

Potencia: 80 CV (60 kW)

Transmisión: caja de cambios de 10 velocidades y transmisión hidrostática

Peso: 5.000 kg

Año de producción: 1983

Abajo: *Esta imagen muestra el vehículo de transporte agrícola con su cargador frontal especialmente diseñado y parte del equipo disponible para la plataforma de carga trasera.*

FORD
✗ **1985   Basildon, Essex (Inglaterra)**

FORD FORCE II 6610

El anuncio del primer modelo de la nueva serie 10 en 1981 supuso un importante avance en la gama de tractores Ford. Esta gama llegó en un momento en que los tractores Ford disfrutaban de éxito internacional y ocupaban el segundo lugar en las listas de ventas internacionales.

Especificaciones

Fabricante: Ford Tractor Operations
Procedencia: Basildon, Essex (Inglaterra)
Modelo: Force II 6610
Tipo: uso general
Motor: cuatro cilindros
Potencia: 86 CV (63,6 kW)
Transmisión: caja de cambios de ocho velocidades
Peso: n. d.
Año de fabricación: 1985

Los principales avances en los tractores de la serie 10 eran un incremento del 10% de la potencia del motor en comparación con los modelos anteriores. También incorporaban mejoras en el sistema hidráulico y una nueva caja de cambios opcional de ocho velocidades que permitía realizar los cambios en movimiento.

Versión mejorada

Los tractores de la serie 10 experimentaron una gran mejora en 1985 cuando se introdujo la gama Force II. Una nueva cabina Super Q con un techo más bajo era la mejora más visible, que estaba disponible en los modelos de potencia media y alta. También se introdujeron varias mejoras

mecánicas, como motores más silenciosos y un aumento del rendimiento del enganche posterior en las versiones Force II de los grandes modelos TW construidos en Bélgica, que veían incrementada así su capacidad de elevación casi hasta siete toneladas, cifra destacable para los tractores de esta gama de potencia de la década de 1980.

El Ford Force II 6610 con un motor de 86 CV (63,6 kW) era uno de los dos modelos equipados con los nuevos depósitos de combustible montados en el carro portaherramientas, y uno de los tres modelos disponibles en eje ancho para el cultivo en hileras. La gama Force II siguió fabricándose hasta 1989, año en que fue sustituida por otra gama mejorada: los tractores Generation III.

Arriba: *La cabina mejorada con el techo más bajo constituía la diferencia más patente cuando aparecieron los modelos Force II de Ford en 1985.*

MARSHALL

1986 Scunthorpe, Lincolnshire (Inglaterra)

MARSHALL 132

Una compañía que pasa por cambios frecuentes de propietario y se traslada de una fábrica a otra puede acabar perdiendo la confianza de muchos de sus clientes y distribuidores. Eso fue lo que les sucedió a los tractores Nuffield.

Derecha: *El nuevo modelo 132, con varios componentes procedentes de Yugoslavia, se incorporó a la gama de tractores Marshall tras un nuevo cambio de propietario.*

Especificaciones

Fabricante: Bentall-Simplex Industries
Procedencia: Scunthorpe, Lincolnshire (Inglaterra)
Modelo: Marshall 132
Tipo: uso general
Motor: diésel de cuatro cilindros
Potencia: 35 CV (26 kW)
Transmisión: caja de cambios de ocho velocidades
Peso: n. d.
Año de fabricación: 1986

Además de los cambios del nombre Nuffield por el de Leyland y, posteriormente, el de Marshall, también se produjeron fusiones, adquisiciones y problemas financieros que conllevaron seis cambios de propietario, así como traslados de Birmingham a Escocia y el paso por dos ubicaciones diferentes en Lincolnshire.

Nuevos modelos

En 1986 la compañía, propiedad de Bentall-Simplex Industries, trasladó el negocio de los tractores a una fábrica en Scunthorpe (Lincolnshire). Su primer modelo fue el Marshall 132, pintado del color «dorado cosecha» que ya había sustituido al azul de Leyland y al original naranja y rojo de Nuffield. Aunque el nuevo modelo se montaba en Scunthorpe, algunos de sus componentes principales se adquirían en Yugoslavia, como la transmisión de ocho velocidades y el motor de 35 CV (26 kW) basado en un diseño de Perkins.

El 132 era un diseño con doble finalidad para su venta como pequeño tractor agrícola y como gran tractor compacto adecuado para cortar el césped y realizar otras tareas, y los flamantes propietarios de la nueva marca Marshall ofrecían una gama completa de modelos compactos, además de completar la gama agrícola con modelos adicionales y mejoras en la cabina. Alcanzaron cierto éxito en un mercado muy competitivo, pero por entonces el nombre Marshall ya había perdido parte de su brillo original y en 1989 aún se produciría otro cambio de propietario.

MASSEY-FERGUSON 3070 AUTOTRONIC

Los tractores de la serie 4000 de alta potencia de Massey-Ferguson ya habían demostrado las ventajas que comportaba la utilización de la electrónica en el control del enganche posterior, y en 1986 se introdujeron versiones mejoradas del mismo sistema en las nuevas series MF 300 y 3000.

Había disponibles dos niveles de control electrónico: una versión estándar en los modelos Autotronic y una versión más avanzada en los modelos Datatronic. En ambas versiones se habían automatizado la mayoría de las operaciones de manejo y control del acople posterior, lo cual simplificaba el trabajo del tractorista y le permitía moverse a mayor velocidad y con más precisión incluso que un conductor cualificado. El tractor

también estaba protegido de algunos de los riesgos de las averías mecánicas.

Ambos sistemas se basaban en la recogida de datos mediante sensores situados en diversos puntos del tractor, que se transferían a un miniordenador ubicado bajo el suelo de la cabina. Entre las funciones desarrolladas por el sistema Autotronic destacaba la gestión del bloqueo del diferencial, y también había un fusible que desconectaba la

Arriba: El lanzamiento de los nuevos sistemas de control y de información Autotronic y Datatronic de Massey-Ferguson incorporó al manejo del tractor la velocidad y la precisión de la electrónica.

tracción de la toma de fuerza automáticamente si el sensor detectaba una carga anormal o un bloqueo en la maquinaria empleada.

Sistema hidráulico

El sistema hidráulico también incorporaba un fusible de protección. Si la luz de advertencia de presión inadecuada del aceite se mantenía encendida durante más de dos segundos, el ordenador desactivaba las funciones que podían resultar dañadas por un fallo del sistema hidráulico. En los modelos con tracción a las cuatro ruedas, el ordenador desconectaba la potencia a las ruedas delanteras a velocidades superiores a 14 km/h para evitar el desgaste adicional de los neumáticos que podía producirse al utilizar la tracción a las cuatro ruedas por carretera. La tracción a las ruedas delanteras se conectaba de nuevo si se activaba el bloqueo del diferencial trasero para lograr una mejor tracción, y también se conectaba para obtener una mejor potencia de frenada.

Entre otros elementos, los tractores Datatronic incluían unos controles electrónicos de alta tecnología para minimizar el deslizamiento de las ruedas y una pequeña pantalla en la cabina donde se mostraba una información completa.

Dicha pantalla indicaba datos como las revoluciones por minuto, la velocidad, el consumo, la velocidad de trabajo real, las horas de autonomía y las horas que faltaban para la siguiente revisión. La pantalla podía mostrar el trabajo realizado en términos de distancia o superficie cubierta, así como en términos de unidades (para saber, por ejemplo, el número de pacas producidas).

Innovación atractiva

Los tractores actuales de potencia media y alta suelen incorporar algún sistema de información y de control electrónico, pero en los años ochenta los sistemas de Massey-Ferguson constituyeron un gran paso y suscitaron un enorme interés.

Los tractores de la serie 3000 que incorporaban el nuevo sistema electrónico incluían el MF 3070, con un motor de 93 CV (69 kW) y equipado con una transmisión que ofrecía 32 velocidades hacia delante y marcha atrás.

Especificaciones

Fabricante: Massey-Ferguson

Procedencia: Beauvais (Francia)

Modelo: MF 3070

Tipo: uso general

Motor: diésel de cuatro cilindros

Potencia: 93 CV (69 kW)

Transmisión: de vaivén de 32 velocidades

Peso: 4.100 kg (versión con tracción a las cuatro ruedas)

Año de fabricación: 1986

Abajo: El paquete de dispositivos electrónicos Autotronic de los tractores de la nueva serie MF 3000 introdujo el control automático de una amplia gama de funciones para simplificar el trabajo del tractorista.

CATERPILLAR

🔧 1987 Peoria, Illinois (EE. UU.)

CATERPILLAR CHALLENGER 65

Los tractores oruga son imbatibles en lo que se refiere a convertir la potencia del motor en peso admitido por la barra de enganche cuando el terreno está húmedo y resbaladizo, y también son insuperables en cuanto al reparto del peso del tractor en una superficie mayor para reducir la compactación del terreno. Sin embargo, las orugas de acero tradicionales presentan notables desventajas.

Las orugas de acero son ruidosas, poco adecuadas para velocidades elevadas y no está permitido su uso en carreteras públicas. Las ventas mantuvieron un ritmo elevado mientras la alternativa era el tractor con tracción a dos ruedas, pero conforme los fabricantes fueron ofreciendo modelos con tracción a las cuatro ruedas a partir de la década de 1950, éstas cayeron en picado.

A principios de los años ochenta parecía cada vez más probable que los tractores oruga quedarían limitados a nichos de mercado muy específicos, como las explotaciones agrícolas con terreno muy abrupto, donde las orugas aportan más estabilidad, pero en 1987 cambió la situación con la aparición del Caterpillar Challenger 65 con sus orugas de caucho reforzadas con acero.

Nuevas orugas

Las nuevas orugas, que Caterpillar denominó sistema Mobil-trac, constituyeron probablemente el

Superior: *El Caterpillar Challenger 65 trajo consigo las orugas de caucho y eso puso fin al descenso continuo de las ventas de tractores oruga.*

Arriba: *Claas se encargó de la comercialización de los tractores Caterpillar Challenger en el Reino Unido y en otros países europeos.*

avance técnico más importante en 50 años o más. El Challenger 65 con orugas de caucho y los modelos que le siguieron conservaron las ventajas tradicionales de los tractores oruga de gran potencia de arrastre y baja presión en el terreno, pero además podían utilizarse en carreteras públicas, se desplazaban a la misma velocidad que un tractor de ruedas y el conductor se beneficiaba de unos niveles de ruido mucho más bajos.

Los informes de usuarios del Challenger mostraban que las orugas podían competir con los neumáticos de caucho en términos de resistencia, duración y coste de sustitución en tractores de potencia similar, y ello hizo que subieran las ventas del Challenger. El éxito del Challenger 65 y de los modelos Caterpillar posteriores animó a muchos fabricantes de tractores a ofrecer sus propios modelos con orugas de caucho, con lo cual se invirtió la anterior tendencia a la baja.

Motor

El Challenger 65, el tractor que introdujo las ventajas de las orugas de caucho, estaba propulsado por un motor Caterpillar con turbocompresor e intercambiador. El motor tenía una potencia de 270 CV (200 kW), suministrada mediante una transmisión servoasistida con 10 velocidades. Entre los elementos de comodidad del conductor estaban el aire acondicionado y un sistema de limpieza del aire con extractor de polvo, además de un encendedor y un cenicero. Por su parte, la dirección estaba controlada por un volante con un sistema de control del diferencial que aceleraba una oruga y ralentizaba la otra.

Tras el notable éxito alcanzado con los tractores Challenger, Caterpillar sorprendió al sector cuando decidió abandonar el mercado de equipos agrícolas en 2002, con la venta del negocio de tractores Challenger a Agco.

Especificaciones

Fabricante: Caterpillar

Procedencia: Peoria, Illinois (EE. UU.)

Modelo: Challenger 65

Tipo: tractor de arrastre

Motor: seis cilindros

Potencia: 270 CV (200 kW)

Transmisión: servoasistida de 10 velocidades

Peso: 14.060 kg

Año de fabricación: 1987

Abajo: *Las orugas de caucho del Challenger ofrecían la potencia de arrastre de las orugas de acero tradicionales, pero sin las restricciones de éstas en cuanto a desplazamiento por carretera y velocidad.*

SAME
🔧 **1988   Treviglio (Italia)**

SAME DUAL TRAC 90

Los tractores con una posición de conducción reversible, conocidos como bidireccionales, llenaron un importante nicho de mercado en la década de 1980, y la compañía italiana Same fue uno de los principales proveedores.

Arriba: *Un operario experimentado tardaba sólo 30 segundos en invertir la posición de conducción en el Dual Trac 90.*

Especificaciones

Fabricante: Same Trattori
Procedencia: Treviglio (Italia)
Modelo: Dual Trac 90
Tipo: uso general
Motor: cuatro cilindros
Potencia: 90 CV (67 kW)
Transmisión: caja de cambios de vaivén de 16 velocidades
Peso: 3.350 kg
Año de fabricación: 1988

La ventaja más destacada de poder manejar el tractor mirando hacia delante o hacia atrás es la mayor versatilidad. Algunos equipos montados en la parte posterior, como zanjadoras y accesorios de carretilla elevadora, resultan mucho más fáciles de manejar si el conductor mira hacia atrás a través de la ventana posterior de la cabina. Esto resulta más eficiente y menos cansado para el tractorista que mirar hacia delante y tener que girar la cabeza continuamente.

Volante de dirección

En la mayoría de los tractores reversibles el asiento gira 180°, normalmente junto con los controles manuales, y dichos vehículos incorporan un juego de pedales duplicado en la parte posterior de la cabina. En el Same Dual Trac 90, el volante se desconectaba de su sitio en la parte delantera de la cabina y se colocaba en la parte trasera. Según Same, se tardaba menos de un minuto en invertir la posición de conducción.

La compañía basó el tractor de conducción reversible Dual Trac en su modelo Explorer II estándar de 90 CV (67 kW), que estaba equipado con un motor Same con refrigeración por aire complementada con un sistema de refrigeración por aceite. El Dual Trac también compartía el sistema de frenos en las cuatro ruedas del Explorer, característica que incorporaban la mayoría de tractores Same.

Arriba, izquierda: *El Same Dual Trac 90 era sólo uno de los muchos tractores de la década de 1980 con una posición de conducción reversible o bidireccional.*

FIAT

1990 **Módena (Italia)**

FIAT WINNER F140

Fiat anunció la gama de tractores Winner el año antes de adquirir una participación mayoritaria en los negocios de tractores y maquinaria agrícola de Ford, y los Winner continuaron fabricándose durante varios años después.

Arriba: *El F140 era el modelo superior de la gama Winner de Fiat y producía 140 CV (104 kW) con un motor de seis cilindros unido a una transmisión de 32 velocidades.*

Especificaciones

Fabricante: Fiatagri	
Procedencia: Módena (Italia)	
Modelo: Winner F140	
Tipo: uso general	
Motor: seis cilindros	
Potencia: 140 CV (104 kW)	
Transmisión: caja de cambios de 32 velocidades	
Peso: n. d.	
Año de fabricación: 1990	

El negocio agrícola de Fiat, conocido desde principios de la década de 1980 como Fiatagri, aseguraba tener una cuota del 15% del mercado europeo de tractores cuando se anunció la serie Winner. Los nuevos modelos se diseñaron para incrementar dicho porcentaje. Inicialmente había cuatro modelos, desde el F100 hasta el F140, y dos años después se presentó el modelo F115. En cada caso, el número de modelo indicaba aproximadamente la potencia del motor.

Características de diseño

Todos los Winner incorporaban una versión mejorada del motor de seis cilindros de la serie 8000 fabricado por Fiat Iveco, y la especificación incluía una toma de fuerza de tres velocidades con selección de velocidad mediante pulsador. Tanto el enganche posterior como el delantero opcional estaban controlados electrónicamente.

También había un amplia gama de transmisiones para elegir, empezando por la versión estándar de 32 velocidades con 16 hacia atrás. Una caja de cambios de vaivén ofrecía 16 velocidades hacia delante y otras tantas hacia atrás. Había una transmisión de velocidad Eco con 20 velocidades hacia delante y 16 hacia atrás. Los clientes que utilizaban equipos de baja velocidad podían seleccionar una caja de cambios de velocidades lentas que duplicaba el número de relaciones en la transmisión estándar hasta 64 velocidades hacia delante y 32 marcha atrás.

FORD
⚒ **1991 Basildon, Essex (Inglaterra)**

FORD 8640

La mayoría de los «nuevos» tractores que se lanzan cada año no son completamente nuevos, sino versiones mejoradas de modelos anteriores. Así, una serie de modelos actualizados mantuvo a Ford entre los tres principales fabricantes del mundo durante la mayor parte de las décadas de 1970 y 1980.

Arriba: *Los tractores de la serie 40 de Ford lanzados en 1991 fueron la primera gama completamente nueva que salió de la fábrica de Basildon (Essex) en 27 años.*

Los modelos de la serie 40 se describieron como los primeros tractores completamente nuevos en 27 años, aunque ni siquiera éstos eran totalmente nuevos. Se presentaron en la Feria de Smithfield de 1991 y formaban una gama de seis modelos que cubría el sector de grandes ventas de entre 75 y 120 CV (55,9 y 89,4 kW), aunque más tarde se introdujo un modelo adicional que situó la potencia máxima en 125 CV (93,2 kW).

Nuevos motores

Todos los tractores de la serie 40 estaban equipados con nuevos motores desarrollados como parte del proyecto Genesis, y en algunos mercados, como el Reino Unido, se conocieron como motores PowerStar. Los motores estaban disponibles en cuatro y seis cilindros, pero ambos tenían la misma capacidad de 1,25 litros por cilindro, de modo que podían compartir componentes. Los tres tractores de la serie 40 con menos de 100 CV (74 kW) utilizaban el motor de cuatro cilindros y cinco litros. El modelo 7840 de 100 CV (74 kW) era el más pequeño de los tres modelos que tenían el motor de seis cilindros.

Todo el trabajo de diseño de la nueva cabina de los tractores de la serie 40 se realizó en Estados Unidos. La cabina se denominó SuperLux y ofrecía más espacio interior; además, consiguió reducir el nivel de ruido a tan sólo 77 decibelios.

Opciones de transmisión

Es probable que la característica más impresionante de la nueva gama de tractores fuera la amplia variedad de opciones de transmisión, dos de las cuales aparecieron por primera vez en los modelos de la serie 40. La electrónica desempeñaba un papel cada vez más importante en el funcionamiento y el control de las transmisiones de los tractores, y el nuevo sistema ElectroShift constituía un ejemplo.

Se describía como una transmisión semiservoasistida, con un cambio manual entre dos juegos de cuatro velocidades servoasistidas, pero un par de pulsadores en la palanca de cambios principal, activados mediante la presión del dedo, permitían cambiar de marchas sin utilizar el embrague. Eso ofrecía ocho velocidades, tanto hacia delante como marcha atrás utilizando una palanca de control de vaivén. Sin embargo, éstas se duplicaban hasta 16 velocidades en cada sentido al utilizar el selector de relación alta/baja; además, la incorporación de velocidades lentas opcionales para tareas que requieren desplazamientos más lentos aumentaba el número de relaciones hasta 24.

Además de introducir los nuevos tractores de la serie 40 en 1991, Ford anunció que había vendido su negocio de tractores y de maquinaria agrícola a Fiat. Por eso los primeros tractores de la serie 40 llevaban el nombre y la insignia de Ford; en 1994 se sustituyeron por la marca New Holland y la nueva insignia de una hoja estilizada.

Especificaciones

Fabricante: Ford Tractor Operations

Procedencia: Basildon, Essex (Inglaterra)

Modelo: 8640

Tipo: uso general

Motor: seis cilindros

Potencia: 100 CV (74 kW)

Transmisión: ElectroShift con hasta 24 velocidades

Peso: n. d.

Año de fabricación: 1991

Izquierda: *La mayoría de los nuevos tractores lanzados a partir de finales de la década de 1970 incluían sistemas electrónicos, y en la serie 40 de Ford éstos desempeñaban una función fundamental en el funcionamiento de la transmisión semiservoasistida.*

RENAULT

✗ **1991 Le Mans (Francia)**

RENAULT 110.54 HYDROSTABLE

Una de las ventajas de pertenecer a una gran compañía con una gama de productos variada es la capacidad de compartir información técnica, y eso tuvo una importancia capital en el desarrollo por parte de Renault de la primera cabina de tractor con sistema de suspensión propio.

Renault presentó la cabina en 1988 en los tractores TZ y Z, que tenían un alto nivel de especificaciones. El sistema de suspensión estaba integrado por un muelle helicoidal en cada extremo para absorber parte de los rebotes y las vibraciones, así como por barras de torsión longitudinales y transversales para ofrecer estabilidad adicional y para reducir los movimientos.

Los ingenieros de Renault habían trabajado algún tiempo en el desarrollo de la suspensión para la cabina y contaron con la ayuda de sus colegas que diseñaban sistemas de suspensión para las cabinas de los camiones Renault.

La versión para tractor, denominada cabina Hydrostable, supuso un gran avance en cuanto a comodidad del conductor y ganó una medalla de

Superior: *Los ingenieros de Renault Agriculture pudieron utilizar los conocimientos obtenidos con los camiones Renault en el desarrollo de la cabina Hydrostable.*

Arriba: *La cabina Hydrostable suponía una gran mejora para la comodidad del conductor, pero las ventas fueron decepcionantes al principio.*

oro en la feria de maquinaria SIMA de París y una de plata en la Exhibición Real de Inglaterra.

Nueva cabina

La organización de investigación alemana DLG, que midió los niveles de vibración en dos tractores Renault 155-54 de 145 CV (108,1 kW), ratificó las ventajas de la nueva cabina. Uno de los tractores estaba equipado con una cabina estándar sin muelles, mientras que el otro tenía una cabina Hydrostable. Ambos fueron sometidos a una serie de pruebas en el campo y en pista, al tiempo que se medía el nivel de exposición del conductor a la vibración, y el sistema de suspensión reducía los niveles de vibración entre un 30 y un 35% en algunas pruebas. Además de ofrecer al conductor una conducción más suave, los sistemas de suspensión en los tractores agrícolas también comportaban ventajas económicas. Existen

pruebas que demuestran que unos niveles de vibración menores animaban a los tractoristas a trabajar más horas y además era más probable que utilizaran una marcha más alta y aumentaran la producción al realizar algunos tipos de trabajo.

Suspensión completa

Renault fue el primero en introducir una cabina con sistema de suspensión completo y se situó por delante de sus competidores durante 10 años. Las versiones de especificaciones elevadas de la mayoría de los modelos de la gama Renault pueden estar equipadas con la cabina Hydrostable de la serie TZ o Z, incluidos los modelos Tracfor, de especificación media. El Tracfor 110.54 incorpora un motor MWM de seis cilindros con una potencia de 100 CV (74 kW), y la especificación estándar incluye una caja de cambios de vaivén con 16 velocidades hacia delante y hacia atrás.

Especificaciones

Fabricante: Renault Agriculture

Procedencia: Le Mans (Francia)

Modelo: 110.54 Z

Tipo: uso general

Motor: seis cilindros

Potencia: 100 CV (74 kW)

Transmisión: caja de cambios de vaivén de 16 velocidades

Peso: n. d.

Año de fabricación: 1991

Abajo: El sistema de suspensión de la cabina Hydrostable utiliza una combinación de muelles helicoidales y barras de torsión para absorber parte de los rebotes y las vibraciones con el fin de ofrecer una conducción estable.

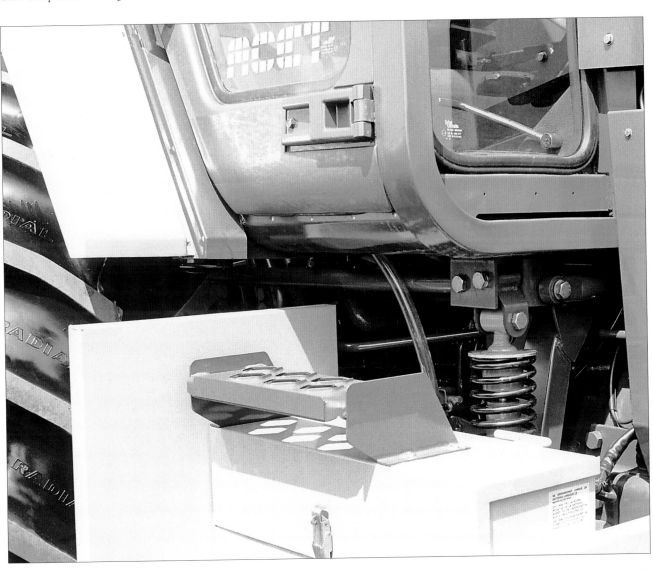

JCB

⚒ **1991   Cheadle, Staffordshire (Inglaterra)**

JCB FASTRAC 145

En las décadas de 1970 y 1980, varias marcas conocidas desaparecieron del sector como resultado de fusiones, adquisiciones y quiebras. En la actualidad, la tendencia continúa. Es poco habitual que una gran compañía se adentre en la producción de tractores por primera vez; sin embargo, eso sucedió en 1991 cuando JCB presentó la gama de tractores Fastrac.

JCB es líder mundial en producción de excavadoras y otras máquinas para la construcción, y también asegura ser el mayor fabricante de palas telescópicas para el sector agrícola. Incluso para una gran compañía como JCB, intentar batir a marcas establecidas en el sector de los tractores simplemente con otro tractor convencional habría resultado extremadamente difícil, pero en lugar de eso se decantaron por un diseño nada convencional.

Alta velocidad

El Fastrac se describía en el comunicado de prensa original de JCB como «el primer auténtico tractor de alta velocidad del mundo». Los primeros modelos podían arrastrar una carga de 14 toneladas a más de 64 km/h por carretera, casi el doble de la velocidad máxima alcanzada por la mayoría de los tractores convencionales, pero la tracción a las cuatro ruedas del Fastrac con ruedas delanteras y traseras del mismo diámetro también

Superior: La incursión de JCB, un fabricante líder de equipos para la construcción, en el masificado mercado de los tractores constituyó toda una sorpresa.

Arriba: Aunque el rendimiento en carretera del Fastrac copó la mayor parte de la publicidad original, los tractores también estaban diseñados para trabajos de tiro pesados, como la labranza.

estaba diseñada para ofrecer una tracción a baja velocidad eficiente para tareas como la labranza.

Los dos primeros modelos de Fastrac fueron el 125 y el 145; en ambos casos, el número de modelo indicaba su potencia. Los Fastrac estaban equipados con motores Perkins, con un turbocompresor incorporado al motor del modelo 145 para aumentar la potencia, y la transmisión de ambos modelos ofrecía 18 velocidades hacia delante y seis hacia atrás.

Suspensión Fastrac

Los tractores diseñados para alcanzar una velocidad de transporte elevada deben tener una buena potencia de frenada, y los Fastrac estaban equipados con un sistema de frenos tipo camión con discos neumáticos en las cuatro ruedas. Otra característica para adaptar el vehículo a la alta velocidad era un sistema de suspensión completo

tanto en las ruedas delanteras como en las traseras, que ayudaba a suavizar los baches y ofrecía mayor estabilidad para mejorar el control de la dirección.

Una característica especial diseñada en la suspensión Fastrac y todavía utilizada en los últimos modelos es el dispositivo autonivelador en la parte posterior, que resulta esencial para tareas como la labranza, en las que es importante mantener una profundidad constante mientras se soporta el peso de un arado montado en el enganche posterior.

Otra característica del Fastrac es un espacio de carga tras la cabina con capacidad para 2,5 toneladas, a menudo utilizado para transportar equipo para la fumigación de cereales, y todos los modelos incluyen un acople frontal de fábrica.

Los primeros Fastrac se fabricaron en la planta principal de JCB, pero la producción se trasladó a una fábrica distinta dirigida por JCB Landpower, la división de equipos agrícolas de JCB.

Especificaciones

Fabricante: JCB Landpower

Procedencia: Cheadle, Staffordshire (Inglaterra)

Modelo: Fastrac 145

Tipo: uso general

Motor: turbodiésel de seis cilindros

Potencia: 145 CV (107 kW)

Transmisión: caja de cambios de 18 velocidades

Peso: 6.274 kg

Año de fabricación: 1991

Abajo: *Las características de diseño del Fastrac incluyen un sistema de suspensión delantero y trasero, frenos en las cuatro ruedas y una plataforma de carga detrás de la cabina.*

capítulo 9

Llegan los robots

Uno de los resultados de los rápidos avances de la electrónica y los adelantos como el sistema de posicionamiento global (GPS) es que abren la posibilidad de utilizar tractores sin conductor para la realización de muchos trabajos cotidianos en las explotaciones agrícolas. La tecnología necesaria se comercializa desde finales de la década de 1990. Existen diversos sistemas que gestionan la dirección y mantienen automáticamente la selección óptima de los ajustes de motor y transmisión.

Arriba: *La fábrica de tractores Kirov en la extinta Unión Soviética ofrece el modelo «Pedro el Grande» en un intento por atraer a clientes de países occidentales.*

Izquierda: *La revolución de las bandas de caucho que siguió a la introducción del Caterpillar Challenger propició la aparición de diversos modelos de tractores oruga de otras marcas, como John Deere.*

Este tipo de equipos se ha venido utilizando para facilitar la labor del tractorista y permitirle concentrarse en otros aspectos del manejo del tractor y los aperos. Quizá el paso siguiente sea el tractor sin conductor o el robot agrícola.

Uno de los ámbitos en los que la electrónica ha realizado una contribución fundamental es en el desarrollo de una nueva generación de transmisiones de tractores. La primera transmisión variable continua (CVT) recibió el nombre de Vario, y la compañía Fendt fue la primera en aplicarla en Alemania; sin embargo, la mayoría de los principales fabricantes de tractores ya disponen de sus propias versiones. Las transmisiones variables continuas consisten en una combinación de sistemas hidrostáticos y mecánicos capaces de ofrecer un ajuste de velocidad infinitamente variable con un alto grado de control automatizado.

En la última década, se han introducido nuevas variaciones en los portaimplementos y ha aumentado el número de fabricantes que ofrecen tractores oruga con bandas de caucho. La potencia media de los nuevos tractores ha venido incrementándose, y el sector ha asistido a más fusiones y adquisiciones, que han hecho que la mayor parte de la producción en Europa y Norteamérica esté controlada por cinco grandes grupos.

MOFFETT

⚒ **1991   Dundalk, County Louth (Irlanda)**

MOFFETT MFT (MULTI-FUNCTION TRACTOR)

El historial de Irlanda como fabricante de tractores es limitado. Hubo dos breves periodos en los que se produjo el Fordson en una fábrica cercana a Cork y, en la década de 1990, el tractor Moffett MFT se fabricó en Dundalk.

Las décadas de 1980 y 1990 fueron una época difícil, ya que la caída de las ventas obligó a muchos de los fabricantes de más prestigio a entrar en operaciones de fusiones y adquisiciones. En esa misma época, hubo nuevos nombres que irrumpieron en el sector, normalmente compañías como JCB, que ofrecían un tractor con nuevas características, y en dicha categoría también se incluye el MFT, o Multi-Function Tractor (tractor multifuncional), de Moffett Engineering.

Funcionamiento en ambos sentidos

Los tractores MFT estaban diseñados con un asiento del conductor reversible y controles para la conducción en ambos sentidos, e incorporaban una pala industrial en la parte posterior, donde se transportaba el peso sobre el eje trasero, que constituía la parte más sólida del tractor. Con la pala en su sitio y la posición de conducción inversa, el MFT podía trabajar como pala de alta potencia para realizar tareas de manipulación de forraje o la

Arriba: *La versión original basada en un Massey-Ferguson del Moffett Multi-Function Tractor —o MFT— trabajando como tractor convencional.*

carga de remolacha azucarera. Si se quitaba la pala, tarea que llevaba unos cinco minutos, y se colocaba el asiento del conductor en posición normal, el MFT podía trabajar como un tractor cualquiera con tracción a las cuatro ruedas.

La producción comenzó en la fábrica de la familia Moffett en 1991 y por entonces el MFT estaba basado en un tractor Massey-Ferguson muy modificado impulsado por un motor Perkins de 90 CV (66,6 kW). Una transmisión multifuncional con control de vaivén ofrecía 12 velocidades hacia delante y hacia atrás, ideales para un tractor bidireccional ya que la elección de marchas y velocidades de desplazamiento era la misma en ambos sentidos. Un tractorista experimentado podía invertir la posición del asiento y los controles en menos de medio minuto.

La gran ventaja del Moffett era que en algunas explotacines hacía posible que una misma unidad de tractor realizara las tareas de manipulación de materiales y el trabajo del campo, lo cual suponía una notable reducción de los costes. El MFT tuvo especial éxito en granjas lecheras, sobre todo en el Reino Unido, que constituía con diferencia su principal mercado de exportación.

Versión mejorada

En 1994, el MFT original de 90 CV (66,6 kW) fue sustituido por una versión mejorada basada en un tractor Massey-Ferguson de 120 CV (89,4 kW), y dos años después la compañía cambió MF por New Holland y eligió un tractor 7840 de 100 CV (74,5 kW) propulsado por un motor de seis cilindros y equipado con una transmisión de vaivén de 24 velocidades.

Pese a su versatilidad, el MFT carecía de la altura y el alcance de una pala telescópica, especialmente para tareas como la manipulación de pacas. Fue una desventaja que limitó las ventas del tractor Moffett, cuya producción finalizó hacia 1999.

Especificaciones

Fabricante: Moffett Engineering
Procedencia: Dundalk, County Louth (Irlanda)
Modelo: tractor multifuncional
Tipo: tractor con pala industrial
Motor: Perkins de cuatro cilindros
Potencia: 90 CV (66,6 kW)
Transmisión: de vaivén de 12 velocidades
Peso: n. d.
Año de fabricación: 1991

Abajo: Éste es el último MFT basado en un Ford serie 40, con la posición de conducción invertida para manejar la pala industrial montada en la parte posterior.

ZETOR

✖ **1990   Brno (República Checa)**

ZETOR 9540

Durante la era comunista, algunas gamas de tractores de las fábricas de Europa Oriental iban a la zaga de sus rivales occidentales en términos de características técnicas, diseño y acabado, pero los precios eran bajos. Sin embargo, los tractores Zetor, de lo que ahora es la República Checa, eran diferentes.

Arriba: Un depósito dentro del compartimento del motor del 9540 recoge calor del colector de escape para suministrar agua caliente con la que lavarse las manos.

Especificaciones

Fabricante: Zetor

Procedencia: Brno (República Checa)

Modelo: 9540

Tipo: uso general

Motor: turbo de cuatro cilindros

Potencia: 90 CV (66,6 kW)

Transmisión: caja de cambios de 16 velocidades

Peso: n. d.

Año de fabricación: 1990

En lugar de firmar un contrato de licencia para fabricar modelos Massey-Ferguson o Fiat pasados de moda como otras fábricas de Europa del Este, Zetor produjo sus propios diseños, y cuando los modelos de la serie Forterra aparecieron en 1990, fueron el inicio de una nueva gama con un diseño actualizado y motores turbo destinada a satisfacer los requisitos occidentales de emisiones de escape menos contaminantes.

Características inusuales

La potencia de la serie 9540 de Forterra con tracción a las cuatro ruedas y la versión 9520 con tracción a dos ruedas tenían un motor de cuatro cilindros que producía 90 CV (66,6 kW), e

incluían algunas características inusuales también disponibles en algunos otros modelos de Zetor. La especificación estándar incluía un compresor que activaba un sistema de frenos neumáticos de camión, y también se utilizaba para suministrar aire a alta presión para inflar los neumáticos y manejar las pequeñas herramientas accionadas por aire comprimido para trabajos sencillos de mantenimiento y reparaciones en el campo cuando no se disponía de energía eléctrica.

Otra característica inusual del Zetor era un depósito de agua en el compartimento del motor. Por su ubicación, recogía calor del colector de escape, y tras unas horas de trabajo suministraba agua caliente para lavarse las manos.

Arriba, izquierda: Como muchos modelos de la gama Zetor, la especificación del 9540 incluye una bomba para suministrar aire a presión con el que accionar pequeñas herramientas manuales o inflar neumáticos.

SCHLUTER
⚒ 1991 Múnich (Alemania)

SCHLUTER EUROTRAC

Aunque Claas, el especialista alemán en maquinaria para cosechar, estaba muy involucrado en el desarrollo del Eurotrac, en el tractor apareció el nombre Schluter. El Eurotrac se fabricó como prototipo en 1991, cuando se mostró a la prensa del sector agrícola, y constituyó una gran atracción en la feria alemana de maquinaria Agritechnica.

Derecha: *El Schluter Eurotrac, diseñado en colaboración con Claas, incorporaba un motor instalado en la parte central debajo del suelo de la cabina, que se inclinaba a un lado para permitir el acceso al motor.*

Especificaciones

Fabricante:	Anton Schluter
Procedencia:	Múnich (Alemania)
Modelo:	Eurotrac 1600
Tipo:	tractor portaimplementos
Motor:	de seis cilindros
Potencia:	160 CV (118 kW)
Transmisión:	n. d.
Peso:	n. d.
Año de fabricación:	1991

Por aquel entonces existían informes que indicaban que Schluter planeaba fabricar un primer lote de 50 Eurotrac, pero eso nunca sucedió y la compañía Schluter dejó de fabricar tractores unos años después.

Schluter había creado un nicho en el mercado alemán gracias a grandes tractores de alta potencia bien diseñados y caros. Tenían seguidores entusiastas y fieles entre los contratistas agrícolas y agricultores con extensas explotaciones en Alemania, pero no eran tan populares en los mercados para la exportación.

El Eurotrac era un tractor tipo portaimplementos, diseñado con tracción a las cuatro ruedas con ruedas delanteras y traseras del mismo diámetro.

La cabina estaba montada en la parte central y equipada con asiento del conductor y controles reversibles; el motor también estaba instalado en el centro, debajo de la cabina, que estaba unida por bisagras a un lateral para que pudiera inclinarse hidráulicamente y permitir el acceso para realizar tareas de mantenimiento del motor.

Peso adicional

Otra característica era el objeto rojo en el frontal, encima del compartimento del motor. Era un lastre de 1,5 toneladas que podía moverse hacia delante mediante un sistema hidráulico para mantener la distribución correcta del peso al montar un equipo pesado en el enganche posterior.

CLAYTON
✂ **1992 Stockton on Tees, Durham (Inglaterra)**

CLAYTON C4105 BUGGI

La característica especial del tractor Clayton C4105 Buggi era el espacio de carga detrás de la cabina, idóneo para llevar un equipo de distribución de fertilizante o para fumigar cereales.

Especificaciones

Fabricante: Lucassen Young

Procedencia: Stockton on Tees, Durham (Inglaterra)

Modelo: C4105 Buggi

Tipo: tractor de carga

Motor: John Deere de cuatro cilindros

Potencia: 110 CV (81 kW)

Transmisión: 10 velocidades

Peso: 3.500 kg

Año de fabricación: 1992

Los tractores Clayton, fabricados por Lucassen Young y diseñados como vehículos ligeros adecuados para la fumigación y la distribución de fertilizante, también podían utilizarse para realizar trabajos en el campo, como arrastrar un conjunto de rodillos o un cultivador. El primer modelo C4105, de 1992, incorporaba un motor John Deere de cuatro cilindros de 110 CV (81 kW).

La transmisión estaba basada en una caja de cambios de cinco velocidades sincronizada, más una caja de transferencia que ofrecía 10 velocidades hacia delante con sincronización y tracción a las cuatro ruedas. La velocidad máxima de desplazamiento en carretera era de 44,4 km/h, y el tractor Clayton estaba equipado con un sistema de suspensión en los ejes delantero y trasero integrado por muelles helicoidales y amortiguadores de caucho. El peso total máximo de un C105 completamente cargado era de 9 toneladas: 3,5 toneladas correspondientes al tractor y 5,5 de carga.

Versión posterior

Las versiones posteriores del tractor Clayton —el nombre Buggi no se utilizó hasta aproximadamente cuatro años después— incluían un modelo de 85 CV (63,3 kW) y una versión de mayor tamaño con un motor de 120 CV (89,4 kW), y la lista de mejoras de las especificaciones incluía tracción a las cuatro ruedas, una nueva caja de cambios sincronizada con 10 velocidades y la opción de elegir entre tres batallas diferentes.

La compañía Multidrive, de Yorkshire, adquirió el negocio de tractores de Clayton y ahora vende versiones mejoradas del modelo bajo esta marca.

Arriba: El Buggi de Clayton, ahora disponible bajo el nombre Multidrive, es otra forma de tractor portaimplementos con una plataforma sobre las ruedas traseras para llevar equipo desmontable.

KIROV

1992 Kirov, San Petersburgo (Rusia)

KIROV TURBO K-734

La fábrica de tractores más antigua de Rusia es la planta de tractores de Kirov, donde comenzó la producción en 1924, y desde mediados de la década de 1950 se ha concentrado en la fabricación de modelos de alta potencia.

Derecha: *«Pedro el Grande», el gran tractor de la fábrica de Kirov, en la extinta Unión Soviética, se exportaba en las versiones de 250 y 350 CV (185 y 261 kW).*

Especificaciones

Fabricante: fábrica de tractores de Kirov
Procedencia: Kirov, San Petersburgo (Rusia)
Modelo: Turbo K-734
Tipo: uso general
Motor: turbodiésel
Potencia: 250 CV (185 kW)
Transmisión: servoasistida de 16 velocidades
Peso: 15.460 kg
Año de fabricación: hacia 1992

No está claro cuándo comenzó la fábrica de Kirov a construir su modelo Turbo K-734 con dirección articulada, pero seguramente fue a principios de la década de 1990, y en 1996 fue elegido para encabezar una campaña de ventas para introducir tractores de la fábrica de Kirov en los mercados europeos y norteamericanos de alta potencia, que se venderían junto a los modelos Belarus de potencia media-baja.

Versión para la exportación

Las versiones para la exportación del tractor se denominaron «Pedro el Grande», y llevaban una insignia especial de un caballo rampante, añadida al diseño moderno del Turbo K-734 y al acabado rojo y blanco. La especificación técnica era impresionante: un motor de 250 CV (185 kW) que ofrecía 216 CV (161 kW) en la toma de fuerza y 8 toneladas de capacidad de elevación en el enganche posterior. Pedro el Grande también incorporaba una transmisión servoasistida con 16 velocidades hacia delante y ocho hacia atrás.

Además del Turbo K-734 , la fábrica Kirov también esperaba vender el modelo Turbo K744 propulsado por un motor de 350 CV (260,9 kW). Aunque ambos tractores tenían el mismo tamaño, el motor del 744 era más grande y ofrecía 294 CV (219,2 kW) en la toma de fuerza, a la vez que aumentaba la capacidad máxima de elevación en el enganche de tres puntos hasta 10 toneladas.

FENDT
⚒ **1994 Marktoberdorf (Alemania)**

FENDT XYLON 520

Fendt llevaba años vendiendo distintas versiones de sus tractores portaimplementos, pero cuando presentó la serie de tractores Xylon 500 en 1994, estaban basados en un diseño completamente nuevo e incorporaban las últimas novedades en desarrollo de tractores portaimplementos.

Arriba: La dilatada experiencia de Fendt en el mercado de los tractores portaimplementos dio lugar a los nuevos modelos de la serie 500 con la posibilidad de elegir entre tres potencias.

Especificaciones

Fabricante: Xaver Fendt
Procedencia: Marktoberdorf (Alemania)
Modelo: Xylon 520
Tipo: tractor portaimplementos
Motor: MAN de seis cilindros
Potencia: 110 CV (81,4 kW)
Transmisión: n. d.
Peso: n. d.
Año de fabricación: 1994

Había disponibles tres modelos, el 520, el 522 y el 524, todos movidos por motores MAN de seis cilindros con potencias de 110, 125 y 140 CV (81,4, 93,2 y 104,3 kW), respectivamente. La especificación estándar incluía tracción a las cuatro ruedas con ruedas de gran diámetro, y la transmisión servoasistida ofrecía 44 velocidades hacia delante, incluidas velocidades lentas para trabajos que requerían una velocidad reducida. La velocidad máxima del Xylon era de 50 km/h, de modo que superaba el límite legal en carreteras públicas que en algunos países se impone a los tractores que no incorporan frenos en las cuatro ruedas. La transmisión también incluía el embrague Turbomatic, una característica patentada compartida con otros modelos de la gama Fendt que, según los fabricantes, ofrecía una conducción más suave con menos vibraciones.

Tractor portaimplementos

Los tractores portaimplementos incluían toma de fuerza y enganche para aperos delante y detrás, y también disponían de un espacio de carga para llevar equipos detrás de la cabina del conductor, que tenía dos asientos y estaba muy bien equipada. El eje anterior incorporaba su propio sistema de suspensión y estaba diseñado con una junta de rótula para mejorar la tracción en terreno abrupto.

Arriba, izquierda: Los tractores de la serie 500 incorporaban todas las características habituales de los tractores portaimplementos, incluidos enganches para aperos delante y detrás, cuatro ruedas motrices del mismo tamaño y una cabina montada en el centro.

FENDT
✖ **1995 Marktoberdorf (Alemania)**

FENDT VARIO 926

Tres compañías alemanas estaban desarrollando transmisiones variables continuas al mismo tiempo, y la empresa que comercializó antes un tractor con ese tipo de transmisión fue Fendt con su modelo Vario 926 anunciado en 1995, superando por poco a Claas y al especialista en transmisiones ZF.

Derecha: Fendt se convirtió en la primera compañía que comercializó un tractor con una transmisión variable continua (CVT) controlada electrónicamente cuando anunció el Vario 926 en 1995.

Especificaciones

Fabricante: Xaver Fendt
Procedencia: Marktoberdorf (Alemania)
Modelo: Favorit 926 Vario
Tipo: uso general
Motor: MAN de seis cilindros
Potencia: 260 CV (191 kW)
Transmisión: variable continua
Peso: 7.800 kg
Año de fabricación: 1995

En el sector de potencia media y alta del mercado, la transmisión continua variable es probablemente el desarrollo más importante en los sistemas de tracción de tractores desde la aparición de las cajas de cambios servoasistidas. Se trata de una combinación de una tracción por engranajes mecánica con una transmisión hidrostática, con las ventajas de ambos sistemas. La potencia del motor se divide y una parte va al sistema hidrostático y otra a los engranajes; luego, la tracción de ambas partes se reúne de nuevo.

Ventajas de la transmisión variable

La transmisión variable continua ofrece la mayoría de las ventajas de una transmisión hidrostática, como la facilidad de uso y un ajuste de la velocidad no escalonado, y además reduce las pérdidas de potencia, la principal desventaja de la transmisión hidrostática. Sólo hay una palanca de control que se mueve hacia delante para aumentar la velocidad, y que hacia atrás acciona la marcha atrás. También incorpora un «control de crucero» que mantiene automáticamente una velocidad constante, ajustando las r. p. m. del motor y la transmisión para compensar la pendiente y otros cambios.

El éxito del Vario 926 de 260 CV (191 kW) animó a otros fabricantes a introducir la transmisión variable continua en algunos modelos, y Fendt ha ampliado el uso de su transmisión Vario para incluir algunos modelos con una potencia inferior a 100 CV (74,5 kW), demostrando así que no sólo produce tractores de alta potencia.

CLAAS
⚒ **1997   Harsewinkel, Westfalia (Alemania)**

CLAAS XERION 2500

Cuando su proyecto conjunto con Schluter para desarrollar el tractor Eurotrac no tuvo como resultado la producción de un tractor de serie, Claas decidió desarrollar su propio tractor portaimplementos. Lo denominó Xerion, fue el tractor portaimplementos más ambicioso fabricado hasta entonces y requirió notables recursos económicos y técnicos.

Claas es el principal y más exitoso fabricante de Europa de maquinaria para la cosecha, pero también tenía la ambición de introducirse en el mercado de los tractores, y el Eurotrac y el Xerion constituían dos pasos para lograrlo.

Tractores portaimplementos
El Xerion seguía el esquema habitual de los tractores portaimplementos con tracción a las cuatro ruedas con ruedas del mismo diámetro y puntos de enganche de equipos tanto en la parte delantera como en la trasera. Había tomas de fuerza de tres puntos en la parte frontal, trasera y central del tractor, y también espacio para llevar equipos en la zona de carga posterior. Sin embargo, la versatilidad del Xerion superó claramente a los tractores portaimplementos anteriores, y estaba diseñado para manejar complejos equipos envolventes, como máquinas cosechadoras de raíces, que en algunos casos casi no dejaban ver el tractor.

Arriba: Con equipo en los enganches delantero y trasero, así como en la plataforma de carga, el Xerion constituía la última incorporación a la lista de tractores portaimplementos.

En lugar de un asiento del conductor y controles reversibles, toda la cabina del Xerion podía inclinarse hidráulicamente para mirar hacia delante o hacia atrás, y dicha cabina también tenía dos posiciones, una en la parte delantera y otra cerca del centro del tractor, intercambiables mediante un sistema hidráulico.

Transmisión

La transmisión desarrollada por Claas para el nuevo tractor era menos llamativa pero tuvo mucha más relevancia a largo plazo. Se basaba en una caja de cambios mecánica con ocho relaciones, más una transmisión hidrostática independiente. La tracción hidrostática posibilitaba el ajuste de la velocidad de desplazamiento continuo en cada una de las ocho marchas sin variar la velocidad del motor, y las transmisiones de este tipo pronto se extendieron en el sector de los tractores.

El sistema de dirección del Claas Xerion tampoco era nada convencional. Podía accionar las cuatro ruedas y el conductor tenía la posibilidad de elegir entre tres modos de dirección diferentes.

Claas mostró una versión prototipo del Xerion en 1993; tras nuevos trabajos de desarrollo llegó el primer tractor en 1997. Estaba disponible en versiones de 200, 250 y 300 CV (149,1, 185 y 233,7 kW) propulsadas por motores de seis cilindros que incorporaban turbocompresor e intercambiador, y estaban destinadas a grandes explotaciones y a los mayores contratistas agrícolas, que constituían el grupo de clientes más exclusivos del mercado de los tractores en Europa.

Especificaciones

Fabricante: Claas
Procedencia: Harsewinkel, Westfalia (Alemania)
Modelo: Xerion 2500
Tipo: tractor portaimplementos
Motor: de seis cilindros
Potencia: 250 CV (185 kW)
Transmisión: variable continua
Peso: n. d.
Año de fabricación: 1997

Arriba: Este tractor Xerion casi no puede verse debajo de una cosechadora envolvente de remolacha azucarera especialmente diseñada.

Izquierda: El Xerion fue el primer tractor diseñado con una cabina que podía moverse mediante un sistema hidráulico hasta situarse en el centro o en la parte delantera según conviniera para realizar un trabajo determinado.

JOHN DEERE 6910

Cuando John Deere introdujo su nueva serie 6010 en 1997, una de las características que anunciaba para potenciar las ventas era la nueva suspensión Triple Link Suspension (TLS), opcional en los modelos de 100 CV (74,5 kW) o más.

Arriba: Los tractores de la serie 6010 de John Deere fueron de los primeros que ofrecieron un sistema de suspensión en el eje delantero.

Especificaciones

Fabricante: Deere & Co.
Procedencia: Mannheim (Alemania)
Modelo: 6910
Tipo: uso general
Motor: de seis cilindros
Potencia: 135 CV (100 kW)
Transmisión: semiservoasistida de 24 velocidades
Peso: 4.750 kg
Año de fabricación: 1997

A finales de la década de 1990, aún eran muy pocos los fabricantes que ofrecían algún tipo de sistema de suspensión, pero cada vez suscitaban más interés, ya que los agricultores y los contratistas eran más conscientes de la importancia de ofrecer una conducción suave y cómoda. En 1997, la mayoría de los fabricantes de tractores estaban desarrollando sistemas de suspensión para el eje delantero de la cabina; sin embargo, fue la compañía John Deere la que despertó un renovado interés por la suspensión en el eje delantero.

Sistema de suspensión
La TLS utiliza una combinación de cilindros hidráulicos y acumuladores rellenos de gas para absorber parte de los rebotes y las vibraciones de las ruedas delanteras. Además de ofrecer una conducción más suave, genera mayor estabilidad y un mejor control de la dirección al desplazarse a cierta velocidad; también se dice que mejora el agarre de las ruedas delanteras para una mejor tracción al trabajar con tracción a las cuatro ruedas.

Los primeros tractores de la serie 6010 cubrían el sector de grandes ventas de 75 a 135 CV (de 55,9 a 100 kW) del mercado de tractores y fueron los modelos más populares de la gama John Deere. El modelo John Deere 6910 era el más potente de la serie, con 135 CV (100 kW) generados por un motor de seis cilindros, aunque posteriormente se introdujeron modelos más potentes cuando se mejoraron los modelos de la serie 6010 para obtener la serie 6020.

Arriba, izquierda: Los tractores de la serie 6010 de John Deere fabricados en Alemania cubrían el sector de potencia media del mercado y eran los modelos más vendidos de la compañía.

BUHLER

✖ **2000   Winnipeg, Manitoba (Canadá)**

BUHLER VERSATILE 2425

Abajo: El Buhler Versatile 2425 se construye en la planta de Winnipeg en la que se fabricaron antes los tractores Versatile y New Holland.

Cuando el grupo New Holland se vio obligado a vender algunas de sus fábricas a finales de la década de 1990, uno de los activos que cedió fue la planta de tractores de Canadá, que fue adquirida por la compañía Buhler.

Especificaciones

Fabricante: Buhler Industries

Procedencia: Winnipeg, Manitoba (Canadá)

Modelo: Buhler Versatile 2425

Tipo: tractor de arrastre

Motor: motor Cummins de seis cilindros

Potencia: 425 CV (314 kW)

Transmisión: caja de cambios de 12 velocidades

Peso: n. d.

Año de fabricación: 2000

La fábrica de Winnipeg era originalmente propiedad de Versatile, un fabricante líder de tractores de alta potencia, y Ford compró Versatile para asegurarse el suministro de grandes tractores. New Holland tuvo que vender la fábrica y otras plantas en Europa para obtener la aprobación con arreglo a la legislación de libre competencia para fusionar sus negocios de tractores y maquinaria agrícola con los de Case IH para formar CNH.

La gama Versatile

Cuando New Holland era la propietaria, los productos de la planta de Winnipeg habían incluido los modelos de alta potencia con dirección articulada, el tractor bidireccional con posición de conducción reversible y la gama de tractores Genesis, y en virtud de las condiciones estipuladas en el contrato de venta, los nuevos propietarios podían seguir fabricando esos modelos.

El mayor de los tractores Buhler Versatile pintados de rojo es el modelo 2425 de alta potencia, que incorpora tracción a las cuatro ruedas y, normalmente, está equipado con ruedas y neumáticos dobles. El motor es un Cummins de seis cilindros con turbocompresor e intercambiador, equipado con gestión electrónica completa, con una potencia de 425 CV (314 kW) y una capacidad de 14 litros. Una transmisión QuadShift de 12 velocidades ofrece cuatro marchas sincronizadas en las tres gamas de velocidades hacia delante.

CASE IH

⚒ **2000   Racine, Wisconsin (EE. UU.)**

CASE IH STEIGER STX440

La adquisición de la gama Steiger en 1986 garantizó a Case IH una sólida posición en el sector de la alta potencia del mercado de tractores, y también le proporcionó los conocimientos para desarrollar nuevos modelos en el futuro.

Especificaciones

Fabricante: Case IH

Procedencia: Racine, Wisconsin (EE. UU.)

Modelo: Steiger STX440

Tipo: tractor de arrastre

Motor: motor Cummins de 14,9 litros

Potencia: 440 CV (326 kW)

Transmisión: servoasistida de 16 velocidades

Peso: n. d.

Año de fabricación: 2000

Algunos de los nuevos modelos llegaron en 2000 cuando se presentaron los nuevos tractores Steiger de la nueva serie Case IH STX. Incorporaban dirección articulada, motores Case y Cummins en la gama de 275 a 440 CV (de 205 a 326 kW) y, en algunos modelos, la opción de las versiones de tracción a las cuatro ruedas o la Quadtrac con cuatro bandas de caucho.

Motor potente

El STX440 fue, durante un tiempo, el tractor más potente de la gama y estaba equipado con un motor Cummins de 14,9 litros con una reserva de par del 43%. El motor desarrolla su potencia a sólo 2.000 r. p. m., lo cual aumenta el ahorro de combustible y reduce los niveles de ruido y vibración. La potencia se transmite a las ruedas o a las orugas mediante una transmisión servoasistida de 16 velocidades con cambio electrónico, y nueve de las diez velocidades hacia delante están dentro de la gama de entre 4,8 y 12 km/h que se utiliza normalmente para trabajar en el campo.

Otra función incorporada en la transmisión STX es el Autoskip, un ajuste que permite el control de la caja de cambios para saltarse las marchas al acelerar desde parado. Esto requiere mucho menos tiempo que ir marcha por marcha hasta alcanzar la velocidad necesaria en carretera.

Arriba: Al comprar la compañía Steiger, con sede en Fargo (Dakota del Norte), Case IH consiguió su propia gama de tractores de alta potencia, incluido el modelo STX440 con orugas de caucho.

McCORMICK

⚒ **2000   Doncaster, Yorkshire (Inglaterra)**

McCORMICK MC115

Abajo: Cuando el grupo ARGO compró la fábrica Case IH en Yorkshire, eligió el nombre de McCormick para su nueva gama de tractores.

Otra de las fábricas vendidas a raíz de las negociaciones para la fusión de Case IH y New Holland fue la planta de tractores de Doncaster (Inglaterra), recientemente modernizada y en la que hoy se fabrican tractores McCormick.

Especificaciones

Fabricante: McCormick Tractors International

Procedencia: Doncaster, Yorkshire (Inglaterra)

Modelo: MC115

Tipo: uso general

Motor: Perkins de cuatro cilindros

Potencia: 115 CV (85 kW)

Transmisión: caja de cambios de 16 velocidades

Peso: 5.495 kg

Año de fabricación: 2000

La fábrica de Doncaster era originalmente propiedad de International Harvester, y empezó a fabricar tractores en 1949 bajo la marca McCormick, entonces propiedad de International Harvester. Una adquisición en 1985 hizo que International Harvester y su fábrica de Doncaster pasaran a tener el mismo dueño que la compañía Case, y Case se convirtió en la marca destacada.

Gama revisada

En 1999, el grupo italiano ARGO compró la fábrica de Doncaster y también adquirió el derecho exclusivo de utilizar la marca McCormick en sus tractores fabricados en Doncaster. McCormick es una de las marcas más reputadas de la historia de los tractores en Estados Unidos, y ha sido un valioso activo a la hora de introducir la nueva gama en el mercado norteamericano.

La fabricación de la renacida gama McCormick comenzó en 2000 con modelos heredados de Case, entre los que se incluía la serie MC animada por motores Perkins de 4 litros con potencias a partir de 84 CV (62,6 kW). El modelo superior de la serie es el McCormick MC115 con una potencia de 115 CV (85 kW), y la especificación del tractor incluye una transmisión con 16 marchas hacia delante o 32 si se incorpora la caja de cambios de velocidades lentas opcional.

JOHN DEERE

✵ **2001   Waterloo, Iowa (EE. UU.)**

JOHN DEERE 9520T

La letra «T» al final del número de modelo de este tractor significa *tracks* ('orugas') e indica que es una versión con orugas de caucho de uno de los tractores John Deere de potencia media-alta.

La nueva gama de tractores oruga de John Deere anunciada en 2001 está integrada por siete modelos de las series 8020 y 9020 con potencias máximas de entre 256 y 507 CV (190,8 y 373 kW). El 9520T es el modelo superior y está equipado con el motor de seis cilindros de la serie 6125H con turbocompresor e intercambiador. El motor también incorpora un sistema de gestión electrónica completa diseñado para mejorar la eficiencia de la combustión y lograr unas emisiones menos contaminantes.

Transmisión

La transmisión también incorpora un completo sistema de gestión electrónica. Hay 18 velocidades hacia delante, de las cuales 10 se sitúan en la gama de velocidades utilizadas normalmente para el trabajo en el campo, y una combinación de servoasistencia y cambio automático controlada en función de la carga y el régimen de giro del motor. El sistema electrónico también ofrece el ajuste de control de crucero, que permite mantener automáticamente la velocidad seleccionada.

La potencia se suministra a las orugas mediante las ruedas dentadas traseras de gran diámetro; el sistema de dirección está controlado por un volante y funciona variando la velocidad de las orugas de ambos lados de manera independiente. Los clientes de la serie 8020T, más pequeña, pueden elegir entre nueve opciones de orugas diferentes de tres anchuras distintas, pero los modelos 9020T están disponibles sólo en 76 o 90 cm.

Arriba: *Los tractores oruga de la serie 9020T pueden incorporar la función Parallel Tracking, que garantiza automáticamente el desplazamiento en línea recta y la colocación adecuada.*

Especificaciones

Fabricante: Deere & Co.

Procedencia: Waterloo, Iowa (EE. UU.)

Modelo: 9520T

Tipo: tractor oruga

Motor: de seis cilindros

Potencia: 507 CV (373 kW) (máximo)

Transmisión: servoasistida de 18 velocidades

Peso: 22.700 kg (con lastre completo)

Año de fabricación: 2001

CHALLENGER
⚒ **2002   Duluth, Georgia (EE. UU.)**

CHALLENGER MT865

Tras introducir el tractor oruga Challenger 65 con sus revolucionarias orugas de caucho, Caterpillar se retiró del mercado agrícola y vendió su negocio de tractores a AGCO.

Arriba: *Cuando Caterpillar abandonó el mercado de los equipos agrícolas, el grupo estadounidense AGCO adquirió su negocio de tractores Challenger.*

Especificaciones

Fabricante: AGCO

Procedencia: Duluth, Georgia (EE. UU.)

Modelo: MT865

Tipo: tractor oruga

Motor: diésel Caterpillar de 15,8 litros

Potencia: 500 CV (433 kW)

Transmisión: servoasistida de 16 velocidades

Peso: n. d.

Año de fabricación: 2002

En lugar de fusionar los tractores oruga con una de sus otras marcas de tractores, como Massey-Ferguson o Fendt, AGCO decidió convertir Challenger en una nueva gama especializada. Empezó con los modelos de la serie MT700 propulsados por motores Caterpillar C-9 de 8,8 litros con potencia de 235 a 306 CV (de 175,2 a 228,1 kW), y en 2002 la compañía amplió la gama con otros cuatro nuevos Challenger de la serie MT800.

Los recién llegados cubren el sector de 340 a 500 CV (de 235,5 a 433 kW), con motores de Caterpillar serie C-12 de 12 litros para los modelos de 340 y 380 CV (232,5 y 283,3 kW), y un motor de 14,6 litros para el modelo de 450 CV (335,5 kW). AGCO coronó la gama con un motor de 15,8 litros para el MT865 de 500 CV (433 kW). Los tres motores incorporan un sistema de gestión electrónica completo unido a los controles electrónicos de la transmisión.

Navegación GPS

Otro elemento avanzado de los grandes Challenger es el sistema de navegación Auto-Guide que utiliza señales del sistema de navegación GPS *(Global Positioning Satellite)*. El sistema GPS se utiliza mucho para identificar posiciones de barcos, aviones y otros vehículos, y en los nuevos Challenger facilita el trabajo del conductor ya que dirige el tractor para que se ajuste a la anchura exacta del apero que arrastra.

La transmisión de la serie 800 es servoasistida de 16 velocidades, de las cuales ocho están dentro de la gama de 6,5 a 15 km/h utilizada para la mayoría de los trabajos en el campo. La velocidad máxima en carretera es de 40 km/h.

ROC
✖ **2003 Rimini (Italia)**

ROC 350

Una combinación de diseño futurista y, según los estándares europeos, un motor de alta potencia hizo del nuevo tractor italiano ROC una de las principales atracciones en la feria de maquinaria SIMA celebrada en París en 2003.

Especificaciones

Fabricante: ROC

Procedencia: Rimini (Italia)

Modelo: 350

Tipo: diseñado para el uso de la toma de fuerza

Motor: de seis cilindros

Potencia: 350 CV (260 kW)

Transmisión: hidrostática

Peso: 6.630 kg

Año de fabricación: 2003

Según el fabricante, el tractor ROC se diseñó principalmente para manejar equipo accionado por la toma de fuerza de alta capacidad, como cultivadoras y maquinaria de ensilaje, más que para trabajos pesados de tiro como la labranza, lo cual explica la alta potencia y peso relativamente bajo del tractor. Dado que sólo pesa 6,6 toneladas, el tractor ROC puede equiparse con neumáticos de flotación extra anchos diseñados para funcionar con una baja presión de inflado para minimizar así la compactación del suelo.

El ROC puede equiparse con toma de fuerza y puntos de enganche de aperos tanto delante como detrás y, como el Claas Xerion, la cabina completa gira hidráulicamente 180° para mirar hacia delante o hacia atrás.

Esquema de tracción

A diferencia de la mayoría de tractores portaimplementos, la tracción a las cuatro ruedas en el ROC 350 se realiza mediante ruedas delanteras y traseras de distinto tamaño, con ruedas de diámetro menor delante, y una de las ventajas de este formato es una buena maniobrabilidad, que posibilita un radio exterior de giro de 5,7 m.

Además del modelo de 350 CV (260 kW) mostrado en la feria de París, ROC también planificó una versión de 261 CV (194,6 kW), aunque no especificó el motor en esa etapa.

Arriba: El diseño futurista del tractor italiano ROC constituyó uno de los principales atractivos cuando se lanzó en la feria de París de 2003.

CLAAS

✖ **2003   Le Mans (Francia)**

CLAAS CELTIS 446

Con su gran motor y sus características de alta tecnología, el Claas Xerion no estaba diseñado para alcanzar muchas ventas; para hacerse un hueco en el mercado de masas, Claas adquirió el negocio de tractores de la marca Renault.

Arriba: *Tras la adquisición en 2003 de Renault por parte de Claas, están apareciendo nuevos tractores Renault con el nombre y los colores Claas.*

Especificaciones

Fabricante: Claas

Procedencia: Le Mans (Francia)

Modelo: Celtis 446

Tipo: uso general

Motor: diésel de cuatro cilindros

Potencia: 92 CV (68 kW)

Transmisión: de vaivén con 10 velocidades hacia delante y hacia atrás

Peso: 4.410 kg

Año de fabricación: 2003

El acuerdo se anunció en 2003, y en 2004 la antigua gama de tractores Renault se vendía en la mayoría de los países europeos bajo la marca Claas y con los colores de ésta. Aparte del Xerion, mejorado y al cual se le incrementó la potencia hasta 335 CV (249,8 kW) en 2004, la serie de tractores Claas de 2004 estaba formada por las gamas Atles, Ares, Celtis y Pales, a las que había que sumar los modelos Dionis y Fructus para viñedos, huertos y otras situaciones especiales.

Gama Celtis

Los tractores pequeños y medianos de la serie Celtis fueron los últimos que se introdujeron en la gama Renault. Los tractores fueron desarrollados por Renault y se presentaron en su *stand* en la feria de maquinaria SIMA celebrada en París en 2003, pero durante aquella cita también se anunció la adquisición por parte de Claas, lo que significa que la mayoría de tractores Celtis se han vendido siendo la marca propiedad de Claas.

Los tractores Celtis cubrían la franja de 70 a 100 CV (de 52,1 a 74,5 kW) del mercado, una potencia popular en las explotaciones agrícolas pequeñas. Hay cuatro modelos, todos ellos impulsados por motores de cuatro cilindros de Deere Power Systems (DPS). Las características especiales incluyen unas puertas de cabina que se abren 180° y pueden bloquearse en posición abierta, y el techo de la cabina puede abrirse para que el conductor vea la pala del extremo delantero y su enganche en posición completamente elevada.

CASE IH
✖ **2003   Basildon, Essex (Inglaterra)**

CASE IH JX1100U MAXXIMA

Case IH ha introducido una nueva gama de tractores en la franja de 70 a 100 CV (de 52,1 a 74,5 kW) y los ha equipado con un nuevo motor de cuatro cilindros desarrollado conjuntamente por tres de los principales fabricantes de motores.

Especificaciones

Fabricante: Case IH

Procedencia: Basildon, Essex (Inglaterra)

Modelo: JX1100U Maxxima

Tipo: uso general

Motor: de cuatro cilindros

Potencia: 100 CV (74,5 kW)

Transmisión: servoasistida de 24 velocidades con inversor de marcha

Peso: n. d.

Año de fabricación: 2003

Detrás del nuevo motor hay un programa de investigación y desarrollo financiado por Case IH, Cummins e Iveco, la filial de motores de Fiat. Las tres compañías trabajaron en un centro de investigación en el Reino Unido, y el motor de 4,5 litros de los nuevos tractores Case fue uno de los resultados de lo que se dio a conocer como la European Engine Alliance.

Motores

Los cuatro nuevos tractores JXI-U Maxxima están equipados básicamente con el mismo motor, con aspiración atmosférica para los modelos de 72 y 82 CV (53,6 y 61,1 kW) y equipados con distintos niveles de turbocompresión para las versiones de 91 y 100 CV (67,8 y 74,5 kW). Las supuestas ventajas incluyen unos niveles de desgaste menores para minimizar el consumo de petróleo; por su parte, el consumo de combustible se ha reducido un 5% respecto a los motores anteriores y las medidas para reducir los niveles de ruido han logrado un descenso de 1,5 db (A).

Todos los modelos están disponibles en versiones con tracción a dos o cuatro ruedas, y existen tres opciones de transmisión diferentes. La opción más cara es una transmisión servoasistida de 24 velocidades con un inversor de marcha, manejado mediante un control montado en la columna de dirección, que permite al conductor seleccionar la marcha sin utilizar el pedal de embrague.

Arriba: *El motor de cuatro cilindros que mueve los cuatro modelos JXU Maxxima de Case IH es un nuevo diseño desarrollado conjuntamente por Case, Cummins e Iveco, el negocio de motores del grupo Fiat.*

NEW HOLLAND

✖ **2004 Basildon, Essex (Inglaterra)**

NEW HOLLAND TVT 190

No fue ninguna sorpresa que New Holland se uniera a la lista de fabricantes en rápido crecimiento que ofrecen un tractor con una transmisión variable continua (CVT). Eso sucedió en 2004 cuando New Holland lanzó la serie TVT.

Derecha: New Holland es uno de los fabricantes que se han decantado recientemente por los sistemas con transmisión variable continua (CVT) con sus tractores de la serie TVT anunciada en 2004.

Especificaciones

Fabricante: New Holland

Procedencia: Basildon, Essex (Inglaterra)

Modelo: TVT 190

Tipo: uso general

Motor: turbo Iveco de seis cilindros

Potencia: 192 CV (142 kw)

Transmisión: constantemente variable

Peso: n. d.

Año de fabricación: 2004

Hay cinco modelos con potencias que van desde 137 hasta 192 CV (de 102,1 a 142 kW), y están propulsados por motores Iveco de altas especificaciones con seis cilindros y 6,6 litros de capacidad. Los motores están equipados con turbocompresor e intercambiador, y tienen una gestión de la inyección electrónica.

Opciones de motor

Las opciones de los motores incluyen un ventilador de refrigeración con un ángulo de las aspas variable que se ajusta automáticamente mediante un sistema de control termostático. Al aumentar la temperatura del motor, se ajusta el ángulo de los álabes para mover un mayor volumen de aire e incrementar la refrigeración. El ángulo de las aspas se mantiene al mínimo cuando el motor funciona a una temperatura inferior a la óptima tras un arranque en frío, ya que se reduce el tiempo necesario para el calentamiento cuando el motor funciona a un nivel menor de su eficiencia máxima.

La transmisión de New Holland en los tractores TVT está formada por sistemas mecánicos e hidrostáticos que funcionan en tres gamas de velocidades: lentas, intermedias para el trabajo en el campo y más rápidas para el desplazamiento por carretera. También hay un inversor de marcha para alternar entre las velocidades hacia delante y la marcha atrás sin utilizar el pedal del embrague, y el sistema de control computerizado puede configurarse para ajustar la transmisión y régimen de giro del motor automáticamente a fin de mantener unas revoluciones constantes al trabajar con equipo conectado a la toma de fuerza.

Bibliografía

ASHBY, J. E.: *British Tractors & Power Cultivators,* Eastbourne, Reino Unido: Pentagon Publications, 1949.

BELL, Brian: *Fifty Years of Farm Tractors,* Ipswich, Reino Unido: Farming Press, 1999.

Directory of Wheel & Track-Type Tractors, Roma: Organización de las Naciones Unidas para la Agricultura y la Alimentación (FAO), 1955.

FRASER, Colin: *Harry Ferguson Inventor and Pioneer,* Londres: John Murray, 1972.

GIBBARD, Stuart: *Ford Tractor Conversions,* Ipswich, Reino Unido: Farming Press, 1995.

GIBBARD, Stuart: *The Ferguson Tractor Story,* Ipswich, Reino Unido: Old Pond Publishing, 2000.

GIBBARD, Stuart: *The Ford Tractor Story 1917–1964,* Ipswich, Reino Unido: Old Pond Publishing & Japonica Press, 1998.

GIBBARD, Stuart: *The Ford Tractor Story 1964–1999,* Ipswich, Reino Unido: Old Pond Publishing & Japonica Press, 1999.

HAFNER, Kurt: *Lanz von 1928 bis 1942,* Stuttgart: Franckh Historische Tecnik, 1989.

HAFNER, Kurt: *Lanz von 1942 bis 1955,* Stuttgart: Franckh-Kosmos, 1990.

MACMILLAN, Don: *John Deere Tractors and Equipment Volume I,* St Joseph, Michigan: American Society of Agricultural Engineers, 1988.

Two Cylinder Collector Series Volume II, Grundy Center, Iowa: Two Cylinder Club, 1993.

WENDELL, C. H.: *American Farm Tractors,* Saratosa, Florida: Crestline Publishing, 1979.

WENDELL, C. H.: *International Harvester,* Saratosa, Florida: Crestline Publishing, 1993.

WENDELL, C. H.: *Nebraska Tractor Tests Since 1920,* Saratosa, Florida: Crestline Publishing, 1985.

WIK, Reynold M.: *Henry Ford & Grassroots America,* Ann Arbor, Michigan: University of Michigan Press, 1972.

WILLIAMS, Michael: *Great Tractors,* Poole, Dorset: Blandford Press, 1982.

WILLIAMS, Michael: *Classic Farm Tractors,* Poole, Dorset: Blandford Press, 1984.

WILLIAMS, Michael: *Ford & Fordson Tractors,* Poole, Dorset: Blandford Press, 1985.

WILLIAMS, Michael: *Massey-Ferguson Tractors,* Poole, Dorset: Blandford Press, 1987.

WILLIAMS, Michael: *John Deere Two-Cylinder Tractors,* Suffolk, Reino Unido: Farming Press, 1993.

WILLIAMS, Michael: *Farm Tractors,* Guilford, Connecticut: The Lyons Press, 2002

Índice